František Maleček / Roman Maleček

PRAHA

PRAG / PRAGUE / PRAGUE / PRAGA / PRAGA

NAKLADATELSTVÍ

ORION

Editor:
František Maleček & Roman Maleček

ISBN 80-900287-0-5

PRAHA

PRAG

PRAGUE

PRAGA

PRAGA

Černínský palác ze zahrady
Das Czernin-Palais vom Garten aus

The Černín Palace seen from the garden
Palais Černín vu du jardin

Il Pallazzo Černín visto dal giardino
Palacio de Černín, visto desde el jardín

Černínský palác
Das Czernin-Palais

The Černín Palace
Palais Černín

Il Pallazzo Černín
Palacio de Černín

Kostel Panny Marie Andělské
Die Marienkirche des Kapuzinerklosters

Church of the Virgin Mary of the Angels
L'église Notre-Dame des Anges

La Chiesa della Vergine Maria dell'Angelo
Iglesia de Santa María de los Ángeles

Hradčanské kanovnické domy
Die Domherrenhäuser am Hradschiner Platz

The Canons' Houses on Hradčany
Les maisons canonicales de Hradčany

Le case dei canonici a Hradčany
Casas canonicales en el barrio de Hradčany

←
Průčelí Lorety
Die Vorderfront des Loreto-Heiligtums
The Façade of the Loretto
La façade de la Lorette
La facciata del Loreto
Fachada de Loreto

→
Nádvoří Lorety
Der Loreto-Hof
The Courtyard of the Loretto
La cour de la Lorette
Il cortile del Loreto
Patio de Loreto

←

Kapucínský klášter
Das Kapuzinerkloster
The Capuchin Monastery
Le couvent des capucins
Il convento dei Cappuccini
Monasterio capuchino

←

Toskánský palác
Das Toskana-Palais
The Tuscan Palace
Le palais Toscan
Il Palazzo Toscano
Palacio Toscano

Kapitulní rezidence a Martinický palác
Die Residenz und das Martinitz-Palais
The Kapitular Residence and the Martinic Palace
La résidence et le palais Martinic
La Residenza del Capitolo e il Palazzo Martinic
Residencia y palacio de Bořita de Martinic

Praha z hradní rampy
Prag von der Burgrampe aus
Prague viewed from the Castle Ramp
Prague vue de la rampe du Château
Praga vista dalla rampa del Castello
Vista de Praga desde la rampa
del Castillo

Arcibiskupský palác
Das erzbischöfliche Palais
The Archibishop's Palace
Le palais archiépiscopal
Il Palazzo Arcivescovile
Palacio del Arzobispo

→
Vrch Petřín z hradní rampy
Der Petřín-Hügel von der Burgrampe
gesehen
The Petřín Hill viewed from the Castle Ramp
La colline de Petřín vue de la rampe
du Château
Il colle Petřín visto dalla rampa
del Castillo
El monte Petřín visto desde la rampa
del Castillo

→
Hrad ze Strahovské zahrady
Die Burg vom Strahover Garten
The Castle seen from Strahov Garden
Le Château de Prague vu du jardin
de Strahov
Il Castello visto dal giardino
di Strahov
Vista del Castillo desde el Jardín
de Strahov

← Královská zahrada
Der königliche Garten
The Royal Garden
Le Jardin royal
Il Giardino Reale
Jardín Real

← Královský letohrádek
Das königliche Lustschloß
The Royal Summer Palace
La Maison de plaisance royale
La Residenza Estiva Reale
Palacete Real

→ Klárov na Malé Straně
Klárov auf der Kleinseite
Klárov in the Lesser Town
(Malá Strana)
Klárov à Malá Strana
Klárov nel quartiere di Malá Strana
Klárov, en el barrio de la Ciudad
Pequeña

■ 19 ■

Čestný dvůr Hradu
Der Ehrenhof der Burg
The Courtyard of Honour in the Castle
La cour d'honneur du Château
Il cortile d'onore al Castello
El patio de honores en el Castillo

→
Kaple sv. Kříže
Die Heilige-Kreuz-Kapelle
The Chapel of the Holy Rood
La chapelle de la Sainte-Croix
La Capella della Santa Croce
Capilla de Santa Cruz

Průhled z čestného dvora Hradu
Die Durchsicht vom Ehrenhof der Burg

The View Through from the Castle
Courtyard of Honour
L'échappée de vue de la cour d'honneur
du Château

La veduta dal cortile d'onore del Castello
Instantánea desde el patio de honores del Castillo

←
Matyášova brána
Das Matthias-Tor
The Matthew Gate
La porte Mathias
La Porta Mattia
Puerta del Rey Mateo

→
Zlatý korunovační kříž
Das goldene Krönungskreuz
The Gold Coronation Cross
La croix d'or du couronnement
La croce d'oro delle incoronazioni
Cruz de coronación, de oro

←
Matyášova brána
Das Matthias-Tor
The Matthew Gate
La porte Mathias
La Porta Mattia
Puerta del Rey Mateo

→
Zlatý korunovační kříž
Das goldene Krönungskreuz
The Gold Coronation Cross
La croix d'or du couronnement
La croce d'oro delle incoronazioni
Cruz de coronación, de oro

Panorama Pražského hradu
Das Panorama der Prager Burg
Panorama of Prague Castle
Le panorama du Château de Prague
Il panorama del Castello di Praga
Panorámica del Castillo de Praga

Hrad z Alšova nábřeží
Der Hradschin vom Aleš-Quai aus
The Castle from the Aleš Embankment
Hradčany vu du quai Aleš
Il Castello visto
dal lungofiume Aleš
Vista del Castillo de Praga
desde el Malecón de Aleš

←

Kancelář úřadu zemských desek
Die Kanzlei der Landtafel
The Office of the Chancery of Records
Le bureau de l'Office des livres fonciers
La Cancelleria dell'ufficio delle Antiche Tavole del Paese
La oficina del Registro de los Predios

Stará sněmovna na Hradě
Die alte Landrechtstube auf der Burg
The Old Parliament in the Castle
L'ancienne Chambre de la Diète au Château
La Dieta Vecchia al Castello
Antiguo Parlamento en el Castillo

Kostel sv. Jiří
Die Georgskirche

The Church of St George
L'église Saint-Georges

La Chiesa di S. Giorgio
Iglesia de San Jorge

Interiér kostela sv. Jiří
Das Innere der Georgskirche

The Interior of the Church of St George
L'intérieur de l'église Saint-Georges

L'interno della Chiesa di S. Giorgio
Interior de la iglesia de San Jorge

Zlatá ulička
Das Goldene Gäßchen
Golden Lane
La Ruelle d'or
Il Vicolo d'Oro
Callejuela de Oro

→
Střechy malostranských paláců
Die Dächer der Kleinseitner Palais
The Roofs of the Palaces of the Lesser Town
Les toits des palais de la Malá Strana
I tetti dei palazzi di Malá Strana
Techos de los palacios de la Ciudad Pequeña

Ostatkové busty
Reliquienbüsten

Busts of relics
Les bustes des reliques

I busti reliquiari
Bustos des reliquias

→

Průčelí katedrály sv. Víta
Die Vorderfront des St. Veitsdoms
The Façade of St Vitus' Cathedral
La façade de la cathédrale Saint-Guy
La facciata della Cattedrale di S. Vito
Fachada de la catedral de San Vito

←

Katedrála sv. Víta
St. Veitsdom
St Vitus' Cathedral
La cathédrale Saint-Guy
La Cattedrale di S. Vito
Catedral de San Vito

Vladislavský sál
Der Wladislaw-Saal
The Vladislav Hall
La salle Vladislav
La Sala Vladislao
Sala del Rey Vladislao

Strahovský klášter
Das Strahover Kloster

The Strahov Monastery
Le couvent de Strahov

Il Monastero di Strahov
Monasterio de Strahov

Nerudova ulice
Die Neruda-Gasse

Neruda Street
La rue Nerudova

La via Nerudova
Calle de Neruda

Dům U dvou slunců
Das Haus Zu den zwei Sonnen
The House At the Two Suns
La maison Aux deux soleils
La casa Ai Due Soli
Casa de Dos Soles

←

Dům U tří housliček
Das Haus Zu den drei Geigen
The House At the Three Violins
La maison Aux trois violons
La casa Ai Tre Violini
Casa de Tres Violinitos

→

Thun-Hohensteinský palác
Das Thun-Hohenstein-Palais
The Thun-Hohenstein Palace
Le palais Thun-Hohenstein
Il Palazzo Thun-Hohenstein
Palacio de Thun-Hohenstein

←

Interiér kostela sv. Mikuláše
Der Innenraum der Niklaskirche
The Interior of the
St Nicholas' Church
L'intérieur de l'église
Saint-Nicolas
L'interno della Chiesa di S. Nicola
Interior de la iglesia
de San Nicolás

←
Malostranské náměstí
Der Kleinseitner Ring
The Lesser Town Square
La place Malostranské
de la Malá Strana
La Piazza Malostranské
Plaza de la Ciudad Pequeña

←
Sněmovna ve Sněmovní ulici
Der Landtag in der Landtaggasse
The Parliament Building
in Parliament Street
La Chambre de la Diète dans
la rue Sněmovní
La Camera dei Deputati
del Parlamento in via Sněmovní
Parlamento en la Calle
Sněmovní

→
Kostel sv. Mikuláše
Die St. Niklaskirche
St Nicholas' Church
L'église Saint-Nicolas
La Chiesa di S.Nicola
Iglesia de San Nicolás

← Thunovský palác
Das Thun-Palais
The Thun Palace
Le palais Thun
Il Palazzo Thun
Palacio de Thun

→ Valdštejnský palác
Das Waldstein-Palais
The Valdštejn (Wallenstein) Palace
Le palais Wallenstein
Il Palazzo Valdštejn
Palacio de Wallenstein

→ Auersperský palác
Das Auersperg-Palais
The Auersperk Palace
Le palais Auersperk
Il Palazzo Auersperg
Palacio de Auersperg

← Dům U zlatého jelena
Das Haus Zum goldenen Hirschen
The House At the Golden Stag
La maison Au cerf d'or
La casa Al Cervo d'Oro
Casa del Ciervo de Oro

← Kostel sv. Josefa
Die St. Josefskirche
The Church of St Joseph
L'église Saint-Joseph
La Chiesa di S.Giuseppe
Iglesia de San José

→ Kolovratský palác
Das Kolowrat-Palais
The Kolovrat Palace
Le palais Kolovrat
Il Palazzo Kolowrat
Palacio de Kolowrat

← Oettingenský palác
Das Oettingen-Palais
The Oettingen Palace
Le palais Oettingen
Il Palazzo Oettingen
Palacio de Oettingen

■ 42 ■ 43 ■

Sala terrena ve Valdštejnské zahradě
Die Sala terrena im Waldstein-Garten

The Sala Terrena in the Valdštejn Garden
Sala terrena du jardin Wallenstein

La Sala Terrena nel Giardino Valdštejn
Sala terrena en el Jardín de Wallenstein

Bazén ve Valdštejnské zahradě
Das Bassin im Waldstein-Garten

The Pool in the Valdštejn Garden
Le bassin du jardin Wallenstein

La vasca nel Giardino Valdštejn
Piscina en el Jardín de Wallenstein

Interiér kostela sv. Tomáše
Der Innenraum der St. Thomaskirche

The Interior of the St Thomas' Church
L'intérieur de l'église Saint-Thomas

L'interno della Chiesa di S.Tommaso
Interior de la iglesia de Santo Tomás

Valdštejnská jízdárna
Die Waldstein-Reitschule

The Valdštejn Riding School
La salle d'équitation du palais Wallenstein

Il Maneggio del Palazzo Valdštejn
Picadero de Wallenstein

Zahrada u metra na Klárově
Der Garten bei der Metro am Klárov

The Garden of the Klárov Metro Station
Le jardin à la station de métro à Klárov

Il giardino presso la stazione
della metropolitana a Klárov
Jardín en la estación de metro Klárov

→
Palác maltézského velkopřevora
Das Malteser Großpriorat
The Palace of the Grand Prior
of the Maltese Knights
Le palais du grand prieur
des chevaliers de Malte
Il Palazzo del Grande Priore
dell'Ordine di Malta
Palacio del Gran Prior
de la Orden de Malta

Nostický palác
Das Nostitz-Palais
The Nostic Palace
Le palais Nostic
Il Palazzo Nostic
Palacio de Nostitz

Kostel Panny Marie pod řetězem
Die Kirche Maria unter der Kette

The Church of the Virgin Mary under Chain
L'église Notre-Dame-à-la-Chaîne

La Chiesa della Vergine Maria sotto la Catena
Iglesia de Santa María de la Cadena

Karlův most z Kampy
Die Karlsbrücke von der Kampa gesehen

Charles' Bridge seen from the Kampa
Le pont Charles vu de Kampa

Il Ponte Carlo visto dall'isola di Kampa
Vista del Puente de Carlos desde Kampa

Klášter křižovníků s červenou hvězdou
Das Stift des Kreuzherrenordens

The Monastery of the Knights of Cross
Le couvent des chevaliers de la Croix

Il Monastero dei Crociati con la Stella Rossa
Monasterio de los Cruzados de la Estrella Roja

Kostel sv. Františka
Die St. Franziskuskirche
The Church of St Francis
L'église Saint-François
La Chiesa di S.Francesco
Iglesia de San Francisco

Kostel sv. Salvátora
Die St. Salvatorkirche
St Salvator's Church
L'église Saint-Sauveur
La Chiesa del S. Salvatore
Iglesia de San Salvador

→
Turistický ruch na Karlově mostě
Touristen auf der Karlsbrücke
Tourists on Charles' Bridge
L'affluence des touristes sur le pont Charles
Turisti sul Ponte Carlo
Movimiento turístico en el Puente de Carlos

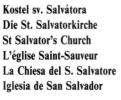

Staroměstské mlýny s vodárenskou věží
Die Altstädter Mühlen mit dem Wasserturm
Old Town Mills with the Water Tower
Les moulins de la Vieille-Ville
I mulini della Città Vecchia
Los molinos de la Ciudad Vieja

→

Staroměstská mostecká věž
Der Altstädter Brückenturm
The Old Town Bridge Tower
La tour du pont de la Vieille-Ville
La Torre del Ponte della Città Vecchia
La torre de puente de la Ciudad Vieja

←

Interiér kostela sv. Klimenta
Der Innenraum der St. Clemenskirche
Interior of the Church of St Clement
L'intérieur de l'église Saint-Clément
L'interno della Chiesa di S.Clemente
Interior de la iglesia de San Clemente

←

Dům U zlaté studně
Das Haus Zum goldenen Brünnel
The House At the Golden Well
La maison Au puits d'or
La casa Al Pozzo d'Oro
Casa del Pozo de Oro

→

Astronomická věž Klementina
Der astronomische Turm des Klementinums
The Astronomic Tower of the Clementinum
La tour astronomique du Clémentinum
La torre astronomica del Klementinum
La torre astronómica del Clementinum

→
Staré Město z Karlova mostu
Die Altstadt von der Karlsbrücke aus
The Old Town seen from Charles Bridge
La Vieille-Ville vue du pont Charles
La Città Vecchia vista dal Ponte Carlo
La ciudad Vieja vista desde el Puente de Carlos

←
Malá Strana z Karlova mostu
Die Kleinseite von der Karlsbrücke aus
The Lesser Town seen from Charles Bridge
La Malá Strana vue du pont Charles
Il quartiere di Malá Strana visto dal Ponte Carlo
La Ciudad Pequeña vista desde el Puente de Carlos

Průčelí Klementina
Die Vorderfront des Klementinums
The Façade of the Clementinum
La façade du Clémentinum
La facciata del Klementinum
Fachada del Clementinum

→
Brevíř Beneše z Valdštejna
Das Brevier von Beneš von Waldstein
The Breviary of Beneš of Valdštejn
Le bréviaire de Beneš de Valdštejn
Il breviario di Beneš di Valdštejn
Breviario de Beneš de Wallenstein

←
Iluminovaný kodex Tomáše Akvinského
Der illuminierte Kodex von Thomas von Aquino
The Illuminated Codex od Thomas Aquinus
Le code enluminé de Thomas d'Aquin
Il codice miniato di Tommaso d'Aquino
El código iluminado de Tomás de Aquino

Gaude et letare irl'm ecce rex tuus veniet de quo ꝓphete predixerunt
quem angeli adorauerunt cui cherubin et feraphin fctus fctus

←
Brevíř Beneše z Valdštejna
Das Brevier von Beneš von Waldstein
The Breviary of Beneš of Valdštejn
Le bréviaire de Beneš de Valdštejn
Il breviario di Beneš di Valdštejn
Breviario de Beneš de Wallenstein

→
Astronomické hodiny v Klementinu
Die astronomische Uhr im Klementinum
The Astronomic Clock in the Clementinum
L'horloge astronomique du Clémentinum
L'orologio astronomico nel Klementinum
El reloj astronómico del Clementinum

←
Clam-Gallasův palác
Das Clam-Gallas-Palais
The Clam-Gallas Palace
Le palais Clam-Gallas
Il Palazzo Clam-Gallas
Palacio Clam-Gallas

Nová radnice na Mariánském náměstí
Das Neue Rathaus auf dem Marienplatz
The New Town Hall in Mariánské Square
Le nouvel Hôtel de Ville place Mariánské
Il Municipio Nuovo in piazza Mariánské
Ayuntamiento Nuevo en la Plaza de Santa María

→

Bibliotéka v Klementinu
Die Bibliothek im Klementinum
The Library in the Clementinum
La bibliothèque au Clémentinum
La biblioteca del Klementinum
La biblioteca del Clementinum

←

Kašna Vltava
Der Moldau-Brunnen
The Vltava Fountain
La fontaine Vltava
La fontana Vltava
La fuente Vltava

→
Malé náměstí
Der Kleine Ring
Malé náměstí (Little Square)
La place Malé náměstí
Malé náměstí (Piazzetta)
Plaza Pequeña

←
Kostel sv. Mikuláše
Die St. Nikolauskirche
The Church of St Nicholas
L'église Saint-Nicolas
La Chiesa di S. Nicola
Iglesia de San Nicolás

→
Náhrobky na Starém
židovském hřbitově
Grabsteine auf dem Alten
jüdischen Friedhof
Gravestones in the Old
Jewish Graveyard
Les pierres tombales du Vieux
cimetière juif
Le tombe del Vecchio
Cimitero Ebraico
Los sepulcros en el Cementerio
Judío Viejo

Starý židovský hřbitov
Der Alte jüdische Friedhof
The Old Jewish Graveyard
Le Vieux cimetière juif
Il Vecchio Cimitero Ebraico
Cementerio Judío Viejo

Židovská radnice
Das jüdische Rathaus
The Jewish Town Hall
L'Hôtel de ville juif
Il Municipio Ebraico
Ayuntamiento judío

Věž židovské radnice
Der Turm des jüdischen Rathauses
The Tower of the Jewish Town Hall
La tour de l'Hôtel de ville juif
La torre del Municipio Ebraico
Torre del Ayuntamiento judío

←

Budova márnice na Starém
židovském hřbitově
Die Totenkammer des Alten
jüdischen Friedhofs
The Building of the Mortuary in the Old Jewish
Graveyard
Le bâtiment abritant la chambre
mortuaire
L'edificio dell'obitorio nel Vecchio
Cimitero Ebraico
Edificio de la morgue en el Cementerio
Judío Viejo

→

Interiér Vysoké synagogy
Der Innenraum der Klausensynagoge
The Interior of the High Synagogue
L'intérieur de la Synagogue Haute
L'interno della Sinagoga Alta
Interior de la Sinagoga Alta

Staronová synagoga
Die Altneusynagoge
The Old-New Synagogue
La synagogue Vieille-Nouvelle
La Sinagoga Vecchio-Nuova
Sinagoga Viejonueva

Vstupní portál do Staronové synagogy
Eintrittsportal in die Altneusynagoge
The Entrance Portal
of the Old-New Synagogue
Le portail d'entrée de la synagogue
Vieille-Nouvelle
Il portale d'ingresso della Sinagoga
Vecchio-Nuova
Portal de entrada de la Sinagoga
Viejonueva

→
Kostel sv. Salvátora
Die St. Salvatorkirche
The Church of St Salvator
L'église Saint-Sauveur
La Chiesa di S.Salvatore
Iglesia de San Salvador

Staroměstské náměstí
Der Altstädter Ring
The Old Town Square
La place de la Vieille-Ville
(Staroměstské)
La Piazza della Città Vecchia
Plaza de la Ciudad Vieja

Refektář v Anežském klášteře
Das Refektorium
im Agneskloster
The Refectory in the Agnes'
Convent
Le réfectoire du couvent
Saint-Agnès
Il refettorio nel Monastero
di S. Agnese
Refectorio en el Convento
de Santa Inés

←
Rajský dvůr v Anežském
klášteře
Der Paradieshof
im Agneskloster
The Paradise Courtyard
in the Agnes' Convent
La cour Rajský dvůr
du couvent Saint-Agnès
Il Corile del Paradiso
nel Monastero di S. Agnese
Patio del Paraíso
en el Convento de Santa
Inés

■ 74 ■

Kostel sv. Mikuláše
Die St. Nikolauskirche

The Church of St Nicholas
L'église Saint-Nicolas

La Chiesa di S. Nicola
Iglesia de San Nicolás

Dům U kamenného zvonu
Das Haus Zur steinernen Glocke
The House At the Stone Bell
La maison A la cloche de pierre
La casa Alla Campana di Pietra
Casa de la Campana de Piedra

Interiér domu U kamenného zvonu
Interieur des Hauses
Zur steinernen Glocke
The Interior of the House
At the Stone Bell
L'intérieur de la maison A la cloche
de pierre
L'interno della casa Alla Campana
di Pietra
Interior de la casa de la Campana
de Piedra

Husův pomník
Das Hus-Denkmal
The Huss Monument
Le monument Jean Huss
Il monumento a Hus
Monumento a Hus

→
Storchův dům
Das Storchhaus
Storch House
La maison de Storch
La casa di Storch
Casa de Storch

Zástavba v okolí Staroměstského náměstí
Häuser in der Umgebung des Altstädter Rings
Buildings around the Old Town Square
Les maisons aux environs de la place
de la Vieille-Ville
I complessi edilizi nei dintorni della Piazza
della Città Vecchia
Urbanización en las inmediaciones de la Plaza
de la Ciudad Vieja

Staroměstské náměstí
Der Altstädter Ring
The Old Town Square
La place de la Vieille-Ville
La Piazza della Città Vecchia
Plaza de la Ciudad Vieja

Nároží Staroměstské
radnice
Die Ecke des Altstädter
Rathauses
The Corner of the Old
Town Hall
Le coin de l'Hôtel de Ville
de la Vieille-Ville
Un angolo del Municipio
della Città Vecchia
Esquina del Ayuntamiento
de la Ciudad Vieja

Domy před orlojem
Häuser vor der astronomischen Uhr
The Houses in front of the Horologe
Les maisons au voisinage de l'Horloge
I palazzi di fronte all'orologie
Casas situadas frente al reloj astronómico

→
Dům U Schönpflugů
Das Haus Bei den Schönpflug
The House At the Schönpflugs
La maison chez les Schönpflug
La casa Dai Schönpflug
Casa de los Schönpflug

←
Celetná ulice
Die Zeltnergasse
Celetná ulice
Celetná Street
La rue Celetná
La via Celetná
Calle Celetná

→
Arkýř kaple v Karolinu
Die Erkerkapelle
des Karolinums
The Oriel of the Chapel
in the Carolinum
L'échauguette de la chapelle
du Karolinum
Il balcone chiuso della cappella
del Karolinum
Mirador de la capilla
del Carolinum

Prašná brána
Der Pulverturm
The Powder Tower Gate
La Tour poudrière
La Torre delle Polveri
Puerta de la Pólvora

←
Detail výzdoby Prašné brány
Detail der Ausschmückung des Pulverturms
Detail of the Décor of the Powder Tower Gate
Un détail de la décoration de la Tour poudrière
Dettaglio della decorazione della Torre delle Polveri
Decoración de la Puerta de la Pólvora

Palác Sylva – Taroucovský
Das Palais Silva Tarouca
The Sylva-Tarouca Palace
Le palais Sylva-Taroucca
Il Palazzo Sylva-Taroucc
Palacio de Sylva-Taroucca

Václavské náměstí
Der Wenzelsplatz

Wenceslas Square
La place Venceslas

La Piazza Venceslao
Plaza de Venceslao

→
Pražské věže
Prager Türme
Prague Towers
Les tours de Prague
Le torri di Praga
Las torres de Praga

←
Novotného lávka a Smetanovo nábřeží
Der Novotný-Steg und der Smetana-Quai
The Novotný Footbridge and Smetana Embankment
Le quai Novotného lávka
La passerella Novotného lávka e il lungofiume Smetana
Pasarela de Novotný y Malecón de Smetana

← Václavské náměstí
Der Wenzelsplatz
Wenceslas Square
La place Venceslas
La Piazza Venceslao
Vista de la Plaza de Venceslao

← Národní muzeum
Das Nationalmuseum
The National Museum
Le Musée national
Il Museo Nazionale
Museo Nacional

→ Jeruzalemská synagoga
Die Jerusalem-Synagoge
The Jerusalem synagogue
La synagogue de Jérusalem
La Sinagoga di Gerusalemme
Sinagoga de Jerusalén

■ 91 ■

Mottlův dům na Novém Městě
Das Mottlhaus in der Neustadt
The Mottl House in the New Town
La maison de Mottl dans la Nouvelle-Ville
La casa Mottl nella Città Nuova
Casa de Mottl en la Ciudad Nueva

Rotunda sv. Kříže
Die Heilige-Kreuz-Rotunde
The Rotunda of the Holy Rood
La rotonde de la Sainte-Croix
La Rotonda della S. Croce
Rotonda de Santa Cruz

→
Národní divadlo
Das Nationaltheater
The National Theatre
Le Théâtre national
Il Teatro Nazionale
Teatro Nacional

Nová scéna Národního divadla
Die Neue Szene des Nationaltheaters

The New Stage of the National Theatre
La Nouvelle scène du Thèâtre national

La Scena Nuova del Teatro Nazionale
Escena Nueva del Teatro Nacional

Šítkovská vodárenská věž
Der Šítka-Wasserturm
The Šítkovská Water Tower
Le Château d'eau de Šítkov
La torre Šítkovská della centrale idraulica
Torre de agua de Šítek

Kaple sv. Maří Magdaleny
Die Kapelle St. Maria Magdalena
The Chapel of St Mary Magdalene
La chapelle Sainte-Marie-Madeleine
La Cappella di S.Maria Maddalena
Capilla de Santa María Magdalena

Zahrada kláštera voršilek
Der Garten des Ursulinenklosters

The Garden of the Ursuline Nunnery
Le jardin du couvent des ursulines

Il giardino del Convento delle Orsoline
Jardín del Convento de las ursulinas

Benediktinský klášter v Břevnově
Das Benediktinerstift in Břevnov

The Benedictine Monastery in Břevnov
Le couvent des bénédictins à Břevnov

Il Monastero dei Benedettini a Břevnov
Monasterio benedictino en Břevnov

Letohrádek Hvězda v Liboci
Schloß Stern (hvězda) in Liboc
The Hvězda (Star) Summer Palace in Liboc

Le pavillon de plaisance Hvězda à Liboc
La Residenza Estiva Hvězda („Stella") a Liboc
Palacete Hvězda (Estrella) en Liboc

→
Detail štukové výzdoby ve Hvězdě
Detail der Stuckausschmückung im Schloß Stern
Detail of stucco décor in the Hvězda Summer Palace
Un détail des ornements en stuc à Hvězda
Dettaglio della decorazione a stucco nello Hvězda
Decoración de estucos en el palacete Hvězda – detalle

Podbaba v Dejvicích
Podbaba in Dejvice
Podbaba in Dejvice
Podbaba à Dejvice
Il Podbaba nel quartiere di Dejvice
Podbaba, parte del barrio de Dejvice

←
Usedlost Hanspaulka v Dejvicích
Die Hanspaulka in Dejvice
The Hanspaulka Manor in Dejvice
La résidence Hanspaulka à Dejvice
Il podere Hauspaulka nel Dejvice
La finca Hanspaulka en Dejvice

→
Vodárenská věž na Letné
Der Wasserturm auf der Letná
The Water Tower at Letná
Le château d'eau à Letná
La torre della centrale idraulica di Letná
Torre de agua en Letná

Místodržitelský letohrádek v Bubenči
Das Statthalter-Lustschloß in Bubeneč
The Governor's Summer Palace in Bubeneč
La maison de plaisance du gouverneur à Bubeneč
Il Palazzo Estivo del Governatore nel quartiere
di Bubeneč
Palacete del Lugarteniente en el barrio de Bubeneč

Staré Město z Letné
Die Altstadt von der Letná gesehen

The Old Town seen from Letná
La Vieille-Ville vue de Letná

Vista della Città Vecchia dal colle di Letná
La Ciudad Vieja vista desde Letná

←
Hanavský pavilón na Letné
Der Hanau Pavillon auf der Letná
The Hanau Pavilion at Letná
Le pavillon Hanavský à Letná
Il Padiglione Hanavský a Letná
Pabellón de Hanava en Letná

Vltavské mosty
Moldaubrücken
The Bridges of the Vltava
Les ponts de la Vltava
I ponti della Moldava
Los puentes del Vltava

←
Detail schodiště Trojského zámku
Detail des Treppenaufgangs
von Schloß Troja
Detail of the Staircase of Trója
Chateau
Un détail de l'escalier du château
de Troie
Dettaglio della scalinata
del Castello Trojský
Escalinata del Castillo
de Trója – detalle

→
Strop císařského sálu
Trojského zámku
Die Decke des Kaisersaals
in Schloß Troja
Ceiling of the Imperial Hall
of Trója Chateau
Le plafond de la salle impériale
du château de Troie
Il soffitto della Sala Imperiale
del Castello Trojský
Techo de la Sala Imperial
en el Castillo de Trója

Zahrada Trojského zámku
Der Garten von Schloß Troja
The Garden of Trója Chateau
Le jardin du château de Troie
Il giardino del Castello Trojský
Jardín del Castillo de Trója

Trojský zámek v Tróji
Schloß Troja im Prager Stadteil Troja
Trója Chateau in Trója
Le château de Troie à Trója
Il Castello Trojský di Trója
El Castillo de Trója

Kostel Nejsvětějšího srdce Páně
Die Herz-Jesu-Kirche

The Church of the Most Sacred Heart of the Lord
L'église du Saint-Coeur du Christ

La Chiesa del Sacro Cuore del Gesù
Iglesia del Sacratísimo Corazón de Jesús

Palác kultury a hotel Forum   The Palace of Culture and the Forum Hotel   Il Palazzo della Cultura e l'Hotel Forum
Der Kulturpalast und das Hotel Forum   Le Palais de la Culture et l'hôtel Forum   El Palacio de la Cultura y el hotel Forum

←
Kostel sv. Ludmily
Die St. Ludmillakirche
The Church of St Ludmila
L'église Sainte Ludmila
La Chiesa di S. Ludmila
Iglesia de Santa Ludmila

Nuselský most
Die Brücke über das Nusletaal
The Nusle Bridge
Le pont de Nusle
Il ponte di Nusle
El Puente de Nusle

Rotunda sv. Martina na Vyšehradě
Die St.Martin-Rotunde auf dem Vyšehrad
The Rotunda of St Martin at Vyšehrad
La Rotunda of St Martin on Vyšehrad
La rotonde Saint-Martin à Vyšehrad
La Rotonda di S. Martino a Vyšehrad
Rotonda de San Martín en Vyšehrad

Leopoldova brána na Vyšehradě
Das Leopoldtor auf dem Vyšehrad
The Leopold Gate at Vyšehrad
La porte Léopold à Vyšehrad
La Porta di Leopoldo a Vyšehrad
Puerta de Leopoldo en Vyšehrad

→
Podolí s řekou Vltavou
Podolí mit der Moldau
Podolí with the Vltava River
Podolí avec la Vltava
Il Podolí con il fiume Moldava
Vista del barrio de Podolí con el río Vltava

Tvrz v Chodově
Feste in Chodov

The Fortress in Chodov
Le fort de Chodov

La fortezza nel quartiere di Chodov
El fortín de Chodov

Usedlost Bertramka na Smíchově
Die Bertramka in Smíchov

Bertramka Manor in Smíchov
La résidence Bertramka à Smíchov

Il podere Bertramka nel quartiere di Smíchov
La finca Bertramka en el barrio de Smíchov

Zbraslavský zámek
Das Schloß von Zbraslav

Zbraslav Chateau
Le château de Zbraslav

Il Castello di Zbraslav
El Castillo de Zbraslav

Budova prelatury
Zbraslavského zámku
Das Gebäude
der Prälatur
des Schlosses
von Zbraslav
The Buidlding
of the Prelate's
House in Zbraslav
Chateau
L'édifice du prélat
du château
de Zbraslav
L'edifico della prelatura
del Castello
di Zbraslav
La prelatura
en el Castillo
de Zbraslav

Královský sál Zbraslavského zámku
Der Königsaal im Schloß von Zbraslav

The Royal Hall of Zbraslav Chateau
La salle royale du château de Zbraslav

La Sala Reale del Castello di Zbraslav
Sala Real en el Castillo de Zbraslav

PRAHA

Římské číslice, kterými jsou lomena čísla popisná (čp. – červené tabulky na rozdíl od modrých tabulek orientačních čísel) znamenají jednotlivé čtvrti obvodu Prahy 1:

I. – Staré Město
II. – Nové Město
III. – Malá Strana
IV. – Hradčany
V. – Josefov

■ PŘEDNÍ STRANA OBÁLKY ■

Dům U minuty čp. 3/I. vznikl na místě úzké uličky až počátkem 15. stol. Patrně teprve při renesanční přestavbě v 80.l. 16. stol. byl dům prodloužen do dnešní hloubky, zvýšen, opatřen lunetovou římsou a cele pokryt ve dvou časových etapách sgrafity (před r. 1601 a před r. 1615). V 2. pol. 18. stol. prodělal dům klasicistní přestavbu, sgrafita byla zabílena a na nároží bylo osazeno na později zničeném sloupu domovní znamení lva s erbovní kartuší v tlapách podle staršího názvu domu – U bílého lva. Sgrafita, představující podle grafických předloh biblické příběhy ze Starého i Nového zákona, mytologické scény, náměty z římské historie i židovského Talmudu, alegorické postavy a řadu francouzských králů, byla znovu objevena a restaurována v r. 1919. Uvnitř domu se zachovaly středověké fragmenty, trámové renesanční stropy a krov a barokní malované klenby z doby před r. 1712.

Následují částečně zakryté fasády jižní strany Staroměstské radnice: loubím propojené domy U kohouta a kožešníka Mikše, dům kramáře Kříže s trojdílným renesančním oknem z doby kol. r. 1525 a sledem konšelských erbů pod korunní římsou a dům Volflina od Kamene s pozdně gotickým portálem a oknem kol. r. 1490. V pozadí vidíme východní stranu Staroměstského náměstí s Týnským chrámem.

■ ZADNÍ STRANA OBÁLKY ■

Severozápadní nároží Staroměstského náměstí s kostelem sv. Mikuláše od Týnského chrámu a Týnské školy čp. 604/I.

■ STRANA 3 ■

Malostranské mostecké věže uzavírají Karlův most na levém vltavském břehu. Nižší věž je románská, současná se stavbou Juditina mostu přibližně od r. 1158. V r. 1591 byla renesančně upravena. Ve věži, původně jako součást vnější výzdoby, se zachoval jedinečný reliéf z doby kolem r. 1170, znázorňující snad povýšení Vladislava II. na krále. Brána nahradivší starší románskou byla postavena po r. 1411. Vyšší mosteckou věž založil král Jiří z Poděbrad r. 1464, patrně opět na místě románské stavby. K monumentální sochařské výzdobě však už nedošlo.

■ STRANA 4 ■

Pohled z domu U kamenného zvonu čp. 605/I. přes mansardovou střechu paláce Kinských čp. 606/I. na Staroměstské náměstí s pomníkem Mistra Jana Husa. V pozadí vidíme u kostela sv. Mikuláše domy radničního bloku čp. 22, 21, 20 a 19/I.

■ STRANA 5 ■

Pražský orloj, opředený pověstí o oslepení svého tvůrce mistra Hanuše konšely, aby už podobné dílo nikde jinde nemohl vytvořit, patří k nejnavštěvovanějším místům v Praze. Orloj na Staroměstské radnici byl však r. 1410 sestrojen Mikulášem z Kadaně – tedy astronomický ciferník a k tomu odpovídající mechanismus – a teprve kol. r. 1490 mistr Hanuš neboli Jan Růže se svým pomocníkem Jakubem Čechem přidali kalendarium. V podstatě v každém století byl orloj opravován, někdy dlouhá léta nešel, zdokonalován a zdoben – v obou gotických periodách kamennými plastikami, v 17. stol. pohyblivými dře-

věnými figurami alegorických postav po stranách ciferníků a v r. 1865 novou kalendářní deskou od Josefa Mánesa a chodem apoštolů od Eduarda Veselého. Zdá se však, že jiní apoštolové defilovali na orloji už v 18. stol. Kokrhající kohout přibyl až v r. 1882. V květnové revoluci r. 1945 většina figurek na orloji shořela, kopie Mánesovy desky byla žárem zničena. Nové sošky vyřezal Vojtěch Sucharda, kalendářní desku namaloval Bohumír Číla a opravený orloj byl spuštěn r. 1948. Dnes jsou na orloji pouze kopie soch. Suchardovy originály a Mánesova deska jsou vystaveny v Muzeu hlavního města Prahy.

■ STRANA 6 ■

Na stavbu Obecního či Reprezentačního domu čp. 1090/I. v Praze byla vypsána r. 1903 soutěž, ze které vyšli vítězně Antonín Balšánek a Osvald Polívka. Pětiboká secesní stavba byla realizována v l. 1905–11. Pod kupolí v nice nad průčelním portikem je umístěna mozaika s námětem Hold Praze podle kartónu Karla Špillara. Sousoší Ponížení a Vzkříšení národa po stranách oblouku vytvořil Ladislav Šaloun, světlonoše a další ornamentální výzdobu Karel Novák. Ostatní sochařská a reliéfní díla postranních fasád jsou od Antonína Máry, Josefa Mařatky, Josefa Pekárka, Eduarda Pickardta, Františka Rouse, Antonína Štrunce, Františka Úprky a Gustava Zouly. Velmi zajímavé jsou i vnitřní prostory Obecního domu – vestibul, francouzská restaurace, kavárna, kulečníková síň, bar, primátorský sál, Riegerův sál, Sladkovského sál, Palackého salon, cukrárna a především koncertní Smetanova síň, sloužící někdy i k veřejným nebo společenským účelům.

Z umělců podílejících se na jejich výzdobě je nutno, kromě již jmenovaných, uvést ještě Mikoláše Alše, Františka Hergesela, Josefa Kalvodu, Alfonse Muchu, Josefa Václava Myslbeka, Maxe Švabinského a Františka Ženíška. V místecch dnešního Obecního domu, sídla Symfonického orchestru hlavního města Prahy FOK, se rozkládal v době po r. 1380 do r. 1483 Králův dvůr. Zpustlý byl po r. 1631 přestavěn na arcibiskupský seminář. V Obecním domě se konala mnohá významná politická shromáždění, z nichž nejdůležitější bylo vyhlášení samostatnosti Československa a vydání prvního zákona 28. října 1918.

■ STRANA 7 ■
Pařížská třída, zastavěná reprezentačními eklektickými a secesními domy, je teprve v poslední čtvrtině 20. stol. skutečně doceňována. Domy v sousedství objektu čp. 934/I. na rohu Staroměstského náměstí vznikly ještě v posledních letech 19. stol. Převážná většina byla postavena v l. 1901–1906 podle plánů architektů Matěje Blechy, Richarda Klenky z Vlastimilů, Jana Kouly, Čeňka Křičky, Antonína Makovce, Jana Vejrycha, Františka Weyra a dalších.

■ STRANA 8 ■
Šternberský palác čp. 7/III. na Malostranském náměstí vznikl po r. 1684, když zde Adolf Vratislav ze Šternberka koupil dva renesanční domy, z nichž dům Na baště je stále patrný svým zastrčeným průčelím od výše 1. patra. Před r. 1720 došlo k další vrcholně barokní přestavbě, která je zřejmě dílem Giovanniho Battisty Alliprandiho. Mezi okny 1. patra je umístěn nástěnný obraz P. Marie s Ježíškem. Štukové stropy od Giovanniho Bartolomea Comety byly doplněny spolu s malbami poč. 18. stol. neznámými umělci.

Šternberkům patřil také sousední renesanční nárožní dům čp. 518/III., vystavěný kol. r. 1585. Raně barokní úprava domu proběhla v r. 1670. Při opravě v r. 1899 opatřil fasádu novými sgrafity Celda Klouček.

V pozadí vidíme věž a tambur kostela sv. Tomáše.

■ STRANA 9 ■
Severní zahradní průčelí hradčanského Černínského paláce se dvěma loggiemi vystavěné v l. 1669–1692 je dílem Francesca Carattiho. Sochu Herkula vítězícího nad saní vytvořil r. 1746 Ignác František Platzer. Zahradu francouzského typu, navrženou v r. 1718 Františkem Maxmiliánem Kaňkou, realizoval zahradník Matěj Ivan Lebsche. Novou oranžérii postavil Anselmo Lurago. V l. 1934-35 byla zahrada zrekonstruována Pavlem Janákem a Otakarem Fierlingerem.

■ STRANA 9 ■
Černínský palác čp. 101/IV. založil po demolici několika domů Humprecht Jan Černín z Chudenic, císařský vyslanec v Benátkách, r. 1669. Projektantem a ředitelem stavby ovlivněné palladiánskými formami se stal Francesco Caratti, jemuž pomáhali Giovanni Decapauli a Abraham Leuthner. Kamenické práce prováděli s pomocníky Giovanni Battista Pozzo a Domenico Semprici. Od r. 1676 vedl stavbu Giovanni Battista Maderna, činný zde i jako štukatér, spolu s Giovannim Bartholomeem Cometou a Francescem Perrim, dále od r. 1692 Domenico Egidio Rossi, od r. 1696 Giovanni Battista Alliprandi a nakonec Martino a Giovanni Battista Alliové. Vrcholně barokní styl uplatnil na stavbě paláce a v návrzích interiérů od r. 1718 František Maxmilián Kaňka. Na vnitřní výzdobě pracovali štukatéři Tommaso Soldati a později Bernardo Spinetti, mramorář Domenico Antonio Rappa a freskař Václav Vavřinec Reiner především svým znázorněním boje Olympanů s Giganty na schodišti r. 1718. V l. 1742 a 1757 poškodili zdivo dělostřelbou Francouzi a Prusové. Sochařská díla se téměř nezachovala. V r. 1851 byl pustnoucí palác prodán a přebudován na kasárny. Pro potřeby ministerstva zahraničních věcí byl zrekonstruován podle projektu Pavla Janáka v l. 1928-34. Nejmonumentálnější pražský palác.

■ STRANA 10 ■
Klášter (čp. 99/IV.) s kostelem P. Marie Andělské na Loretánském náměstí na Hradčanech byl postaven v l. 1600–1602 jako nejstarší kapucínský řeholní dům v Čechách. Proslulé jesličky, trvale instalované v boční kapli, byly vytvořeny dvěma neapolskými mnichy v r. 1780. Osmnáct figur v podživotní velikosti ze dřeva, slámy a sádry je oblečeno do dobových oděvů ztužených klihovou vodou. Krytým mostkem je klášter spojen s Loretou, jejíž vstupní balustrádu s postavami dvacetiosmi andílků držících štíty s reliéfními mariánskými výjevy z dílny Ondřeje Filipa Quittainera z r. 1725 vidíme v popředí snímku. Originály byly však již nahrazeny kopiemi.

■ STRANA 11 ■
Řada kanovnických domů na Hradčanském náměstí. Dům U labutí čp. 61/IV. původně renesanční objekt, přestavěný na pozdně barokní drobný palác v pol. 18. stol., r. 1842 rozšířený stavitelem Johannem Maxmiliánem Hegerem. Vlevo dům Sasko-lauenburský čp. 62/IV. gotického původu, v němž žil v l. 1372–99 stavitel svatovítské katedrály Petr Parléř, renesančně přestavěný kol. r. 1596, a Kolovratský dům čp. 63/IV., původně zřízený ve 14. stol. pány z Rožmberka, kteří jej r. 1541 přestavěli. Oba domy byly jednotně barokně upraveny r. 1737 podle návrhu Antonína Václava Spannbruckera.

■ STRANA 12 ■
Loreta čp. 100/IV. je poutním místem vybudovaným kolem svaté chýše (casa santa), přesné kopie nazaretského domku P. Marie, přeneseného anděly r. 1295 do italského Loreta u Ancony. Svatyni budovala od r. 1626 Benigna Kateřina z Lobkovic. Její stavitel Giovanni Battista Orsi navrhl r. 1634 i původně přízemní ambity. Po Orsiho smrti pokračovala postupně stavba kaplí v ambitech pod vedením Andrey Allia, Silvestra Carloneho, Jana Jiřího Mayera, Kryštofa Dientzenhofera a jeho syna Kiliána Ignáce do 20. l. 18. stol. Vrcholně barokní průčelí bylo postaveno v l. 1721–23, na projektu se podíleli oba Dientzenhoferové. Do stavby byla včleněna starší věž s líbeznou zvonkovou hrou od hodináře Petra Neumanna z r. 1694. Dnes hraje 27 zvonků už pouze jednu mariánskou píseň Tisíckrát pozdravujeme tebe. Na sochařské výzdobě průčelí se podílel Jan Bedřich Kohl. Zde je také umístěn světoznámý Loretánský poklad.

■ STRANA 13 ■
Svatá chýše v pražské Loretě byla vysvěcena r. 1631. Zpočátku byla její vnější

výzdoba pouze malovaná chiaroscurem a teprve r. 1664 pracovali Jacopo Agosto, Giovanni Battista Colombo a nejúspěšnější Giovanni Bartolomeo Cometa na štukových postavách proroků a Sibyl a reliéfů ze života P. Marie. Uvnitř je nad oltářem v nice postavena černá Matka Boží Loretánská z konce 17. stol. Stěny kopírují svou předlohu do detailů ve fragmentech nástěnných maleb i režného cihlového zdiva s trhlinou.

Kostel Narození Páně vpravo vznikl z kaple ambitu z r. 1661, která byla Kryštofem Dientzenhoferem dvakrát rozšířena a nakonec jeho nevlasním synem Janem Jiřím Aichbauerem prodloužena v l. 1733–35. Nástropní fresku v presbytáři namaloval Václav Vavřinec Reiner r. 1736, v lodi Jan Adam Schöpf r. 1742, štuky jsou dílem Tommasa Soldatiho z l. 1735–37. V popředí kašna se sousoším Nanebevzetí P. Marie z r. 1739 od Jana Michala Brüderleho, dnes kopie Vojtěcha Suchardy.

■ STRANA 14 ■
Pohled na kapucínský klášter s kostelem P. Marie Andělské a Loretu přes střechy domů na Novém světě.

■ STRANA 14 ■
Na stavbu svého paláce čp. 182/IV. na Hradčanech v l. 1689–91 patrně podle rozhodnutí stavebníka Michala Osvalda Thuna-Hohensteina bylo použito zdivo domů, které na jeho místě stály, až do výše druhého patra. Za autora plánů je podle římského barokního směru považován Jean Baptiste Mathey, provádějícím stavitelem byl Giacomo Antonio Canevalle. Od r. 1718 je palác nazýván Toskánský. Na atice mezi dvěma střešními altány jsou umístěny alegorické postavy Sedmera svobodných umění od Jana Brokofa z doby kol. r. 1695. Na nároží k Loretánské ulici vytvořil Ottavio Mosto kol. r. 1700 postavu archanděla Michaela.

■ STRANA 15 ■
Předchůdcem kapitulní rezidence čp. 65/IV. vlevo na snímku byl dvorec s věží kanovníka a stavitele svatovítského chrámu Václava z Radče z r. 1414. Spolu se sousedním domem, který r. 1365 koupil se svými bratry kanovník a první ředitel stavby Leonhard Bušek z Vilhar-

tic, byl v r. 1486 proboštem Hanušem z Kolovrat sjednocen. Přestavby v l. 1685 a 1734 daly domu dnešní podobu. Renesanční Martinický palác čp. 67/IV. vznikl na místě tří domů po pol. 16. stol. pro Ondřeje Teyfla z Kinsdorfu. Kol. r. 1620 jej rozšířil místodržitel Jaroslav Bořita z Martinic, který zakusil defenestraci v r. 1618. Sgrafita na průčelí i na nádvoří z doby kol. r. 1580 znázorňují starozákonní výjevy z příběhů Josefa Egyptského a Samsona a mytologické scény z roku 1634. Uvnitř byl obnoven velký sál s kasetovým malovaným stropem a přilehlou kaplí, jejíž vstup je rámován postavami Adama a Evy.

■ STRANA 16 ■
Hradní rampa s výhledem na Prahu. Vpředu dominuje kupole malostranského kostela sv. Mikuláše.

■ STRANA 16 ■
Arcibiskupský palác čp. 56/IV. stojí na místě renesančního domu Floriána Griespeka, který byl r. 1562 prodán arcibiskupovi Antonínu Brusovi z Mohelnice a vzápětí upraven. Další významné přebudování paláce v l. 1675–79 podle plánů Jeana Baptisty Matheye za arcibiskupa Jana Bedřicha z Valdštejna bylo až na portál a střešní altán překryto novou klasicistní přestavbou s rokokovými prvky z l. 1764–65 Jana Josefa Wircha. Sochařskou výzdobu svěřil arcibiskup Antonín Příchovský Ignáci Františku Platzerovi, v 80. l. 19. stol. ji doplnil Tomáš Seidan. Daniel Alexius z Květné provedl pozdně renesanční nástropní malby v kapli paláce zobrazující život a působení sv. Jana Křtitele. Z pokladů arcibiskupského paláce jmenujme sbírky obrazů, porcelánu, skla, portrétů pražských arcibiskupů čtyř století, relikviářů a vynikajících gobelínů, vytvořených v Paříži podle kartonů Alexandra Desportesa z l. 1754–65 s náměty Nové Indie. Průjezdem vlevo v přízemí vede příkrá cesta dolů do Šternberského paláce, kde je umístěna Národní galerie.

■ STRANA 17 ■
Hradní rampa s výhledem na vrch Petřín s rozhlednou postavenou v r. 1891.

■ STRANA 17 ■
Hrad ze Strahovské zahrady. Kvetoucí

ovocné stromy tvoří rámec hradčanským palácům a drobnějším objektům v Loretánské ulici a v Úvozu.

■ STRANA 18 ■
Květinový parter v Královské zahradě. Vpravo je situována prezidentská vila, vytvořená z barokního skleníku z l. 1730–32, upraveného Kiliánem Ignácem Dientzenhoferem a rozšířeného Pavlem Janákem v l. 1937–38. U zrodu Královské zahrady pro Ferdinanda I. stál v r. 1535 patrně stavitel Giovanni Spazio a zahraník Francesco, vlastním jménem Francysko Skoryna, který pocházel z Běloruska. Skvělou stavbou v zahradě je sgrafity vyzdobená Velká míčovna Bonifáce Wohlmuta z l. 1567 až 69, před níž je umístěno sousoší Noci od Antonína Brauna z r. 1734. Socha Herkula bojujícího se saní na kašně uzavírající alej je dílem Jana Jiřího Bendla z r. 1670.

■ STRANA 18 ■
Královský letohrádek na východním konci Královské zahrady byl vystavěn v l. 1538–62 podle plánů neznámého architekta za vedení Paola della Stelly, pak Hanse Tirola, který připadl na myšlenku nastavit patro, a nakonec Bonifáce Wohlmuta, který ji realizoval. Reliéfy vytesal se svou družinou Paolo della Stella. Nejčistší renesanční architektura na sever od Alp. Uprostřed giardinetta stojí od roku 1573 Zpívající fontána, jejíž bronzová nádrž pod dopadem vodních kapek temně zvoní. Práce na fontáně zaměstnala mnoho umělců: Francesco Terzio ji r. 1562 nakreslil, kadlub vytvořil Hans Peissner, odlití prováděli v l. 1564–68 Tomáš Jaroš a Vavřinec Křička z Bitýšky, horní část ciseloval Giovanni Antonio Brocco a v r. 1571 ji sestavil Wolf Hofprucker.

■ STRANA 19 ■
Klárov na Malé Straně je nazván podle klasicistního Klárova ústavu slepců čp. 131/III., budovy s nízkou věžičkou vlevo na snímku. Záběr z Chotkových sadů.

■ STRANA 20 ■
Čestný dvůr Pražského hradu. Hrad vznikl v 80. l. 9. stol. a stal se sídlem knížat českého státu z rodu Přemyslova.

Záhy vzniklo v jeho zprvu dřevěném opevnění několik sakrálních staveb. V r. 973 bylo založeno biskupství u sv. Víta a při kostele sv. Jiří klášter benediktinek. Všechny přestavby, novostavby, rozšiřování a zdokonalování opevnění Hradu měly zvýšit jeho důležitost jako panovnické rezidence a zajistit jeho dokonalou obranu. Největší rozkvět Hrad zaznamenal za vlády Karla IV. (1346–1378), Vladislava Jagellonského (1471–1516) a jeho syna Ludvíka (1516–1526) a prvních Habsburků Ferdinanda I. (1526–1564), Maxmiliána II. (1564–1576) a Rudolfa II. (1576–1611). Po bitvě na Bílé hoře hrál Hrad už jen podružnou roli. Poslední významnou přestavbu, kterou zaznamenává náš záběr, prodělal za vlády Marie Terezie v l. 1755–75 podle návrhu Niccoly Paccassiho, již vedli s vlastními přínosy postupně Anselmo Lurago, Antonín Gunz a Antonín Haffenecker.

Do čestného dvora se vstupuje středními vraty z rokokových mříží rámovaných masivními pilíři, nesoucími sousoší zápasících gigantů, putti a vázy od Ignáce Františka Platzera z r. 1769. Dnes jsou na místě kopie Čeňka Vosmíka a Antonína Procházky.

■ STRANA 20 ■
Průhled z čestného dvora Hradu k arcibiskupskému paláci, v pozadí Toskánský palác.

■ STRANA 21 ■
Kaple sv. Kříže na druhém hradním nádvoří byla v r. 1753 navržena Anselmem Luragem a vystavěna v l. 1756–64. Při klasicistní úpravě v l. 1852–56 byly do nik závěru osazeny sochy sv. Petra a Pavla od Emanuela Maxe z r. 1854. Dnes je v kapli vystaven svatovítský chrámový poklad.

■ STRANA 22 ■
Matyášova brána z r. 1614 byla původně součástí opevnění za příkopem, oddělujícím Hradčanské náměstí od Hradu. Touto branou, považovanou za první barokní památku v Praze (s manýristickými rysy), kterou pravděpodobně navrhl Giovanni Maria Filippi, se prochází na druhé hradní nádvoří nebo ke schodištím ve vstupním křídle. Tereziánským schodištěm vpravo se vstupuje

do kanceláří prezidenta republiky, schodištěm Otty Rothmayera z l. 1948–56 do Španělského sálu a Rudolfovy galerie.

■ STRANA 23 ■
Zlatý korunovační kříž s kamejemi ve svatovítském pokladu pochází ze 13. stol. Pravděpodobně jej dostal darem císař Karel IV. od francouzského krále Jana I. Dobrého a upravil jej r. 1354 na ostatkový. Do zadní strany (na snímku) dal vložit relikvie Kristova utrpení – dvě části sv. Kříže, hřebu, houby, provazu a dva trny, do přední strany část sv. Kříže a devět antických a byzantských kamejí – onyxů, ametyst a safír. Ramena kříže jsou zdobena safíry a perlami, které jsou obráceny k zadní straně, ostatky sv. Kříže jsou lemovány safíry, rubíny a perlami. Noha kříže je barokní. Kříž, který byl od 20. 1. 16. stol. používán jako korunovační, byl uchováván do r. 1645 na Karlštejně.

Vitrinu doplňují čtyři gotické stříbrné pozlacené relikviáře zhotovené vesměs v 2. pol. 14. stol.: vpravo vpředu relikviář s parléřovským znakem, vzadu relikviář sv. Kateřiny, vlevo vzadu relikviář s válcovou křišťálovou schránkou a vpředu věžicovitý relikviář sv. Václava.

■ STRANA 24 ■ 25 ■
Panorama Pražského hradu s Malou Stranou a Karlovým mostem ze Smetanova nábřeží.

■ STRANA 24 ■ 25 ■
Pohled na Hrad z Alšova nábřeží s přírodním malostranným břehem Vltavy při ústí jejího ramene – Čertovky.

■ STRANA 26 ■
Kancelář úřadu zemských desek ve Starém královském paláci je renesanční prostor, sklenutý na střední pilíř, vyzdobený na stěnách a na stropě znaky urozených úředníků. Sloužila od obnovení Zemských desek po požáru Hradu v r. 1541.

■ STRANA 27 ■
Stará sněmovna byla vytvořena Bonifácem Wohlmutem v l. 1559–1563. Zatímco síťovou krouženou klenbou architekt vědomě navázal na sousední Vladislavský sál, katedru v rohu místnosti pojal

ryze renesančně. Královský trůn byl zhotoven v 30.l. 19. stol. V tomto prostoru zasedal nejvyšší zemský soud a zástupci českých stavů do r. 1847.

■ STRANA 28 ■
Západní průčelí kostela sv. Jiří na Pražském hradě je obráceno do Jiřského náměstí. Původní karolinskou baziliku založil už kníže Vratislav před r. 921. V době založení nejstaršího monastického domu v našich zemích knížetem Boleslavem II. a jeho sestrou Mladou, která se pod řeholním jménem Marie stala první abatyší, bylo po r. 973 přikročeno ke stavebním změnám pro potřeby řeholního života, ke zvětšení svatyně a výstavbě věží. V této době už vznikla pohřební kaple sv. Ludmily. Za druhou zakladatelku kostela s klášterem je označována abatyše Berta, která celý komplex po požáru při obléhání Hradu v r. 1142 obnovila. Podnět k úpravám okolo r. 1220 dala abatyše Anežka. Gotická podoba kaple sv. Ludmily se datuje do 3. čtvrtiny 14. stol. Francesco Caratti je pravděpodobně autorem západního raně barokního průčelí ze 70.l. 17. stol. Plastická výzdoba je nejspíše dílem Jana Jiřího Bendla. Ještě v l. 1718–22 byla k průčelí přistavěna kaple sv. Jana Nepomuckého podle návrhu Františka Maxmiliána Kaňky se sochami Ferdinanda Maxmiliána Brokofa. Renesanční boční portál do Jiřské ulice pochází z huti Benedikta Rieda po r. 1500. Reliéf sv. Jiří na koni v tympanonu je kopie z r. 1934. Originál je instalován v Národní galerii, umístěné v klášteře. Kostel je nejzachovalejší románskou architekturou v Praze.

■ STRANA 29 ■
Interiér kostela sv. Jiří. Zvýšený presbytář nad kryptou je přísupný dvouramenným schodištěm se zábradlím z r. 1731. V apsidách jsou patrné fragmenty románských maleb z éry abatyše Anežky. Z četných hrobů členů knížecí rodiny a řeholní komunity upoutá v lodi dřevěná tumba knížete Vratislava s malovanými postavami světců, zakladatelů kostela a s výjevem Ukřižování a náhrobek Boleslava II. V kapli sv. Ludmily s renesanční klenbou a nástěnnými malbami z konce 16. stol. je umístěn náhrobek světice z r. 1380, doplněný po pol. 19.

stol., v kapli P. Marie jsou románské nástěnné malby z 1. pol. 13. stol.

■ STRANA 30 ■
Zlatá ulička na Hradě se původně jmenovala Zlatnická podle zlatotepců císaře Rudolfa II., kteří zde bydleli mezi hradními střelci. Miniaturní, většinou přízemní domky, přilepené k pozdně gotické hradební zdi, vznikaly postupně od 16. stol. Domek č. 22 patřil v 1. čtvrtině 20. stol. Franzi Kafkovi a pak za 2. světové války nakladateli Aventina Otakaru Štorchovi – Marienovi.

■ STRANA 31 ■
Střechy malostranských paláců, Malého Fürstenberského čp. 155/III. a Kolovratského čp. 154/III., z Kolovratské zahrady. V popředí je zvoncovitá stříška zahradního glorietu, který spolu s ostatními drobnými architekturami vytvořil po r. 1769 Ignazio Giovanni Nepomuceno Palliardi.

■ STRANA 32 ■
Katedrála sv. Víta z bývalé letní hradní jízdárny upravené ve 30.l. 20. stol. Ottou Rothmayerem. Arkádovou galerii pro diváky vybudoval v l. 1696–99 spolu se stavbou zimní jízdárny Jacopo Antonio Canevale podle projektu Jeana Baptisty Matheye.

■ STRANA 32 ■
Ostatkové busty sv. Václava a sv. Vojtěcha zhotovené v Praze po r. 1486 nákladem Vladislava Jagellonského ze svatovítského pokladu v kapli sv. Kříže. Autorem první busty je zřejmě zlatník Václav z Budějovic.

■ STRANA 33 ■
Západní průčelí katedrály sv. Víta. Katedrála byla založena císařem Karlem IV. v r. 1344 jako třetí sakrální stavba téhož zasvěcení na tomto místě po čtyřapsidové rotundě postavené sv. Václavem ve 20. l. 10. stol. a Spytihněvově bazilice se dvěma chóry z 60. l. 11. stol. Stavbu katedrály navrhl a vedl Matyáš z Arrasu a od r. 1356 Petr Parléř a jeho synové až do husitských válek. Hotový chór s částí transeptu byl provizorně uzavřen stěnou, k níž přistavěl Bonifác Wohlmut v l. 1559–61 kruchtu. Po několika neúspěšných pokusech v násle-

dujících staletích byla dostavba započata r. 1876 podle projektu Josefa Mockera, kterého ve vedení stavby nahradil Kamil Hilbert. O svatováclavském mileniu r. 1929 byla nová část se dvěma západními věžemi slavnostně vysvěcena. Katedrála je také místem posledního odpočinku českých panovníků, vysokých církevních hodnostářů a dalších význačných osob, mezi nimiž vynikají i tři čeští patroni – sv. Václav, sv. Vojtěch a sv. Jan Nepomucký.
Interiér tohoto trojlodního prostoru s kaplemi, příčnou lodí, chórem a věncem kaplí je mimořádně bohatě vyzdoben. Upozorňujeme alespoň na portrétní busty Lucemburků a osobností vztahujících se ke stavbě katedrály osazené v dolním triforiu a na tumby Přemyslovců v kaplích chórového ochozu vytvořené Parléřovou hutí v l. 1375–85, na svatováclavskou kapli nad hrobem sv. Václava, obloženou polodrahokamy, se sochou sv. Václava od Jindřicha Parléře z r. 1373 a cyklem maleb Mistra litoměřického oltáře z l. 1506–1509, v jejímž patře jsou uloženy korunovační klenoty z r. 1346 s následným ozdobením drahokamy, na fragmenty nástěnných maleb z poč. 15. stol., na královskou oratoř nejpravděpodobněji od Hanse Spiesse z r. 1493, na královské mauzoleum od Alexandra Collina z l. 1566–89, na náhrobek sv. Jana Nepomuckého, navržený Josefem Emanuelem Fischerem z Erlachu a zhotovený zlatníkem Janem Josefem Würthem podle modelu Antonia Corradiniho v l. 1733–36 s pozdějšími doplňky, na sochu kardinála Bedřicha Schwarzenberga od Josefa Václava Myslbeka z l. 1892–95 a na vitraje Cyrila Boudy, Františka Kysely, Alfonse Muchy, Karla Svolinského a Maxe Švabinského z 20. – 30. l. 20. stol. Snímek zachycuje střední portál průčelí, v jehož tympanonu je umístěn reliéf s výjevem Ukřižování podle modelu Karla Dvořáka vytesaný Ladislavem Píchou. Reliéfy na bronzových vratech s tématikou výstavby katedrály v průběhu staletí odlila firma Anýž v l. 1927–29 podle kartónů Vratislava Huga Brunnera a modelů Otakara Španiela.

■ STRANA 33 ■
Vladislavský sál na Hradě, nejvelkolepější pozdně gotický prostor ve střední

Evropě, byl vybudován v l. 1492–1502 na přání krále Vladislava II. podle projektu Benedikta Rieda. Jeho výstavbě padly za oběť síně i s kaplí ve 2. patře hlavního křídla Starého paláce. Kroužená navzájem se prostupující žebra pěti šestilaločných hvězd vybíhají z přistěnných polopilířů, které prorůstají a protínají se. Sdružená okna, portály a řešení východní stěny jsou již renesanční. Lustry z poloviny 16. stol., mezi nimiž jsou dvě kopie, darovali norimberští měšťané Ferdinandu I. Portálem z r. 1592 nebo 1598, pravděpodobně od Giovanniho Gargiolliho, v ose východní zdi se vstupuje na kruchtu kapitulního kostela Všech svatých. Podvojný portál z doby po r. 1541 v severní stěně vede jednak do prostor zemských desek, jednak na jezdecké schody, sousední Riedův portál do Staré sněmovny.

■ STRANA 34 ■
Strahovský klášter premonstrátů čp. 132/IV. byl založen r. 1140 králem Vladislavem II. z podnětu olomouckého biskupa Jindřicha Zdíka. Stavět se začalo asi o dva roky později. Po požáru v l. 1258–63 byl objekt zrenovován. V 17. stol. došlo k několika úpravám a přestavbám (za účasti Giovanniho Domenica Orsiho od r. 1671), z nichž nejdůležitější bylo rozšíření prelatury podle plánů Jeana Baptisty Matheye z r. 1682, kterou zachycuje snímek. Stavitelem byl Silvestro Carlone, přestavba byla dokončena r. 1697. Po již zmíněném bombardování Hradčan r. 1742 bylo nutno opět napravit škody podle návrhu Anselma Luraga. Ignazio Giovanni Nepomuceno Palliardi ještě v l. 1782–83 postavil nové křídlo knihovny. Dvě věže náleží opatskému kostelu Nanebevzetí P. Marie.
Románské zdivo kláštera se v převážné většině zachovalo do výše 1. patra, v západním křídle konventní budovy se dochoval dvoulodní rozsáhlý prostor cellaria a schodiště v síle zdi. Ve východním křídle je situován zimní refektář s bohatou štukovou výzdobou z doby kol. r. 1730. Sousední letní refektář, dnes průchozí kapitulní síň, Theologický knihovní sál v patře, opatskou kapli spolu s opatskou jídelnou v budově prelatury a ještě čtyři kaple v kostele vymaloval zdejší člen řádu Siard Nosecký v rozme-

zí let 1721–51. Pozdní dílo Antona Franze Maulbertsche, fresku s námětem duchovních dějin lidstva z r. 1794, můžeme obdivovat ve Filosofickém sále knihovny.

■ STRANA 34 ■
Nerudova ulice na Malé Straně. V popředí dům U tří červených křížků čp. 226/III., sestavený ze dvou středověkých domů, upravovaný v 16. stol. a kol. r. 1663. Ve vedlejším domě čp. 225/III., U tří černých orlů renesančního původu, upravovaném v dalších epochách, bydlel básník Jan Neruda v l. 1841–45 a znovu 1857–69.

■ STRANA 35 ■
Dům U dvou slunců čp. 233/III. v Nerudově ulici na Malé Straně je renesanční novostavba na místě středověkého domu, který byl zbořen. Dnešní vzhled získal během přestavby v l. 1673–90. Pamětní deska básníkovi Janu Nerudovi byla odhalena už v r. 1895.

■ STRANA 36 ■
Dům U tří housliček čp. 210/III. je středověkého původu, přestavěný v 17. stol. a znovu kol. r. 1780. V l. 1667–1748 byl postupně v majetku tří houslařských rodin, z nichž vynikl především Tomáš Edlinger. Do hostince v přízemí chodívali v 19. stol. básníci Jan Neruda, Karel Hynek Mácha, Václav Hanka a jiní.

■ STRANA 36 ■
Interiér malostranského kostela sv. Mikuláše, sálového prostoru s postranními kaplemi, je dokladem sepětí architektury, malířství, sochařství a uměleckého řemesla. Nástropní malby vytvořili Jan Lukáš Kracker, František Xaver Palko a Josef Hager, sochařskou výzdobu Ignác František Platzer, Richard Jiří a Petr Prachnerové, oltářní obrazy Karel Škréta, Ignác Raab, Francesco Solimena, Josef Kramolín, Ludvík Kohl, umělý mramor Jan Vilém Hennevogel a mnoho dalších.

■ STRANA 37 ■
Thun-Hohensteinský palác čp. 214/III. v Nerudově ulici byl vystavěn Norbertem Vincem Libsteinským z Kolovrat v l. 1718–26 podle projektu Jana Blažeje Santiniho-Aichla na místě šesti domů

jako součást čp. 193/III., paláce pánů z Hradce. Stavbu vedli Antonio Giovanni Lurago a Bartolomeo Scotti. Plastická výzdoba průčelí kromě dvou postav vznikla v dílně Matyáše Bernarda Brauna. Palácové schodiště bylo vybudováno kol. r. 1870 podle plánů Josefa Zítka, tvůrce Národního divadla a Rudolfina, vymalované Františkem Ženíškem, Josefem Scheiwlem a Josefem Tulkou. Thunové zdědili objekt r. 1768. Vynikající vrcholně barokní architektura. V paláci je sídlo italského velvyslanectví.

■ STRANA 38 ■
Na severní straně Malostranského náměstí zachycuje snímek vlevo palác pánů Smiřických čp. 6/III., původně renesanční objekt, jehož dolní polovinu vystavěl Jaroslav ze Smiřic před r. 1572. Další dům po přestavbě spojil r. 1612 Albrecht Václav ze Smiřic v jeden celek. V majetku Montagů od r. 1763 byl podle návrhu Ignazia Giovanniho Nepomucena Palliardiho přestavěn do dnešní podoby. V paláci se r. 1618 odbývaly porady vůdců českého stavovského povstání.

■ STRANA 38 ■
Sněmovna čp. 176/III. ve Sněmovní ulici na Malé Straně byla původně vystavěna jako palác hraběte Maxmiliána Thuna v l. 1695–1720 na místě pěti domů. Kdo byl autorem projektu není zatím známo. Stavbu vedl Jakub Antonín Achtzinger, kamenické práce prováděl Jakub František Santini-Aichl. Od r. 1779 sloužila budova jako divadlo společnosti Pasquala Bondiniho, která provozovala Mozartovy opery. Po požáru ji zakoupili čeští stavové a přestavěli podle návrhu Ignazia Luigiho Palliardiho v r. 1801 na sněmovnu. Sněmovní sál byl upraven kol. r. 1870. Dnes sídlo České národní rady.

■ STRANA 39 ■
Jezuitský kostel sv. Mikuláše na Malé Straně nahradil gotický farní kostel z 2. pol. 13. stol. Chrámovou loď s průčelím radikálního římského směru, které vidíme na snímku, vybudoval Kryštof Dientzenhofer v l. 1704–11. Jeho syn Kilián Ignác vytvořil v l. 1737–52 presbytář s kupolí. Zvonice, která však patřila obci, je dílem Anselma Luraga z let

1751–56. Nejkrásnější pražská barokní dominanta.

■ STRANA 40 ■
Thunovský palác čp. 180/III. pod Pražským hradem byl původně jako renesanční v majetku hrabat Leslie. V r. 1659 jej koupil salcburský arcibiskup Quidobald Thun, který vytvořil v podstatě dnešní rozsah s polygonální věží. Vrcholně barokní vzhled palác získal při přestavbě v l. 1716–27 za vedení Giovanniho Antonia Luraga. Ještě v l. 1785–93 projektoval opravu paláce Ignazio Giovanni Nepomuceno Palliardi. Gotizující vstupní bránu (na snímku) s nádvorním křídlem navrhl Bernhard Grueber a r. 1850 postavil Kašpar Předák. K paláci náleží terasovitá zahrada, vytvořená ve 2. pol. 17. stol., upravená v 19. stol.
Při své první návštěvě Prahy zde bydlel Wolfgang Amadeus Mozart se svou manželkou a švagrem na pozvání hraběte Johanna Josefa Thuna v lednu r. 1787. Dnes budova britského velvyslanectví.

■ STRANA 40 ■
Dům U zlatého jelena čp. 26/III. v Tomášské ulici na Malé Straně, původně renesanční, byl přestavěn Kiliánem Ignácem Dientzenhoferem v l. 1725–26 a vyzdoben v téže době sousoším sv. Huberta s jelenem od Ferdinanda Maxmiliána Brokofa.

■ STRANA 41 ■
Valdštejnský palác čp. 17/III., obrovský raně barokní komplex budov, dvorů, zahrady a jízdárny, dal postavit císařský generalissimus Albrecht z Valdštejna v l. 1623–30, když před tím bez rozpaků zbořili třiadvacet, případně šestadvacet domů, mezi nimi renesanční dům Trčků z Lípy. Navrhovatelem i stavbyvedoucím byl do r. 1628 Andrea Spezza. Menší měrou se pak uplatnili stavitelé Vincenzo Boccacci a Niccolo Sebregondi. Ideovým projektantem byl Giovanni Pieroni. Nástropní malby ve významných prostorách paláce, v hlavním sále, kde vidíme Albrechta z Valdštejna jako boha Marta na válečném voze, v kapli sv. Václava, v nárožním kabinetu a v Astronomické chodbě, vytvořil Baccio del Bianco. Mezi mnohými, často dosud neur-

čenými štukatéry zde pracovali Domenico Canevalle a Santino Galli.

■ STRANA 41 ■
Auersperský palác čp. 16/III. na Valdštejnském náměstí vyrostl r. 1628 za Jana Marka Jiřího Claryho-Aldringena na místě dvou domů středověkého původu. František Václav Jan Clary-Aldringen přestavěl palác r. 1751 do dnešní podoby. Mimořádně přátelské styky s touto rodinou pěstoval Ludwig van Beethoven, který hraběnce Josefině Clary-Aldringenové napsal několik skladeb pro mandolinu. R. 1843 přešel palác do majetku rodiny Auersperků. Při rozšiřování budovy zemského sněmu r. 1844 byl objekt poněkud zmenšen a upraven stavitelem Janem Ripotou.

■ STRANA 42 ■
U centrálního kostela sv. Josefa na Malé Straně, jehož průčelí ojediněle přináší do barokní Prahy nizozemský směr, nebyl dosud bezpečně určen projektant. Nejnověji se má za to, že pražské karmelitky objednaly návrh u svého řádového spolubratra Fra Ignatia à Jesu v Lovani, jehož vlastní jméno bylo Johann Raas z Tyrolska. Kostel byl postaven v l. 1687–92, sochařskou výzdobu průčelí provedl Matěj Václav Jäckel v r. 1691. O dvacet let dříve byl vybudován klášter, který převzaly v r. 1782 anglické panny a k němuž patřila zahrada s drobnými architekturami – dnešní Vojanovy sady.

■ STRANA 42 ■
Oettingenský palác čp. 34/III. v Josefské ulici na Malé Straně v sousedství kostele sv. Tomáše byl postaven po r. 1548 Ladislavem Popelem z Lobkovic. Vyhořelý byl v l. 1723–25 znovu vybudován pravděpodobně podle plánů Františka Maxmiliána Kaňky. Knížecí rodina Oettingenů-Wallersteinů palác získala r. 1841. Přízemí paláce bylo z komunikačních důvodů částečně proměněno v průjezd a průchod.

■ STRANA 43 ■
Kolovratský palác čp. 154/III. ve Valdštejnské ulici patřil od r. 1603 Vilému st. Popelovi z Lobkovic, členu direktorské vlády r. 1618, který spojil dva domy v jeden. V držení hraběnky Marie Barbory

Černínové byl přestavěn podle návrhu Ignazia Palliardiho v l. 1784–88. Zdeněk z Kolovrat, který r. 1886 palác koupil, byl literárně činný, vlastnil bohatou knihovnu, obrazárnu a numismatickou sbírku. Dnes v paláci sídlí ministerstvo kultury.

■ STRANA 44 ■
Valdštejnská zahrada vznikala současně se stavbou paláce. Dominuje v ní monumentální sala terrena s malbami Baccia del Bianca a s bohatou štukovou výzdobou. Cesty jsou lemovány kopiemi soch Adriaena de Vries (originály z let 1626–27 odvezli Švédové za třicetileté války v r. 1648), dále se uplatňuje krápníková grotta, fontány, voliéra, giardinetto, stříhané habrové špalíry a klidná vodní hladina velkého bazénu.

■ STRANA 44 ■
Čtvercový bazén ve Valdštejnské zahradě má uprostřed situován umělý ostrov, na němž jsou osazeny kopie bronzových soch – Hérakla bojujícího s Hydrou a čtyři Najády – Adriaena de Vries, které původně byly součástí mramorové kašny. V pozadí jsou arkády zahradní fasády severozápadního křídla paláce s manýristickou nikou.

■ STRANA 45 ■
Interiér malostranského kostela sv. Tomáše. Basilikální kostel s klášterem řádu augustiniánů – eremitů byl založen r. 1285 králem Václavem II. při starším kostelíku. Presbytář byl svěcen r. 1315, celá stavba r. 1379. Po požáru Malé Strany v r. 1541 byl kostel za vedení Bernarda Dealberta pomalu – až do r. 1592 – renovován. V té době byl zde činný i Ulrico Aostalli, který byl r. 1597 pochován v kostele. R. 1726 byl přestavbou kostela, dokončenou r. 1731, pověřen Kilián Ignác Dientzenhofer, který nad západní a jižní portál osadil starší postavy sv. Augustina a sv. Tomáše od Jeronýma Kohla. Pozoruhodná je raně gotická kaple severně od chóru a sakristie s nástěnnými malbami z l. 1353–54 a žebrovou klenbou sklenutou na střední pilíř z pol. 15. stol. Převor Jan Svitavský z Bochova objednal obrazy pro hlavní oltář u vlámského malíře Petra Pavla Rubense, které byly dodány r. 1637. Dnes jsou na místě kopie, originá-

ly byly instalovány v Národní galerii. Freskami s výjevy ze života sv. Augustina v hlavní lodi (na snímku) a sv. Tomáše v presbytáři a v kupoli kostel vyzdobil v l. 1728–30 Václav Vavřinec Reiner. Z ostatních umělců. kteří se podíleli na vnitřní výzdobě, uvedeme alespoň malíře Bartoloměje Sprangera, Karla Škrétu, Jana Jiřího Heinsche, Antonína Stevense ze Steinfelsu, Františka Xavera Palka, sochaře Jana Antonína Quittainera a Ferdinanda Maxmiliána Brokofa. V r. 1612 byla v ambitu pochována básnířka Alžběta Johanna Vestonie spolu s mnoha dalšími významnými osobnostmi rudolfinského dvora.

■ STRANA 46 ■
Valdštejnská jízdárna, jejíž zahradní fasádu vidíme za Héraklovou postavu, byla v l. 1952–54 upravena jako výstavní sál Národní galerie Julií Pecánkovou a Milošem Vincíkem.

■ STRANA 46 ■
V prostoru bývalého jízdárenského dvora Valdštejnského paláce byl vytvořen do r. 1978 jakýsi kompromis mezi zahradou a dlážděným nádvořím při stanici metra Malostranská trasy A na Klárově. Projektanty byli Otakar Kuča a Zdeněk Drobný. U dvorní fasády jízdárny jsou umístěny postavy antických bohů, kopie barokních dílenských plastik Antonína Brauna. Mřížová vrata portálů vytvořili Jaromír Bruthans, Zbyněk Runczik a Jan Smrž.

■ STRANA 47 ■
Při výstavbě Velkopřevorského paláce čp. 485/III. bylo použito zdiva původního špitálu z 12. stol. a velkopřevorské rezidence z přelomu 16. a 17. stol. Stavebníkem od r. 1725 byl velkopřevor hrabě Karel Leopold Herberstein a pak jeho nástupce Gundakar Poppo z Dietrichsteina, projektantem Bartolomeo Scotti. Sochařskou výzdobu provedla dílna Matyáše Bernarda Brauna. Součástí johanitské komendy byla ještě budova konventu čp. 287/III., pozdější Malý Buquoyský palác čp. 484/III., a mlýn čp. 488/III. a 489/III. Johanité se od přesídlení na ostrov Maltu r. 1530 nazývají také maltézský řád nebo maltézští rytíři.

■ STRANA 47 ■
Nostický palác na Maltézském náměstí čp. 471/III., pětibokou stavbu kolem vnitřního dvora, postavil Jan Hartvig Nostic na místě čtyř domů po r. 1662. Za pravděpodobného tvůrce bývá označován Francesco Carratti. Úpravy proběhly kol. l. 1760 a 1780. V r. 1720 dodal Ferdinand Maxmilián Brokof sochy na průčelí. Hrabě František Antonín Nostic koupil v 60. l. 18. stol. sousední Hollweylovský dům čp. 468/III. a přebudoval jej na jízdárnu. Jako učitelé a vychovatelé u Nosticů působili v 18. stol. theolog a literární kritik Josef Dobrovský, historik František Martin Pelcl a topograf Josef Jaroslav Schaller. Dnes zde sídlí ministerstvo kultury a nizozemské velvyslanectví.

■ STRANA 48 ■
Kostel P. Marie pod řetězem na Malé Straně byl spolu se špitálem johanitů vystavěn v l. 1158–82 u paty současně budovaného mostu královny Judity. Proto byl nejprve nazýván P. Marie – konec mosta. Románský kostel a komendu založil kancléř Gervasius a jeho synovec podkancléř Martin s pomocí krále Vladislava I. Kolem roku 1280 vznikl dlouhý raně gotický presbytář, v r. 1376 bylo započato s přístavbou trojlodí, z něhož byla dokončena jen severní boční loď a trochu mladší západní dvouvěží s předsíní (na snímku), kde působili stavitelé Pešek a Jan Lutka. Během 1. pol. 17. stol. se v kostele téměř stále stavělo, od r. 1638 pravděpodobně podle návrhu Carla Luraga. V interiéru bohatě vyzdobeném raně barokními štukami, vynikají obrazy Karla Škréty – Bitva u Lepanta s adorací P. Marie na hlavním oltáři a Stětí sv. Barbory na bočním oltáři z pol. 17. stol.

■ STRANA 49 ■
Karlův most založil Karel IV. v r. 1357, když po povodni, která zničila r. 1342 románský most ze 70. let 12. stol., nazvaný po manželce krále Vladislava I. Juditě, bylo potřeba obnovit bezpečnou komunikaci mezi oběma vltavskými břehy. Nový most, staletí nazývaný Pražský nebo Kamenný, projektovaný Petrem Parléřem, byl vystavěn z tesaných pískovcových kvádrů na šestnácti obloucích. Nejstarší plastikou byl kříž už ve 14.

stol., obnovený ve 2. pol. 17. stol. a nedochovaná socha krále Jiřího. Po postavě sv. Jana Nepomuckého z r. 1683 byly během 18. a pak znovu v 19. stol. všechny mostní pilíře osazeny skupinami světců. Nejmladší je sousoší sv. Cyrila a Metoda z r. 1928. Z důvodu neustále se zhoršujícího ovzduší a bylo už mnoho originálů nahrazeno kopiemi. Teprve od r. 1870 se most jmenuje Karlův.

■ STRANA 49 ■
Budovy kláštera křižovníků s červenou hvězdou s kostelem sv. Františka Serafinského na Starém Městě.

■ STRANA 50 ■
Kostel sv. Salvátora na Starém Městě je součástí bývalé obrovské jezuitské koleje čp. 1040/I. a 190/I. Částečným předchůdcem dnešního chrámu, založeného v r. 1578, byl kostel sv. Klimenta, který od r. 1232 patřil dominikánům. Stavbu trojlodní basiliky s věžemi v závěru navrhl a zpočátku vedl Marco Fontana. Průčelí, dokončenému v r. 1601, byl po r. 1653 představen portikus navržený pravděpodobně Carlem Luragem, který už na stavbě kostela působil od r. 1638. Štuky zde vytvořil Giovanni Bartolomeo Cometa, postavy Salvátora, Immaculaty, evangelistů, církevních otců a jezuitských světců Jan Jiří Bendl v l. 1659–60. Úprava věží je dílem Františka Maxmiliána Kaňky z r. 1714. Interiér je ovládán raně barokními štukaturami. Jan Karel Kovář r. 1748 vymaloval klenbu kněžiště, tři umělci, křestními jmény Jan Jiří – Häring, Heinsch a Bendl vytvořili obrazy oltářní i závěsné a sochy apoštolů na zpovědnicích.

■ STRANA 50 ■
Kostel sv. Františka Serafinského dal v l. 1679–88 vystavět velmistr řádu křižovníků s červenou hvězdou a arcibiskup pražský Jan Bedřich z Valdštejna na fragmentech raně gotické svatyně sv. Ducha. Projekt centrální stavby římského baroka vypracoval Jean Baptiste Mathey, stavbu vedl Gaudenzio Casanova. Postavy českých patronů do nik na průčelí dodal asi Ondřej Filip Quittainer v l. 1723–24, kopie andělů z dílny Matěje Václava Jäckla z r. 1722 jsou osazeny na atice. Na soklech jsou sochy P. Marie a sv. Jana Nepomuckého od Richar-

da Prachnera z r. 1758, na nároží byl přenesen vinařský sloup Jana Jiřího Bendla z r. 1676. Na nákladné výzdobě vnitřního prostoru se podíleli především malíři Jan Jiří Heinsch, Michael Leopold Willmann, Jan Kryštof Liška, Václav Vavřinec Reiner a sochaři Jeremiáš a Maxmilián Konrád Süssnerové a Matěj Václav Jäckel. V popředí vidíme na snímku řadu postav církevních otců na terase portiku kostela sv. Salvátora.

■ STRANA 51 ■
Turistický provoz na Karlově mostě.

■ STRANA 52 ■
Budovy staroměstských mlýnů čp. 198/I., 200/I., 202/I. a 976/I. byly původně založeny v l. 1432–36 a jejich fasády před konečnou vesměs neorenesanční přestavbou mnohokrát upravovány. Vlevo objekt Smetanova muzea čp. 201/I. ve slohu české renesance z r. 1883 podle projektu Antonína Wiehla. Kartóny pro figurální sgrafita namalovali František Ženíšek, Mikoláš Aleš a Jan Koula. Staroměstská vodárenská věž byla postavena r. 1489. Její dnešní podoba po mnoha ohních je z r. 1885.

■ STRANA 52 ■
Druhým největším sakrálním prostorem v Klementinu, který dal jezuitské koleji název, je kostel sv. Klimenta. Vyrostl v l. 1711–15 na místě novější svatyně téhož zasvěcení, adaptované dominikány z někdejší kapitulní síně náhradou za husity poničený raně gotický kostel. Autor barokní sálové stavby zatím není znám, vedl ji Giovanni Antonio Lurago. Vstupní portikus navrhl r. 1715 František Maxmilián Kaňka. Vynikající interiér spoluvytvářeli Jan Hiebel nástropními malbami s výjevy z legendy o sv. Klimentu, Matyáš Bernard Braun se svou dílnou početnou sochařskou výzdobou v l. 1715–21, Petr Brandl a Ignác Raab oltářními obrazy a Josef Kramolín ilusivním hlavním oltářem r. 1770. Kostel slouží řeckokatolické církvi.

■ STRANA 53 ■
Staroměstská mostecká věž, nejkrásnější gotická brána v Evropě, se tyčí na prvním pilíři Karlova mostu. Návrh vypracoval opět Petr Parléř, který byl částečně i autorem sochařské výzdoby v 80. l.

14. stol., když už byla věž převážně dokončena. Složitý ikonografický program dělí věž na tři horizontální sféry – pozemskou, panovnickou a nebeskou. V nejnižší třetině je pás znaků zemí Karla IV., originály soch sv. Víta, patrona mostu, trůnícího Karla IV. a Václava IV. ve střední zóně a postavy sv. Vojtěcha a Zikmunda nejvýše, byly nahrazeny kopiemi. Výzdoba západního průčelí věže byla zničena Švédy v r. 1648. Síťová klenba průjezdu vznikla po r. 1373. Pomník císaře Karla IV. vytvořil Ernest Julius Hähnel na objednávku Pražské univerzity k 500. výročí jejího založení r. 1848.

■ STRANA 54 ■
Dům U zlaté studně čp. 175/I. na nároží Karlovy a Seminářské ulice je jedním z nejpůvabnějších domů staré Prahy. Jedná se o renesanční stavbu částečně na místě románského objektu a gotických domů. Na počátku 18. stol. vytvořil Jan Oldřich Mayer štukové reliéfní postavy sv. Václava a sv. Jana Nepomuckého rámující Paladium země České a morové a jezuitské světce.

■ STRANA 55 ■
Astronomická věž Klementina, kde se dodnes denně zaznamenává teplota ovzduší, byla dostavěna r. 1722 a poté přestavěna Anselmem Luragem asi v r. 1751, kdy zde byla založena hvězdárna. Na špici věžní báně je umístěna olověná socha Atlanta nesoucího zeměkouli z r. 1727, snad z dílny Matyáše Bernarda Brauna. Týž umělec vytvořil sochu sv. Ignáce ve štítu východního průčelí.

■ STRANA 56 ■ 57 ■
Malá Strana z Karlova mostu. Vpředu vlevo kopie sochy sv. Vojtěcha od Michala Jana Josefa Brokofa z r. 1709, naproti jediná mramorová socha sv. Filipa Benitia od Michaela Bernarda Mandla z r. 1714, vzadu obě Malostranské mostecké věže.

■ STRANA 56 ■ 57 ■
Staré město z Karlova mostu. Vlevo socha sv. Antonína Paduánského od Jana Oldřicha Mayera z r. 1708. V pozadí Staroměstská mostecká věž a kupole křižovnického kostela sv. Františka.

■ STRANA 58 ■
Ohromný komplex jezuitské koleje – Klementina – zabírá celý městský blok s pěti dvory, mnoha různě situovanými křídly, dvěma kostely a několika kaplemi. Byl stavěn průběžně od r. 1654 podle návrhu a za vedení Carla Luraga. Východní průčelí na snímku čp. 190/I. do Mariánského náměstí vzniklo po r. 1725 podle projektu dosud neznámého architekta. Současná je sochařská výzdoba Matyáše Bernarda Brauna. V Klementinu je umístěna Státní knihovna a Státní technická knihovna.

■ STRANA 58 ■
Iluminovaný kodex Commentarius in Aristotelis de caelo et mundo, jehož autor, sv. Tomáš Akvinský, je zobrazen v iniciále S. Rukopis italské provenience z poslední čtvrtiny 15. stol. patřil uherskému králi Matyáši Korvínovi, dnes je uložen ve Státní knihovně v Klementinu.

■ STRANA 59 ■
Celostránková ilustrace se scénou Zvěstování P. Marii a klečící donátorkou v Brevíři Beneše z Valdštejna.

■ STRANA 60 ■
Brevíř Beneše z Valdštejna je bohatě zdoben drobnými iluminacemi, zde výjevem Poslední večeře. Pochází z doby po r. 1400 a je uchováván ve Státní knihovně v Klementinu.

■ STRANA 60 ■
Jednou z nejcennějších staveb barokní Prahy je palác Clam-Gallasovský čp. 158/I., vystavěný na místě románského dvorce a gotického paláce moravského markraběte Jana Jindřicha Lucemburského a několika dalších domů v l. 1713–29 Janem Václavem Gallasem, místokrálem neapolským. Stavbu navrženou Johanem Bernhardtem Fischerem z Erlachu prováděl Tomáš Haffenecker, pravděpodobně s Giovannim Domenicem Canevalem ml. Dvojice Herkulů po stranách obou portálů, reliéfy soklů, putti s vázami, postavy antických bohů na atice (dnes kopie), Triton na kašně v prvním nádvoří a světlonoši s vázami na velkolepém schodišti jsou dílem Matyáše Bernarda Brauna a jeho dílny od r. 1714. Freskař Carlo

Innocenzo Carlone v l. 1727–30 provedl na schodišti Apolonův triumf a vymaloval další sály 2. patra. Štukovou výzdobu provedli Santino Bussi, Giovanni Girolamo Fiumberti a Rocco Bolla. V l. 1796 a 1798 v paláci několikrát koncertoval Ludwig van Beethoven.

■ STRANA 61 ■
Jedny ze dvou astronomických skříňkových hodin, jejichž stroje vyrobil správce matematického muzea jezuita P. Jan Klein v l. 1751–52. Jsou umístěny v matematickém sále Klementina. P. Klein vytvořil r. 1738 ještě zeměpisné hodiny, které se dostaly do Drážďan.

■ STRANA 62 ■
Budova Nové radnice, čp. 2/I. na Mariánském náměstí, vyplňující celý blok, byla postavena v l. 1908–11 podle projektu Osvadla Polívky. Alegorické sochy na balkoně i na atice a reliéfy kolem hlavního vstupu vytvořili Stanislav Sucharda a Josef Mařatka. Postavy z pražských pověstí – rabbiho Löwa a Železného muže – v hlubokých nikách na nárožích jsou od Ladislava Šalouna. Na tomto místě stávala románská osada s kostelem sv. Linharta, který byl zbořen r. 1798. Na snímku vidíme ještě boční fasádu Clam-Gallasova paláce a v pozadí vpravo věž dominikánského kostela sv. Jiljí.

■ STRANA 62 ■
V ohradní zdi zahrádky Clam-Gallasova paláce je umístěna nika s kašnou a kopií alegorické sochy Vltavy od Václava Prachnera z r. 1812. Originál sochy je uložen v Národní galerii na Zbraslavi. Lidově byla tato půvabná postava nazvána Terezka. Až do r. 1791 zde stával středověký kostel P. Marie Na louži. Ke kašně se váže pověst z doby biedermeieru, podle níž se do kamenné Terezky zamiloval starý mládenec, který ji denně navštěvoval a odkázal jí všechno své jmění. Závěť však nebyla uznána.

■ STRANA 63 ■
Barokní sál klementinské knihovny vymaloval r. 1724 Jan Hiebel. Znázornil zde převažující důležitost v poznácí Božích věcí nad vědou a uměním. Interiér doplňují původní intarzované skříně,

železné zábradlí, sledující přesně tvar říms galerie obíhající sál, a globy.

■ STRANA 64 ■
Pohled přes střechy domů čp. 12/I. a 13/I. na kostel sv. Mikuláše na Staroměstském náměstí.

■ STRANA 65 ■
Malé náměstí v pohledu ze štítu domu U koruny čp. 457/I. Východní stranu náměstí tvoří domy čp. 4/I.–12/I. propojené loubím. Vlevo ve stínu stojí dům U Rotta čp. 142/I. původně románský, přestavěný neorenesančně v r. 1890. Průčelí je vyzdobeno malbami podle kartónů Mikoláše Alše. V pozadí je kupole se dvěma věžemi staroměstského kostela sv. Mikuláše.

■ STRANA 65 ■
Dva náhrobky na Starém židovském hřbitově v Josefově – pravý z poč. 17. stol., levý se symbolem vinného hroznu z 18. stol.

■ STRANA 66 ■
Starý židovský hřbitov v Josefově je jednou z nejpozoruhodnějších pražských památek. Vznikl v 1. pol. 15. stol., nejstarší známá náhrobní deska je z r. 1439. V r. 1787 se zde přestalo pohřbívat. Gotické náhrobní desky ze 14. stol. vsazené do zdi Klausové synagogy sem byly přeneseny z židovského hřbitova v místě dnešní Vladislavovy ulice, který byl po založení Nového Města v 15. stol. zrušen. Je zde na 20 tisíc bizarně na sebe navrstvených náhrobků. Nepravidelný prostor hřbitova byl několikrát během 16.–18. stol. rozšiřován. Částečně byl ohrazen zdí podle návrhu Bohumila Hypšmana r. 1911.

■ STRANA 67 ■
Židovská radnice čp. 250/V. byla postavena přibližně za stejných podmínek jako Vysoká synagoga: doba, stavebník a stavitel byli titíž. Pozdně barokní přestavbu r. 1763 provedl Josef Schlesinger, rozšíření v r. 1908 Matěj Blecha. Dnes je sídlem Židovské náboženské obce v Praze.
Židovské město – ghetto – se stalo r. 1850 pod názvem Josefov, na památku úlev za císaře Josefa II., pátou čtvrtí v Praze.

■ STRANA 67 ■
Věž Židovské radnice s ochozem a hodinami. Ve vikýři mansardové střechy je zasazen ciferník s hebrejskými číslicemi.

■ STRANA 68 ■
Neorománská bodova márnice čp. 243/V. na Starém židovském hřbitově byla postavena v r. 1906 F. Gerstlem. Obřadní síň pražského pohřebního bratrstva a ostatní prostory jsou využity jako výstavní sály.

■ STRANA 69 ■
Interiér Vysoké synagogy čp. 101//V. je zaklenut renesanční klenbou s volutami, jejichž štuková profilace má připomínat žebra. Aron ha-kodeš – schrána na tóru čili pět knih Mojžíšových – pochází z r. 1691. V prostoru je dnes vystaven synagogální textil a bohoslužebné náčiní. Vysoká synagoga byla postavena v r. 1568 Pankráciem Roderem na náklad nesmírně bohatého primase židovského města Mordechaje Maisela, který půjčoval peníze císaři Rudolfovi II. Tato synagoga sloužila představitelům a úředníkům židovské obce v radnici, s níž byla propojena. Dnešní vchod z Červené uličky byl zřízen až r. 1935.

■ STRANA 70 ■
Staronová synagoga, dnes nejstarší v Evropě, je nepochybně nejproslulejší pražskou památkou na pravém vltavském břehu. Byla vystavěna na sklonku 13. stol. jihočeskou cisterciáckou hutí jako dvoulodní prostor se šesti poli pětidílných kleneb a množstvím kamenických detailů. Vnějšek synagogy s přístavky je ozdoben cihlovými štíty s panelováním po obou stranách neobyčejně strmé sedlové střechy.

■ STRANA 70 ■
Do Staronové synagogy se z jižní předsíně, která je možná nejstarším prostorem stavby, vstupuje raně gotickým hrotitým portálem z konce 13. stol. V jeho tympanonu z dvanácti kořenů, symbolizujících dvanáct izraelských kmenů, vyrůstá vinný keř se spirálami větví nesoucích hrozny.

■ STRANA 71 ■
Pražskou památkou prvořadého významu je Anežský areál na Starém Městě.

Byl založen z podnětu sv. Anežky Přemyslovny jejím bratrem králem Václavem I. r. 1233 jako první klášter klarisek severně od Alp. Postupně, podle Anežčina velkorysého plánu, vznikla kolem nejstarší svatyně sv. Františka a zároveň také nejstarší gotické stavby v Praze, soustava budov – konventní křídlo s kapitulní síní, refektářem, fortnou a dormitářem v patře. Po přidružení menšího konventu minoritů přibyl presbytář ke kostelu sv. Františka (na snímku vlevo), kaple P. Marie, křížová chodba, kuchyně, další křídlo konventu, Anežčina oratoř a pohřební kaple klarisek, zasvěcená sv. Barboře. Všechny tyto stavby vykazují prvky stylu cistercko-burgundské stavební hutě na rozdíl od stylu klasické severofrancouzské gotiky přemyslovského mauzolea, budovaného od r. 1261 – kostela sv. Salvátora či Nejsvětějšího Spasitele (na snímku vpravo) s pozoruhodnou výzdobou hlavic, s tvářemi králů, královen a samotné sv. Anežky. Světice byla r. 1282 pohřbena v kapli P. Marie, kde byla již dříve nad její hrobkou zbudována pohřební nika. Pro časté zátopy bylo Anežčino tělo přenášeno na jiná místa a je od vydrancování kláštera husity a jejich přívrženci nezvěstné. V r. 1420 za husitských válek klarisky uprchly ke sv. Anně v Praze a pak do Panenského Týnce, kde zůstaly s delší pauzou v 15. a 16. stol. až do r. 1627. Mužský klášter se udržel do 1. čtvrtiny 16. stol. V l. 1556–1626 zde působili dominikáni, kteří provedli různé stavební změny a doplňky. Zrušení kláštera Josefem II. r. 1782 mělo za následek naprosté zchátrání objektu a jeho částečné demolování. V r. 1892 byla založena Jednota pro obnovu kláštera blahoslavené Anežky, ale trvalo téměř devadesát let, než mohla být v částečně obnoveném areálu zpřístupněna expozice českého umění 19. stol. Národní galerie. V r. 1989 byla Anežka Česká v Římě kanonizována.

■ STRANA 72 ■ 73 ■
Východní strana Staroměstského náměstí, či jak se dříve říkalo Velkého rynku, je sestavena z vynikajících architektonických památek. Nejdůležitější je gotický chrám Matky Boží před Týnem se složitou stavební historií od románského kostelíku z 11. stol. přes raně gotický trojlodní kostel k dnešní velkolepé basi-

likální stavbě započaté po pol. 14. stol. s polygonálními závěry všech lodí a se západním dvouvěžím. V hlavních rysech byla hotová k r. 1420 a dokončována s přestávkami až do začátku 16. stol. Uvnitř chrámu se zachovalo mimořádné množství výzdobných prvků. S pražskou parléřovskou hutí souvisejí sedile v bočních závěrech ze 70. a 80. l. 14. stol. a zevně reliéf tympanonu ze severního portálu kol. r. 1400. Skupina Ukřižování a socha trůnící P. Marie s Ježíškem z doby po r. 1410 daly svému tvůrci jméno Mistr týnské kalvarie. Cínová křtitelnice z r. 1414, baldachýn nad hrobem biskupa Luciána z Mirandoly od Matěje Rejska z r. 1493, renesanční křídlový oltář sv. Jana Křtitele od Mistra IP z počátku 16. stol. a oltářní obrazy Karla Škréty dotvářejí obraz interiéru. Na unikátní varhany Hanse Heinricha Mundta z l. 1670–73 hrával Christoph Willibald Gluck a Ferdinand Seger. Ve 14. stol. zde působili kazatelé Kondrád Waldhauser a Jan Milíč z Kroměříže, a v l. 1415–19 Jakoubek ze Stříbra. Do r. 1620 byl Týnský chrám hlavním pražským kališnickým kostelem a sídlem husitského voleného arcibiskupa Jana Rokycany.

V l. 1710–35 zde byl farářem pražský historiograf Jan Florián Hammerschmied. Velkému zájmu se těší náhrobek dánského hvězdáře Tychona Brahe.

Palác Kinských čp. 606/I. byl vystavěn na místě tří původně středověkých domů podle projektu Anselma Luraga pro Jana Arnošta Goltze. Od r. 1786 přešel koupí do majetku rodiny Kinských. Na fasádě jsou dnes kopie alegorických postav od Ignáce Františka Platzera z l. 1760–65, štuky vytvořil pravděpodobně Carlo Giuseppe Bussi. Úprava interiérů a přestavba dvorních křídel, navržená Josefem Ondřejem Krannerem, proběhla v l. 1836–39. Franz Kafka v paláci nejen bydlel, ale také zde navštěvoval v l. 1893–1901 německé gymnázium. Dnes je zde sídlo grafické sbírky Národní galerie.

Budova Týnské školy čp. 604/I. byla vytvořena v 15. stol. ze dvou domů z poslední třetiny 13. stol. a z 2. čtvrtiny 14. stol., čemuž odpovídají také rozdílné klenby v podloubí. V průjezdu nalezneme osekaná žebra klenby a sedile, na fasádě byly zaomítnuty fragmenty lome-

ných okenních ostění. Benátské štíty z let 1560–70 a o dvacet let starší sgrafita ve dvoře připomínají renesanční přestavbu. Na fasádě je malovaný barokní obraz Nanebevzetí P. Marie. Po zrušení školy byl objekt v 1. pol. 19. stol. upraven. Jako učitel zde působil koncem 15. stol. stavitel Matěj Rajsek.

Trčkovský dům čp. 603/I. vznikl splynutím románského domu z doby kol.r. 1200 se dvěma gotickými z 2. čtvrtiny 14. stol., které se zachovaly ve zdivu suterénů a v patrech. Klenby v podloubí svědčí o dvou stavebních periodách ve 2. čtvrtině 14. stol. Pod omítkou se zachovaly úseky pozdně gotických oken. Dnešní fasáda má rekonstruované štíty nad klasicistní úpravou z l. 1770–73. V domě se narodila Josefina Hampacherová-Dušková, hostitelka Wolfganga Amadea Mozarta v Praze.

■ STRANA 74 ■

Refektář klarisek uprostřed konventní budovy je rozlehlá plochostropá místnost rozdělená příčně dvěma půlkruhovými pasy stýkajícími se ve středním sloupu. Na stěnách se uplatňuje režné cihlové zdivo. Byl postaven do r. 1234.

■ STRANA 74 ■

Rajský dvůr v Anežském klášteře vznikl postavením ambitu v l. 1238–45. Nad východním křídlem zbudovali dominikáni v 70. l. 16. stol. renesanční arkádovou chodbu.

■ STRANA 75 ■

Dnes je kostel sv. Mikuláše součástí Staroměstského náměstí, čímž je citelně porušena intimita urbanistického záměru jeho tvůrce – Kiliána Ignáce Dientzenhofera. Jižní hlavní průčelí bylo původně obráceno do piazzetty, vytvořené domy radničního bloku a Krennovým domem, který byl r. 1901 zbořen, aby mohla být vytvořena Pařížská, původně Mikulášská třída. Působivou centrální stavbu s kupolí na tamburu a dvěma věžemi dal postavit benediktinský opat Anselm Vlach v l. 1732–35 na místě raně gotického kostela z 1. pol. 13. stol. Ve 14. stol. byl nejdůležitějším staroměstským farním kostelem, utrakvisté se zde udrželi od husitských válek až do r. 1621. Z významných kazatelů zde působili Jan Milíč z Kroměříže a Matěj z Janova.

Několikrát byl přestavován, naposledy již emauzskými benediktiny raně barokně po pol. 17. stol. Pro Dientzenhoferovu novostavu vytvořil Antonín Braun alegorie Starého a Nového zákona nad jižním portálem a postavy českých a benediktinských světců vně i uvnitř chrámu. V l. 1735–36 vymaloval Cosmas Damian Asam freskami s výjevy ze života sv. Mikuláše a Benedikta interiér chrámu, které však značně utrpěly zatékáním. Jeho bratr Egid Quirin Asam doplnil interiér štukovou výzdobou. Zároveň se zrušením kláštera v r. 1787 byl odsvěcen i kostel, používaný pak jako skladiště a od r. 1865 jako vojenská koncertní síň. R. 1871 byl vrácen svému duchovnímu účelu jako sakrální prostor pravoslavné církve, kde byl jako sbormistr činný Zdeněk Fibich a od r. 1921 jako hlavní kostel československé husitské církve. Po stržení budov, prelatury a konventu a po výstavbě čp. 24/I. upravil Rudolf Kříženecký r. 1904 západní fasádu, o dva roky později byla do niky vnější strany presbytáře osazena socha sv. Mikuláše od Bedřicha Šimanovského a v blízkosti umístěna klasicistní kašna s delfíny upravená Janem Štursou.

■ STRANA 76 ■

Dům U kamenného zvonu čp. 605/I. je zcela výjimečným objektem ve svém prostředí. Z původní stavby z konce 13. stol. se po přestavbě mezi lety 1325–1330 stal věžovitý honosný palác s bohatě architektonicky řešeným průčelím zdobeným figurální sochařskou výzdobou v nikách a okny s kružbami a vimperky. Nákladný vnitřek domu se dvěma kaplemi pokrytými nástěnnými malbami, z nichž větší prostor v přízemí byl zřízen už kol. r. 1310, polychromované a zlacené článkoví napovídá, že tehdejší stavebník patřil přímo k panovnické rodině. Existuje domněnka, že palác vybudovala královna Eliška Přemyslovna. Po r. 1685 byl gotický charakter domu necitelně odstraněn, výzdobné prvky byly osekány, rozbity a použity v raně barokním zdivu. Po nevýrazné přestavbě po pol. 19. stol. dostal objekt v r. 1899 neobarokní vzhled. Složitá rekonstrukce domu byla ukončena v r. 1987. Od té doby zde Galerie hlavního města Prahy pořádá výstavy a koncerty.

■ **STRANA 76** ■
Sál ve 2. patře věžového nároží domu U kamenného zvonu na Staroměstském náměstí. Kopie okenních kružeb byly rekonstruovány podle nalezených fragmentů.

■ **STRANA 77** ■
Secesní Husův pomník uprostřed Staroměstského rynku byl odhalen až 6. července 1915 k 500. výročí upálení Mistra Jana Husa v Kostnici. Autoři díla, sochař Ladislav Šaloun a architekt Antonín Pfeifer, zvítězili v soutěži na pomník v r. 1900, ale ještě svůj návrh přepracovali. Základní kámen byl položen r. 1903. Z kamenného soklu vyrůstá bronzová vysoká postava kazatele, obklopená skupinami husitů, bělohorských exulantů a alegorií národního obrození, znázorněnou kojící matkou s dětmi.
Vlevo od pomníku vidíme průčelí konventu pavlánského kláštera čp. 930/I., který příslušel ke kostelu sv. Salvátora v Salvátorské ulici, původně německých luteránů. Objekt byl postaven na místě tří domů raného středověku po r. 1689 snad podle plánů Pavla Ignáce Bayera. Sochy na průčelí dodal r. 1696 Matěj Václav Jäckel, kamenické práce provedl Giovanni Battista Allio. Když Josef II. klášter r. 1784 zrušil, byl využíván jako mincovna. Jediná zachovalá původní stavba severní strany Staroměstského náměstí, která je ovšem jen torzem původního klášterního areálu.

■ **STRANA 77** ■
Storchův dům čp. 552/I. na Staroměstském náměstí byl postaven na místě zbořeného hodnotného středověkého domu v r. 1897 pro knihkupce a nakladatele Alexandra Storcha. Plány novostavby s volnou kopií původního mimořádného arkýře z 2. čtvrtiny 15. stol. vypracovali Bedřich Ohmann a Rudolf Krieghammer, stavbu prováděl František Tichna. Malířskou výzdobu fasády podle kartónů Mikoláše Alše provedl Ladislav Novák, neogotické sošky Jana Kastnera vytesal Čeněk Vosmík. Na úzké ploše průčelí dominuje postava sv. Václava na běloušu jako ochránce českého národa, znázorněného ve složité symbolice v podobě stromu. Ústřední výjev doplňují postavy sv. Tří králů mezi okny 4. patra, jihočeská krajina s čá-

py ve štítu a konečně postavy tiskaře u lisu a řeholníka ve skriptoriu v přízemí. V květnové revoluci 1945 dům vyhořel a v r. 1948 byl rekonstruován.

■ **STRANA 78** ■ **79** ■
Průhled Železnou ulicí ke Staroměstskému náměstí s kostelem sv. Mikuláše a okolní zástavbou. Asi uprostřed vyčnívá zelená báň od r. 1863 evangelického kostela sv. Salvátora v Salvátorské ulici. Záběr byl pořízen z čp. 494/I. v Železné ulici.

■ **STRANA 78** ■ **79** ■
Západní strana Staroměstského náměstí je stále nedořešená. Když se po spojení Starého a Nového Města, Malé Strany a Hradčan v r. 1784 stala Staroměstská radnice čp. 1/I. sídlem magistrátu, nestačily její budovy novému provozu. Budova mazhauzu do náměstí byla rozšiřována a upravována a byly do ní pojaty další tři domy této strany rynku. V r. 1839 byly všechny tyto objekty zbourány, aby mohla být postavena nová radniční budova. Návrh Petera Nobileho původně vůbec nepočítal se zachováním věže a kaple s arkýřem. V r. 1838 započala stavba, která se však setkala s tak silným odporem veřejnosti, že ji císař Ferdinand zastavil. V l. 1844–48 byla pak sice dostavěna podle nového návrhu Paula Sprengera, ale stejně vyvolávala nespokojenost. Nakonec radnice vyhořela 8. května 1945. Ruina až na jednu okenní osu těsně při arkýři byla stržena a stavební místo prozatímně sadově upraveno. Už od konce 19. stol. do 80.1.20. stol. proběhlo mnoho soutěží na novostavbu radnice, ale žádný návrh dosud nebyl realizován.
Na jižní stranu radnice díky Bohu nedošlo. Zde je její jádro, nároží dům Volflina od Kamene, zakoupený po schválení králem Janem Lucemburským v r. 1338. Hned se začalo se stavbou věže. Ještě v tomtéž století byl připojen dům kramáře Kříže, zřízena kaple a radní síň. Po rozšíření a zbudování arkýře byla kaple vysvěcena v r. 1381. Po r. 1399 byla vybudována nová síň. R. 1458 byl získán dům kožešníka Mikše a radnice pozdně goticky přestavěna. Z doby kol. r. 1490 pochází hlavní portál se sousedním oknem z okruhu Matěje Rejska a vstupní síň. Trojdílné renesanční okno

přibylo kol. r. 1525. Teprve ve 30.1. 19. stol. byl přikoupen dům U kohouta s gotickým loubím z konce 14. stol., probíhajícím i sousedním domem Mikšovým. Ve Staroměstské radnici byl zvolen Jiří Poděbradský českým králem 2. března 1458. Kříže v mozaice chodníku poblíž arkýře upomínají na popravu sedmadvaceti českých účastníků protihabsburského odboje 21. června 1621.

■ **STRANA 80** ■
První z budov Staroměstské radnice – dům Volflina od Kamene s pozdně gotickým portálem, orlojem a kaplí.

■ **STRANA 81** ■
Pohled z věže Staroměstské radnice na skupinu domů s loubím proti jižním radničním fasádám: Dům U Čápů a U zlatého koníka čp. 482 a 481/I., dva středověké domy, přestavěné v baroku a klasicismu, spojené po zásazích v interiéru v r. 1952.
Dům U červené lišky čp. 480/I. původně románský z 12. stol., přestavěný nejvýrazněji koncem 17. stol. patrně Jeanem Baptistou Matheyem, což dokládá typický střešní altán. Po r. 1700 vznikly v interiéru stropy zdobené štuky a mytologickými malovanými výjevy.
Dům U Bindrů čp. 479/I. byl původně opět v jádru románský, z přestavby v l. 1546–71 se zachovala síň v přízemí a nastavené třetí patro. Fasáda byla upravena v raném baroku a znovu v raném klasicismu.
Nárožní Štěpánovský dům čp. 478/I. se zaoblenou fasádou se dvěma štíty stojí na dvoupodlažních sklepích a zdivu z několika gotických stavebních etap. Po renesanční přestavbě prodělal barokní obnovu kol. r. 1700, kdy získal dnešní vzhled a nástropní malby v interiéru.
Další rohový dům U vola čp. 462/I. má gotický původ. Zachoval se portál ze zač. 15. stol. Pozoruhodné štíty svědčí o přestavbách v 17. a 18. stol. Na nároží se uplatňuje kopie sochy sv. Josefa od Lazara Widmana z doby po pol. 18. stol. Originál byl zničen v květnu 1945. S čp. 478/I. je spojen prampouchem. Spolu se sousedním Vilímkovským domem čp. 461/I. patřil ke staroměstskému klášteru servitů s kostelem sv. Michala zrušeným Josefem II. r. 1786.

■ **STRANA 81** ■

Dům U Schönpflugů čp. 592/I. v Celetné ulici vznikl ve 14. stol. a po renesanční přestavbě byl pronikavě zrenovován před r. 1725 pravděpodobně podle návrhu Jana Blažeje Santiniho. Harmonickou součástí vysoce kvalitní fasády je i kamenná socha P. Marie s Ježíškem ve vířivém pohybu, obdařující úsměvem své obdivovatele. Je nejspíše dílem Antonína Brauna z doby kol. r. 1735.

■ **STRANA 82** ■

Pohled Celetnou ulicí směrem k Prašné bráně. V popředí vlevo je dům U zlatého jelena čp. 598/I., kde je částečně v suterénu zachováno přízemí domu z 13. stol. s raně gotickou křížovou klenbou. Průčelí i obě fasády do Štupartské ulice, které jsou zdobeny reliéfy, pocházejí ze 2. čtvrtiny 18. stol.

■ **STRANA 83** ■

Karolinum čp. 541/I. je soubor budov seskupených kolem domu mincmistra Jana Rotleva, získaného r. 1383 králem Václavem IV. Sem se přestěhovala Karlova kolej ustanovená Karlem IV. r. 1366 z domu Lazara Žida v Židovském Městě u Staroměstského náměstí. Byla to nejstarší z kolejí, které vznikaly po založení první univerzity ve střední Evropě 7. dubna 1348 Karlem IV. Dům byl dále rozšiřován a přestavován, okamžitě byla vybudována velká aula a univerzitní kaple sv. Kosmy a Damiána se skvělým arkýřem dokončeným před r. 1390 (na snímku). V dalších stoletích proběhlo několik přestaveb, z nichž úprava Františka Maxmiliána Kaňky v l. 1715–18 určila tvář průčelí do Železné ulice. Rekonstrukce Jaroslava Fragnera ve dvou etapách od r. 1946 do r. 1959 (1. etapa byla ukončena k 600. výročí založení univerzity a 2. etapa k 550. výročí vydání Kutnohorského dekretu Václavem IV.), dala celku dnešní vzhled a vytvořila do r. 1968 nové vstupní rektorské křídlo s čestným dvorem z Ovocného trhu. Vnitřek s nesčetnými gotickými fragmenty obsahuje především zaklenuté žebrové prostory Rotlevova domu s loubím, chodby při nádvoří, velkou a malou aulu a sál Královské české společnosti nauk, tzv. recepční síň a další. V budově Karolina je sídlo rektora univerzity, konají se zde slavnostní promoce a další významná shromáždění. Ke Karolinu patří ještě domy čp. 559, 560, 561, 562 563 a 564/I. v bloku mezi Celetnou ulicí a Ovocným trhem.

■ **STRANA 84** ■ **85** ■

Prašná brána byla založena v hradebním příkopu jako reprezentační součást staroměstského králova dvora v r. 1475, ale na náklad Starého Města pražského. Stavbu vedl mistr Václav ze Žlutic, pak od r. 1478 Matěj Rejsek, který zde už dva roky pracoval jako kameník. Brána, nazývaná tehdy Nová věž, ač po přesídlení krále Vladislava Jagellonského r. 1484 na Pražský hrad nedostavěna, byla bohatě figurálně i ornamentálně zdobená a původně asi podle Staroměstské mostecké věže rozčleněna do tří zón s plastikami panovníků a světců. V přízemí se uplatnily žánrové scény. Koncem 17. stol. se stala skladištěm prachu a byla proto nazvána Prašnou. R. 1757 ji svou střelbou těžce poškodili Prusové, takže bylo nutno po čase snést uvolněné kamenné dekorace. V l. 1876–92 byla věž za vedení Josefa Mockera zrekonstruována týmem soudobých sochařů. S Obecním domem je brána spojena krytým mostkem. Věž je také vstupní branou na Královskou cestu, jejíž trasa Celetnou ulicí, přes Staroměstské a Malé náměstí, Karlovou ulicí, přes Karlův most, Mosteckou ulicí, Malostranským náměstím a Nerudovou ulicí vytvářela spojnici mezi Královým dvorem a Pražským hradem.

■ **STRANA 86** ■

Detail sochařské výzdoby Prašné brány, na níž se koncem 19. stol. podíleli sochaři Jindřich Čapek st., Bernard Seeling, Josef Strachovský, Ludvík Šimek a Antonín Wildt.

■ **STRANA 86** ■

Rokokový, původně Piccolominiovský palác čp. 852/II. Na příkopě na Novém městě dal na hloubkové parcele zbudovat kníže Ottaviano Enea Piccolomini na fragmentech gotického zdiva asi čtyř domů. Stavbu se dvěma dvory s kašnami navrhl Kilián Ignác Dientzenhofer. Realizována byla v l. 1744–52, tedy i během nemoci a úmrtí svého velkého tvůrce. Dokončil ji Anselmo Lurago. Sochařskou výzdobu průčelí i interiéru vytvořil Ignác František Platzer, štuky především honosného schodiště asi Carlo Giuseppe Bussi. Strop schodiště ovládá freska Václava Bernarda Ambrože, kde je Héliova quadriga obklopena dalšími alegorickými postavami. V majetku rodiny Nosticů byla koncem 18. stol. zřízena při zahradě zimní i letní jízdárna. V r. 1885 palác vyženil hrabě Arnošt Sylva-Tarouca, který určité prostory propůjčil Národopisnému muzeu k umístění sbírek.

■ **STRANA 87** ■

Václavské náměstí, bývalý Koňský trh na Novém Městě, je jednou z nejživějších pražských tepen. Začíná na zlatém kříži Na můstku a je uzavřeno budovou Národního muzea. Náměstí bylo nazváno r. 1848 podle raně barokního jezdeckého pomníku sv. Václava od Jana Jiřího Bendla z l. 1678–80, jehož kopie je dnes umístěna na Vyšehradě. V popředí vlevo je bílá fasáda paláce Koruna čp. 846/II. z l. 1911–14 navržené Antonínem Pfeiferem a vyzdobená plastikami Stanislava Suchardy a Jana Štursy.

■ **STRANA 88** ■ **89** ■

Novotného lávka a budovy Smetanova nábřeží tentokrát v pohledu z malostranské Kampy.

■ **STRANA 88** ■ **89** ■

Pohled na staroměstské věže ze Staroměstské mostecké brány s klementinským areálem v popředí.

■ **STRANA 90** ■

Václavské náměstí v pohledu od Národního muzea vykazuje různorodou zástavbu od několika domů dokumentujících jeho vzhled v 18. a 19. stol. po novostavby všech slohových údobí 20. stol. V popředí stojí bronzový pomník sv. Václava, vrcholné dílo Josefa Václava Myslbeka, v němž se zrcadlí celý jeho umělecký vývoj. Pracoval na něm od r. 1887 a vytvořil v několika soutěžích mnoho variant jezdce na koni, ale také ostatních českých patronů, z nichž byly nakonec vybrány postavy sv. Vojtěcha, Prokopa, Ludmily a tehdy ještě blahoslavené Anežky. Samotný sv. Václav byl hotov r. 1903, další tři sochy do r. 1912, kdy se začalo s instalací pomníku. Naposled byla dodána socha sv. Vojtěcha

r. 1924. Architektonickým ztvárněním pomníku byl pověřen Alois Dryák, ornamentální výzdobou Celda Klouček. Václavské náměstí bylo v minulosti také častým místem různých politických událostí, z nichž největší byla masová shromáždění v listopadu a prosinci r. 1989, kdy byl pomník sv. Václava významným pietním i strategickým bodem.

■ STRANA 90 ■

Národní muzeum čp. 1700/III. bylo postaveno v l. 1885-1890 za 10 let poté, co byla zbořena klasicistní Koňská brána Petera Nobileho z r. 1831-32. Neorenesanční monumentální čtyřkřídlou stavbu se schodišťovým traktem mezi dvěma dvory, nárožními věžicemi a střední kupolí Pantheonu navrhl Josef Schulz, vítěz soutěže. Alegorické postavy v průčelí vytvořili Josef Mauder, Antonín Popp, Bohuslav Schnirch, Antonín Wagner a další sochaři. Desítky umělců pracovaly na výzdobě interiéru, kde je nejdůležitějším prostorem Pantheon věnovaný památce největších národních postav znázorněných celými postavami nebo bustami. Nástěnné malby s historickými výjevy zde vytvořili František Ženíšek, Václav Brožík a Vojtěch Hynais. Před muzeem se rozprostírá rampa s fontánou zdobenou alegorickými postavami zemí České koruny a velkých řek od Antonína Wagnera z l. 1891-94.

■ STRANA 91 ■

Jeruzalémská neboli Jubilejní synagoga čp. 1310/II. v Jeruzalémské ulici, postavená v l. 1905-1906, byla původně navržena k 50. výročí vlády Františka Josefa místo zbořených synagog při asanaci Židovského města. Po dvou zamítnutých návrzích Aloise Richtera z r. 1899 a Josefa Linharta z r. 1901 z urbanistických důvodů, byl projekt zadán Wilhelmu Stiassnymu. Stavbu v pseudomaurském stylu provedl Alois Richter.

■ STRANA 92 ■

Dům Vendelína Mottla čp. 761/II., který, vklíněný r. 1906-1907 mezi Jungmannovo náměstí a ulici 28. října, uzavírá Národní třídu, navrhl a postavil Karel Mottl. Tři fasády nabízejí zajímavé secesní detaily, z nichž nejvýraznější je řešení vstupního portálu do Jungmannova náměstí.

■ STRANA 92 ■

Ná nároží ulic Karoliny Světlé a Konviktské nalezneme kostel sv. Kříže, románskou rotundu z 1. pol. 12. stol., která bývala panským kostelem při dvorci. Po zrušení Josefem II. r. 1784 byla r. 1860 určena k demolici a nakonec zachována a v l. 1864-65 restaurována Vojtěchem Ignácem Ullmannem. Uvnitř jsou fragmenty gotických maleb ze 14. stol. Litinový plot kolem rotundy z r. 1865 navrhl Josef Mánes. Dnes slouží starokatolické církvi.

■ STRANA 93 ■

Na místě klasicistních Chourových či Kaurových domů z r. 1849, které byly r. 1959 zbořeny, a správní budovy Vladimíra Wallenfelse z r. 1928, odstřelené r. 1977, vyrostly po několika neúspěšných soutěžích novostavby. Podle projektu Pavla Kupky byly realizovány dva ze tří objektů provozních budov s podzemním propojením s Národním divadlem. Když došlo ke změně koncepce, rozpracované třetí křídlo Karel Prager přebudoval na Novou scénu obloženou skleněnými foukanými prvky vyrobenými ve sklárně Kavalier v Sázavě. Celek byl dokončen r. 1983. V popředí je plastika Znovuzrození Josefa Malejovského.

■ STRANA 93 ■

Národní divadlo čp. 223/II., vynikající architektura 19. stol., postavená z celonárodní sbírky, má z kulturního hlediska zcela mimořádný význam. Stavba na lichoběžníkovém nepravidelném půdorysu, daném staveništěm, je po vítězství v soutěži dílem Josefa Zítka z let 1868 - 81 v neorenesančním slohu. V těchto místech stávala budova solnice a navazovalo Prozatímní divadlo Ignáce Ullmanna z r. 1862. Právě dokončené divadlo neopatrností dělníků vyhořelo a bylo znovu dobudováno a zvětšeno možností zásahu do prostoru Prozatímního divadla a přistavěním tzv. Schulzova domu, nazvaného na paměť autora dostavby, Josefa Schulze. Definitivně bylo divadlo otevřeno 18. listopadu 1883. Výzdoby exteriéru i interiérů se ujali nejlepší umělci, označovaní jako generace Národního divadla. Bohuslav Schnirch vytvořil sochy Apollóna a Múz na atice a navrhl slavné trigy, které byly přepracovány a instalovány až v l.

1910-11. Ostatní alegorické postavy vytvořili Antonín Wagner a Josef Václav Myslbek. Strop v hledišti vymaloval František Ženíšek, proscenium vyzdobil Bohuslav Schnirch, oponu dodal Vojtěch Hynais. Ve foyeru nalezneme obrazy v lunetách od Mikoláše Alše a nástěnné a nástropní kompozice Františka Ženíška v částečné spolupráci s Mikolášem Alšem. V prostorách královské nyní prezidentské lóže uplatnili své umění Vojtěch Hynais, Julius Mařák a Václav Brožík, nábytek navrhl Emilián Skramlík. V různých prostorách divadla je umístěno mnoho bust významných osobností, které v divadle působily. V l. 1977-83 proběhla ke stému výročí otevření Národního divadla rozsáhlá rekonstrukce a modernizace budovy a výstavba provozních budov a Nové scény.

■ STRANA 94 ■

Šítkovská vodárenská věž na Novém Městě při Šítkovských mlýnech byla postavena r. 1495 a pak několikrát po pohromách, jako byl oheň, záplava nebo dělostřelba, znovu vybudována. Dnešní podobu má od r. 1651, v 18. stol. získala cibulovitou báň. Mlýny byly r. 1928 zbořeny a o dva roky později nahrazeny konstruktivistickou budovou Mánes čp. 250/II. od Otakara Novotného.

■ STRANA 94 ■

Kruhovou raně barokní kapli sv. Maří Magdaleny pod Letnou dal postavit r. 1635 při své vinici probošt staroměstského, dnes zaniklého kláštera cyriaků Jan Zlatoústý Trembský. R. 1648 kaple sloužila Švédům jako kryt při dobývání Starého Města. Při úpravě předmostí Čechova mostu byla kaple r. 1955 poněkud posunuta na své dnešní místo. Kapli dnes užívá starokatolická církev.

■ STRANA 95 ■

Během výstavby nových budov Národního divadla byla také provedena úprava zahrady sester voršilek, navržená Pavlem Kupkou a Otakarem Kučou. Sousoší Rozhovor vytvořil Stanislav Hanzík.

Prosté barokní fasády voršilského kláštera čp. 139/II. jsou částí poměrně rozlehlého areálu, který byl založen r. 1672. Stavělo se v l.1647-78 a 1721-22. Kostel sv. Voršily na Národní třídě, vystavený v l. 1699–1704 navrhl Marcantonio Canevale.

■ STRANA 95 ■

Nejstarší mužský klášter v Českých zemích byl založen r. 993 v Břevnově u Prahy společně pražským biskupem sv. Vojtěchem a knížetem Boleslavem II. Původní kostel byl zasvěcený zakladateli zdejšího řádu sv. Benediktu a ještě sv. Bonifáci a Alexiovi. Kol. r. 1045 vystavěl zde kníže Břetislav kostel sv. Vojtěcha, patrně trojlodní basiliku. Z něho se zachovala pouze krypta. V 2. pol. 13. stol. započala gotická přestavba. Náhrobní deska benediktinského poustevníka blahosl. Vintíře pochází ze začátku 14. stol. V r. 1420 byl klášter od husitů a Pražanů vypálen a zpustošen, z čehož se nemohl dlouho vzpamatovat. Za vlády císaře Rudolfa II. byl částečně obnoven a patrocinium bylo změněno na sv. Markétu, jejíž ostatky klášter obdržel darem od uherského krále Bély II. už v r. 1262. Většina klášterních budov ležela ve zříceninách. Po bitvě na Bílé hoře byl klášter naprosto zdevastován císařskými vojsky. Teprve za opata Tomáše Sartoria se podařilo i přes ničivý požár v r. 1678 klášter opět zvelebit. Největší zásluhu o nový rozkvět břevnovského opatství měli však opati Otmar Zinke a Benno Löbl, kteří získali pro jeho výstavbu nejschopnější umělce své doby. Od r. 1709 do 1722 zde působil Kryštof Dientzenhofer, jehož sálový kostel sv. Markéty na půdorysu protínajících se oválů patří mezi nejlepší české barokní stavby. Ještě za otcova života od r. 1716 prováděl na stavbě dozor Kilián Ignác Dientzenhofer. Ze sochařů se uplatnili Karel Josef Hiernle, Matěj Václav Jäckel, Richard Prachner, Jan Antonín Quittainer a další. Obrazy pro iluzívní oltáře dodal v l. 1716–17 Petr Brandl. Jan Jakub Steinfels pokryl v l. 1719–21 klenbu kostela freskami, výjev Zázraku bl. Vintíře v Tereziánském sále prelatury namaloval Kosmas Damian Asam a jeho bratr Egid Quirin k němu vytvořil štukový rámec v r. 1727. V ostatních prostorách konventu a prelatury pracovali na nástěnných a nástropních malbách Josef Hager, Karel Kovář, František Lichtenreiter, Jiří Vilém Neunherz a Antonín Tuvora. K areálu patří či patřily hospodářské budovy, za-

hrada s letohrádkem Vojtěškou, glorietem Josefkou a oranžerií a hřbitov s kaplí sv. Lazara.

■ STRANA 96 ■

V Nové oboře, založené Ferdinandem I. r. 1534, v malejovském lese v Horní Liboci dal v l. 1555–56 jeho syn arcivévoda Ferdinand Tyrolský podle svého vlastního návrhu postavit letohrádek nazvaný podle šesticípého půdorysu – Hvězda. Nástropní malby z 2. pol. 16. a ze 17. stol. se nedochovaly. Během 17. a 18. stol. se dvakrát změnil tvar střechy. Letohrádek byl poničen za třicetileté války Švédy, pak v r. 1742 Francouzi a 1757 Prusy a nakonec do něho Josef II. umístil sklad střelného prachu. V r. 1949 byl letohrádek rekonstruován Pavlem Janákem a zřízeno v něm postupně Muzeum Aloise Jiráska a Mikoláše Alše. V oboře pod letohrádkem se zachovala budova Míčovny navržené Bonifácem Wohlmutem, která byla po dvou letech stavby dokončena r. 1558.

■ STRANA 97 ■

V interiéru letohrádku Hvězda jsou klenby zdobeny unikátními štuky několika neznámých italských umělců. Jedním z nich byl pravděpodobně Giovanni Antonio Brocco. Podle ideového plánu zachytit z antické mytologie nebo římské historie náměty zdůrazňující heroickou obětavost, laskavost a velkodušnost při současném doplnění nesčetnými pololidskými a polozvířecími figurami a ornamentikou bylo čerpáno z římských vzorů 1. a 2. stol. po Kr. Uprostřed klenby přízemního polygonálního prostoru je výjev znázorňující synovskou lásku na příkladu Aeneově, který vynáší z hořící Tróje svého otce Anchisa (na snímku).

■ STRANA 98 ■

Pohled na zalesněný trojský svah, Císařský ostrov na Vltavě a periferijní zástavbu v Dejvicích od zříceniny starého viničního lisu na Babě.

■ STRANA 98 ■

Původní dejvickou viniční usedlost čp. 15 dal její majitel Hans Paul Hippmann po r. 1733 přestavět na vrcholně barokní letohrádek s terasovitou zahradou, pojmenovaný Hanspaulka. V r. 1912 zde

bylo umístěno archeologické muzeum ze soukromých sbírek Josefa Antonína Jíry, které je dnes součástí Muzea hlavního města Prahy. V 30. l. 20. stol. byly hospodářské budovy zbořeny.

■ STRANA 99 ■

Letenská vodárenská věž v Bubenči byla postavena v r. 1888 v neorenesančním slohu firmou Hübschmann a Schlaffer podle návrhu Jindřicha Fialky.

■ STRANA 99 ■

Místodržitelský letohrádek čp. 56 v Bubenči nad Královskou oborou byl původně jako lovecký hrádek založen Vladislavem Jagellonským v r. 1495. O této době dnes svědčí pouze plastika lva na schodišti. Rudolf II. pověřil r. 1578 Ulrika Aostalliho závažnou přestavbou hrádku na arkádový letohrádek s hranolovou nárožní věží. Dnešní podobu stavbě dala romantická gotizující přestavba Jiřího Fischera z r. 1805–11. Sochařskou výzdobu vytvořili Ignác Michal Platzer a Josef Kranner, malby v pokojích dílna Josefa Navrátila. Stylově navazuje nedaleká brána do Královské obory z r. 1814.

■ STRANA 100 ■

Pro Zemskou jubilejní výstavu v r. 1891 navrhl architekt Heiser výstavní pavilón Komárovských sléváren, jehož detaily podle nákresů architekta Hercíka vytvořil modelér Zdeněk Emanuel Fiala. Litinovou konstrukci této mimořádné neobarokní stavbičky ulily slévárny v Komárově, stavbu vedl K. Šlejf. V r. 1898 byl pavilón, nazvaný podle majitele sléváren, knížete Viléma Hanavského, rozebrán a přenesen do Letenských sadů. Po rekonstrukci v l. 1967–71 zde byl obnoven restaurační provoz.

■ STRANA 101 ■

Pohled na věže Starého Města z Letné. V popředí je hradba z budov právnické fakulty Karlovy univerzity postavené podle plánů Jana Kotěry z r. 1914 až v r. 1924–27, Ústavu jaderné fyziky, vystavěného původně pro filosofickou fakultu Karlovy univerzity v l. 1922–23 od Josefa Sakaře, Státní konzervatoře hudby z r. 1902 s nárožním kupolovitým útvarem, sloužící původně jako akademické gymnázium, a Rudolfina.

obnovit jeho původní dějinné postavení. Po bitvě na Bílé hoře se na Vyšehradě začalo s obnovením opevnění, které však bylo během třicetileté války opět spolu s ostatními objekty zničeno. V 2. pol. 17. stol. byl přeměněn na barokní pevnost, která byla zrušena až v r. 1911. Kostel sv. Petra a Pavla prodělal renesanční úpravu v l. 1575–76, již vedl Ulrico Aostalli a mistr Benedikt. Barokizace kostela proběhla v l. 1711–28 zprvu za vedení Františka Maxmiliána Kaňky, kterého vystřídal Carlo Antonio Canevale snad původně podle upravených plánů Jana Blažeje Santiniho oběma staviteli. Dnešní neogotický vzhled se dvěma věžemi určil chrámu Josef Mocker v l. 1885–87. Kromě již zmíněných staveb, děkanství, obou proboštství, kanovnických domů a dalších objektů se na Vyšehradě rozkládá hřbitov, kde jsou pohřbeny desítky významných osobností národa.

Leopoldova brána z doby před r. 1670 dostala jméno po tehdejším panovníkovi, Leopoldu I. Střežila vstup do pevnosti od Pankráce. Její návrh ve dvou variantách vypracoval Carlo Lurago, sochařskou výzdobu provedl Giovanni Battista Allio.

■ STRANA 109 ■

Tvrz v Chodově byla postavena pravděpodobně už koncem 13. stol. na kruhovém půdorysu s průjezdnou věží a menším palácovým křídlem a širokým vodním příkopem. V 2. pol. 16. stol. proběhly určité stavební úpravy, ale teprve v držení benediktinů staroměstského kláštera u sv. Mikuláše došlo kol r. 1700 k radikální přestavbě zpustošené tvrze na zámek s arkádovým nádvořím. Dnes zrestaurovaný objekt oživuje svým vzhledem i náplní – jako kulturní středisko – šeď sídliště na Jižním Městě.

■ STRANA 109 ■

Pohled z Vyšehradu na podolský přístav plachetnic při Vltavě. Monumentální stavby městské vodárny a nové vodárny navrhl Antonín Engel v l. 1929–31 a 1959–62.

■ STRANA 110 ■

Usedlost Bertramka čp. 169 na Smíchově z konce 17. stol., přestavěná klasicistně v 2. pol. 18. stol. je známá především pobytem Wolfganga Amadea Mozarta. Hostili jej manželé – komponista a klavírista František Xaver Dušek a jeho žena Josefína, operní pěvkyně – v r. 1787, když přijel do Prahy dirigovat premiéru opery Don Giovanni v tehdejším Hraběcím Nosticově divadle. Pravděpodobně se Mozart stavil na Bertramce, když opět bydlel u Dušků v r. 1791 v souvislosti s uvedením premiéry své korunovační opery La clemenza di Tito pro císaře Leopolda II. Uvnitř budovy se zachovaly interiéry s malovanými stropy a malby v sale terreně, užívané jako koncertní síň. Oblíbené jsou také koncerty na terase. V zahradě je umístěna Mozartova busta od Tomáše Seidana z r. 1876. Usedlost je přístupná jako památník manželů Duškových a Mozartův.

■ STRANA 110 ■

Zbraslavský cisterciácký klášter založil král Václav II. v r. 1292 při loveckém hrádku, zbudovaném po r. 1268 Přemyslem Otakarem II. V r. 1297 se započalo se stavbou, jež se protáhla do poloviny 14. stol. Klášter byl pojmenován Aula regia – Královská síň – na důkaz mimořádných vztahů posledních Přemyslovců, kteří si zde ve výstavném opatském kostele P. Marie vybudovali své mauzoleum. Zde vznikla v l. pol. 14. stol. Zbraslavská kronika psaná opaty Ottou a Petrem Žitavským. V r. 1420 byl klášter husity vypálen a po obnově opět zdevastován za třicetileté války. Opati Wolfgang Loechner a Tomáš Budetius se zasloužili o novou barokní výstavbu klášterních budov, která proběhla v l. 1709–39. Josef II. klášter zrušil r. 1785 a dopustil tak nové využití objektů jako rafinerii cukru a chemickou továrnu. V r. 1913 koupil poničený areál Cyril Bartoň z Dobenína a v l. 1924–25 upravil na zámek. Trojkřídlá budova konventu s čestným dvorem byla vystavěna v l. 1709–32 podle plánů Jana Blažeje Santiniho, na něhož od r. 1724 navázal se změnami František Maxmilián Kaňka.

■ STRANA 111 ■

Původně farní kostel sv. Jakuba na Zbraslavi, který po zničení opatského chrámu převzal jeho funkci i s přenesením přemyslovských ostatků, byl v l. 1650–54 raně barokně přestavěn. V interiéru nalezneme kromě kopie Zbraslavské madony, jejíž cenný originál z r. 1350 je vystaven v Národní galerii, ještě obrazy Karla Škréty, Petra Brandla a Giovanniho Battisty Piazzetty. Východně od presbytáře se rozkládá budova bývalé prelatury přestavěné před r. 1739 Františkem Maxmiliánem Kaňkou a vyzdobené freskami Václava Vavřince Reinera a Františka Xavera Palka opět náměty z dějin kláštera. V l. 1911–12 ji upravil Dušan Jurkovič na zámek.

■ STRANA 112 ■

V Královském sále zbraslavského kláštera namaloval fresku s námětem Svěcení základního kamene klášterního kostela zbraslavského Václav Vavřinec Reiner 1728. Také ostatní nástěnné výjevy se vztahují k historii založení kláštera Václavem II. Své vrcholné dílo zde odvedl štukatér Tommaso Soldati se svým synem Martinem. Fresku v refektáři s podobenstvím o muži, který přišel na svatbu bez roucha svatebního vytvořil František Xaver Palko. Konventní budovu určil už r. 1941 poslední majitel pro sbírky Národní galerie, která zde instalovala expozici českého sochařství od baroka po současnost.

Die römischen Zahlen hinter den roten Zahlen der Haustafeln bedeuten die einzelnen Teile des Stadtviertels Prag 1:

I. – Altstadt
II. – Neustadt
III. – Kleinseite
IV. – Hradschin
V. – Josefov

■ **ERSTE UMSCHLAGSEITE** ■

Das Haus Zur Minute Nr. 3/I. entstand an der Stelle eines schmalen Gäßchens erst zu Beginn des 15. Jh. In den achtziger Jahren des 16.Jh. wurde das Haus anscheinend bei einem Renaissanceumbau auf seine heutige Länge gebracht, erhöht, mit einem Lünettengesims versehen und ganz mit Sgraffitos in zwei Zeitetappen (vor 1601 und vor 1615) bedeckt. In den 2. Hälfte des 18.Jh. erfuhr das Haus einen klassizistischen Umbau, die Sgraffitos wurden übertüncht und am Eck wurde auf einer später zerstörten Säule das Hauszeichen eines Löwen mit einer Wappenkartusche in den Pranken nach der älteren Bezeichnung des Hauses – Zum weißen Löwen – angebracht. Die Sgraffitos stellen Szenen aus dem Alten und Neuen Testament, der Mythologie, der römischen Geschichte und des jüdischen Talmuds wowie allegorische Gestalten und eine Reihe französischer Könige dar. Sie wurden erneut entdeckt und 1919 restauriert. Im Innern des Hauses blieben mittelalterliche Fragmente, Renaissancedeckenbalken und ein Renaissancedachstuhl sowie gemalte Barockgewölbe aus der Zeit vor 1712 erhalten.

Es folgen teilweise überdeckte Fassaden der Südfront des Altstädter Rathauses: mit Laubengängen verbundene Häuser Zum Hahn und des Kürschners Mikeš, des Hauses des Krämers Kříž mit dreiteiligem Renaissancefenster aus der Zeit um 1525 und einer Reihe von Ratsherrenwappen unter dem Gesims und des Hauses Volflin von Kamen mit spätgotischem Portal und einem Fenster um 1490. Im Hintergrund die Ostfront des Altstädter Rings mit der Teynkirche.

■ **VIERTE UMSCHLAGSEITE** ■

Das nordwestliche Eck des Altstädter Rings (Staroměstské náměstí) und die Kirche des hl. Nikolaus von der Teynkirche und der Teynschule Nr. 604/I aus gesehen.

■ **SEITE 3** ■

Die Kleinseitner Brückentürme beschließen die Karlsbrücke auf dem linken Moldauufer. Der niedrigere Turm ist romanisch aus der Zeit des Judithbrückenbaus, wahrscheinlich aus dem Jahr 1158. 1591 wurde er im Renaissancestil umgebaut. Im Turm hatte sich ursprünglich als Außenverzierung ein einmaliges Relief aus der Zeit um 1170 erhalten, das wahrscheinlich die Erhebung Wladislaws II. zum König darstellt. Das Tor, das ein älteres romanisches ersetzt, stammt aus den Jahren nach 1411. Den höheren Brückenturm gründete König Georg von Podiebrad 1464, anscheinend ebenfalls an der Stelle eines romanischen Bauwerks. Mit monumentalem Figurenschmuck wurde er jedoch nicht mehr versehen.

■ **SEITE 4** ■

Der Blick aus dem Hause Zur steinerner Glocke Nr. 605/I. über das Mansardendach des Kinský-Palais Nr. 606/I am Altstädter Ring mit dem Hus-Denkmal. Im Hintergrund bei der St. Nikolauskirche die Häuser des Rathausblocks Nr. 22, 21, 20 und 19/I.

■ **SEITE 5** ■

Die Prager Aposteluhr – es geht von ihr die Sage um, daß ihr Schöpfer, Meister Hanuš, von den Ratsherren geblendet wurde, damit er ein ähnliches Werk niemandem anderem schaffen konnte –

zählt zu den meistbesuchten Stätten Prags. Die astronomische Uhr an dem Altstädter Rathaus ist jedoch ein Werk aus dem Jahr 1410 von Nikolaus von Kaaden, d.h. das astronomische Zifferblatt und der dazugehörige Mechanismus, zu dem dann erst um 1490 Meister Hanuš, bzw. Jan Růže mit seinem Gehilfen Jakub Čech das Kalendarium dazugaben. In jedem Jahrhundert wurde die astronomische Uhr gerichtet, manchmal stand sie lange Jahre. Sie wurde verbessert und verziert, und zwar erhielt sie in beiden gotischen Perioden Steinplastiken, im 17. Jh. sich bewegende Holzfiguren der alegorischen Gestalten zu beiden Seiten des Zifferblattes und 1865 eine neue Kalenderplatte von Josef Mánes sowie den Apostelgang von Eduard Veselý. Es scheint allerdings, daß schon andere Aposteln an der Kunstuhr bereits im 18.Jh. defilierten. Der krähende Hahn kam erst 1882 dazu. In der Mairevolution 1945 verbrannten die meisten Figuren, und die Kopie der Mánes-Platte wurde durch den Brand zerstört. Die neuen Figuren schnitt Vojtěch Sucharda, und die Kalenderplatte malte Bohumír Čila. Die reparierte Aposteluhr wurde 1948 in Gang gesetzt. Heute sind auf der Uhr nurmehr Kopien der Figuren. Die Originale von Sucharda und die Platte von Mánes befinden sich im Museum der Hauptstadt Prag.

■ **SEITE 6** ■

Auf den Bau des Repräsentationshauses Nr. 1090/I. in Prag wurde 1903 ein Wettbewerb ausgeschrieben, aus dem als Sieger Antonín Balšánek und Osvald Polívka hervorgingen. Der fünfseitige Jugendstilbau wurde von 1905 bis 1911 errichtet. Unter der Kuppel in einer Nische über dem Frontportikus ist eine Mosaik mit dem Thema Huldigung Prags nach einem Karton von Karel Špillar angeordnet. Die Skulpturen Erniedrigung und Wiedergeburt der Nation zu beiden Seiten des Bogens schuf Ladislav Šaloun, die Fackelträger und weiterer ornamentalen Schmuck Karel Novák. Die übrigen Skulpturen und Reliefs an den Seitenfassaden stammen von Antonín Mára, Josef Mačatka, Josef Pekárek, Eduard Pickardt, František Rous, Antonín Štrunc, František Úprka und Gustav Zoula. Sehr interessant sind auch die Innenräume des Repräsentationshauses – das Vestibül, das französische Restaurant, das Kaffeehaus, der Billardsaal, die Bar, der Primatorsaal, der Riegersaal, der Sladkovskýsaal, Palackýsalon, die Konditorei und vor allem der große Smetanasaal für Konzerte und manchmal auch für öffentliche und gesellschaftliche Ereignisse. Von den Künstlern, die sich an ihrer Ausschmükkung beteiligten, wären noch außer den bereits genannten anzuführen: Mikoláš Aleš, František Hergesel, Josef Kalvoda, Alfons Mucha, Josef Václav Myslbek, Max Švabinský und František Ženíšek. An der Stelle des heutigen Repräsentationshauses und Sitz des Symphonischen Orchesters der Hauptstadt Prag FOK befand sich nach 1380 bis 1483 der Königshof. Er zerfiel und wurde 1631 in ein erzbischöfliches Seminar umgewandelt. Im Repräsentationshaus fanden viele wichtige politische Versammlungen statt, von denen die wichtigste die Selbständigkeitserklärung der Tschechoslowakei und die Herausgabe des ersten Gesetzes am 28. Oktober 1918 waren.

■ SEITE 7 ■

Die Pariserstraße (Pařížská třída) mit ihren repräsentativen eklektischen und Jugendstil-Häusern in der Nachbarschaft des Objekts Nr. 934/I. an der Ecke des Altstädter Rings entstanden noch in den letzten Jahren des 19. Jh. Die meisten jedoch wurden von 1901 bis 1906 nach den Plänen der Architekten Matěj Blecha, Richard Klenka von Vlastimil, Jan Koula, Čeněk Křička, Antonín Makovec, Jan Vejrych, František Weye u.a. gebaut.

■ SEITE 8 ■

Das Sternberg-Palais Nr. 7/III. auf dem Kleinseitner Ring entstand nach 1684, als Adolf Wratislaw von Sternberg dort zwei Renaissancehäuser kaufte, von denen das Haus Auf der Bastion (Na baště) durch seine vom 1. Stock an etwas zurücktretende Vorderfront immer noch erkenntlich ist. Vor 1720 fand ein weiterer hochbarocker Umbau, offensichtlich ein Werk Giovanni Battista Alliprandis, statt. Zwischen den Fenstern im 1. Stock befindet sich ein Wandbild der hl. Maria mit dem Jesukind. Die Stuckdecken von Giovanni Bartolomeo Cometa wurden durch Malereien aus dem Anfang des 18.Jh. unbekannter Künstler ergänzt.
Den Sternberg gehörte auch das benachbarte Renaissance-Eckhaus Nr. 518/III. um 1585. Der frühbarocke Umbau des Hauses verlief 1670. Bei der Überholung 1899 versah Celda Klouček die Fassade mit neuen Sgraffitos.
Im Hintergrund der Turm und der Tambour der St. Thomaskirche.

■ SEITE 9 ■

Die Garten-Nordfassade des Czernin-Palais mit ihren beiden Loggien aus den Jahren 1669 bis 1692 ist ein Werk von Francesco Caratti. Die Skulptur des über den Drachen siegenden Herkules schuf 1746 Ignaz Franz Platzer. Der 1718 von František Maxmilián Kaňka entworfene Garten wurde von dem Gärtner Matěj Ivan Lebsche verwirklicht. Die neue Orangerie baute Anselmo Lurago. Von 1934 bis 1935 wurde der Garten von Pavel Janák und Otakar Fierlinger rekonstruiert.

■ SEITE 9 ■

Das Czernin-Palais Nr. 101/IV. gründete 1669 an der Stelle mehrerer Häuser Humprecht Johann Czernin von Chudenitz, der kaiserliche Gesandter in Venedig war. Projektant und Direktor des durch palladianische Formen beeinflußten Baus war Francesco Caratti, und als seine Helfer werden Giovanni Decapauli und Abraham Leuthner genannt. Die Steinmetzarbeiten führten mit Helfern Giovanni Battista Pozzo und Domenico Semprici durch. Von 1676 leiteten den Bau der dort als Stukkateur tätige Giovanni Battista Maderna zusammen mit Giovanni Bartholomeo Cometa und Francesco Perri und später 1692 Domenico Egidio Rossi, 1696 Giovanni Battista Alliprandi und zuletzt Martino und Giovanni Battista Alli. Den hochbarocken Stil wählte für den Bau des Palais und für die Entwürfe der Interieurs ab 1718 František Maxmilián Kaňka. An der Innenausstattung arbeiteten die Stukkateure Tomaso Soldati und später Bernardo Spinetti, der Marmorierer Domenico Antonio Rappa und der Freskenmaler Wenzel Lorenz Reiner, von dem vor allem die Darstellung des Kampfes der Olympier mit den Giganten im Stiegenhaus 1718 stammte. In den Jahren 1742 und 1757 beschädigten das Palais die Franzosen und die Preußen. Von des Skulpturen blieb fast nichts erhalten. 1851 wurde das langsam verfallende Palais verkauft und in eine Kaserne verwandelt. 1928 bis 1934 wurde es für den Bedarf das Außenministeriums nach einem Projekt von Pavel Janák rekonstruiert. Es ist das monumentalste Prager Palais.

■ SEITE 10 ■

Das Kloster (Nr. 99/IV.) mit der Marienkirche auf dem Loretoplatz wurde 1600 bis 1602 als ältestes Kapuzinerkloster Böhmens gebaut. Die berühmte, dauernd installierte Weihnachtskrippe in der Seitenkapelle wurde von zwei neapolitanischen Mönchen 1780 geschaffen. Die achtzehn fast lebensgroßen Figuren aus Holz, Stroh und Gips sind in zeitgenössischer mit Leimwasser versteifter Kleidung dargestellt. Durch eine überdachte Brücke ist das Kloster mit dem Loreto verbunden. Seine Eintrittsbalustrade ist im Vordergrund des Bildes mit den Gestalten von achtundzwanzig Engeln geschmückt, die Schilde mit den Reliefen marianischer Begebenheiten aus der Werkstätte von Andreas Philipp Quittainer aus dem Jahr 1725 halten. Die Originale wurden jedoch bereits durch Kopien ersetzt.

■ SEITE 11 ■

Die Reihe der Domherrenhäuser auf dem Hradschiner Platz (Hradčanské náměstí). Das Haus Zu den Schwänen Nr. 61/IV., ursprünglich ein Renaissance-Objekt, wurde in ein spätbarockes kleines Palais in der Mitte des 18. Jh.

umgebaut und auf der Hofseite mit Sgraffitos versehen. 1842 vergrößerte es der Baumeister Johann Maxmilian Heger.

Links das Haus Sachsen-Lauenburg Nr. 62/IV. gotischen Ursprungs, in dem 1372 bis 1399 der Baumeister des Veitsdoms, Peter Parler, lebte. Es wurde um 1596 im Renaissance-Stil umgebaut. Das Kolowrat-Haus Nr. 63/IV., ursprünglich aus dem 14. Jh. und im Besitz des Geschlechts der Rosenberg, die es 1541 umbauten. Beide Häuser erhielten eine einheitliche Barockfassade nach dem Entwurf von Anton Wenzel Spannbrucker 1737.

■ SEITE 12 ■

Das Loretoheiligtum Nr. 100/IV. ist ein Wallfahrtsort mir dem Haus der heiligen Familie (Casa Santa). Es ist eine genaue Nachbildung jenes Hauses, in dem die heilige Familie in Nazareth gewohnt hat, und das von Engeln 1295 nach Loreto bei Ancona in Italien übertragen wurde. Das Heiligtum wurde von 1626 von Benigna Katharina Lobkowicz errichtet. Sein Baumeister Giovanni Battista Orsi entwarf 1634 auch die ursprünglich ebenerdigen Ambiten. Nach Orsis Tod wurde der Bau der Kapellen in den Ambiten unter der Leitung von Andrea Alli, Silvestro Carlone, Johann Georg Mayer, Christoph Dientzenhofer und seinem Sohn Kilian Ignaz bis in die zwanziger Jahre 18.Jh. fortgesetzt.

Die hochbarocke Fassade wurde 1721 bis 1723 gebaut. An ihrem Projekt beteiligten sich beide Dientzenhofer. In den Bau miteingeschlossen wurde ein älterer Turm mit einem lieblichen Glockenspiel vom Uhrmacher Peter Neumann aus dem Jahr 1694. Heute spielen die 27 Glocken nur mehr das Marienlied: Tausendmale sei uns gegrüßt ... An dem Skulpturschmuck der Fassade war Johann Friedrich Kohl beteiligt. Außerdem befindet sich dort der weltbekannte Loreto-Schatz.

■ SEITE 13 ■

Das Haus der heiligen Familie im Prager Loreto wurde 1631 geweiht. Zuerst war sein Äußeres in Chiaroscuro-Technik bemalt, und erst 1664 arbeiteten Jacopo Agosto, Giovanni Batista Colombo und am erfolgreichsten Giovanni Bartolomeo Cometa an den Stuckgestalten der Propheten, der Sibyllen und Reliefs aus dem Leben der hl. Maria. Innen ist über dem Altar in einer Nische die schwarze loretanische Mutter Gottes aus dem Ende des 17.Jh. Die Wände kopieren ihre Vorlage bis ins Detail in den Fragmenten der Wandmalerei und im Ziegelrohbau samt Mauerriß.

Die Geburt-Christi-Kirche rechts entstand aus einer einfachen Kapelle im Jahr 1661, die von Christoph Dientzenhofer zweimal erweitert und schließlich von seinem Stiefsohn Johann Georg Aichbauer 1733 bis 1735 verlängert wurde. Die Deckenfresken im Presbyterium sind ein Werk von Wenzel Lorenz Reiner 1736, des Kirchenschiffs von Johann Adam Schöpf 1742 und die Stuckarbeiten von Tommaso Soldati 1735 bis 1737. Im Vordergrund der Brunnen mit der plastischen Brunnengruppe der Himmelfahrt Marias 1739 von Johann Michael Brüderle, heute eine Kopie von Vojtěch Sucharda.

■ SEITE 14 ■

Das Kapuzinerkloster mit der Marienkirche und dem Loreto über die Dächer der Häuser der „Neuen Welt" (Nový svět).

■ SEITE 14 ■

Für den Bau seines Palais Nr. 182/IV auf dem Hradschiner Platz (Hradčanské náměstí) 1689 bis 1691 wurden, anscheinend nach dem Beschluß des Bauherrn Michal Oswald Thun-Hohenstein, bis zum zweiten Stock die Mauern von Häusern benützt, die an seiner Stelle standen. Als Autor der Pläne wird nach dem römisch-barocken Stil Jean Baptiste Mathey bezeichnet und ausführender Baumeister ist Giacomo Antonio Canevalle. Seit 1718 heißt das Palais das Toskana-Palais. In der Attika zwischen zwei Dachaltanen sind die alegorischen Figuren der Sieben Künste von Johann Brokoff aus der Zeit um 1695 angeordnet. An der Ecke der Loreto-Gasse (Loretánská ulice) schuf Ottavio Mosto um 1700 die Gestalt des Erzengels Michael.

■ SEITE 15 ■

Der Vorgänger der Kapitelresidenz Nr. 65/IV. links war das Gehöft mit einem Turm des Domherrn und Baumeisters des Veitsdoms Václav von Radeš 1414. Mit dem Nebenhaus, das 1365 der Domherr und erste Direktor des Baus Leonhard Bušek von Vilhartitz mit seinen Brüdern gekauft hatte, wurde es 1486 von Probst Hanuš von Kolowrat verbunden. Die Umbauten von 1685 und 1734 verliehen dem Haus sein heutiges Aussehen.

Das Renaissance-Martinitz-Palais Nr. 67/IV. entstand an der Stelle von drei Häusern in der zweiten Hälfte des 16.Jh. für Andreas Teyfl von Kinsdorf. Um 1620 wurde es vom Statthalter Jaroslav Bořita von Martinitz erweitert, einem der Betroffenen des Fenstersturzes 1618. Die Sgraffitos an der Vorderfront und im Hof aus der Zeit um 1580 stellen Geschichten aus dem Alten Testament von Joseph und Samson sowie mythologische Szenen aus dem Jahr 1634 dar. Im Innern wurde ein großer Saal mit gemalter Kassettendecke und eine angeschlossene Kapelle erneuert, deren Eingang von den Figuren Adams und Evas gerahmt ist.

■ SEITE 16 ■

Die Burgrampe mit Ausblick auf Prag. Im Vordergrund dominiert die Kuppel der Kleinseitner Niklaskirche.

■ SEITE 16 ■

Das Erzbischöfliche Palais Nr. 56/IV. steht an der Stelle des Renaissance-Hauses von Florian Griespek, das 1562 an den Erzbischof Anton Brus von Mohelnice verkauft und sofort umgebaut wurde. Die weiteren Umbauten des Palais von 1675 bis 1679 nach den Plänen von Jean Baptiste Mathey unter dem Erzbischof Johann Friedrich von Waldstein betrafen außer das Portal und den Dachaltan die ganze Fassade, die nun klassizistisch mit Rokoko-Elementen aus den Jahren 1764 bis 1765 von Johann Joseph Wirch war. Die figurale Ausschmückung vertraute der Erzbischof Antonín Příchovský Ignaz Franz Platzer an, und in den achtziger Jahren des 19.Jh. wurde sie von Thomas Seidan ergänzt. Daniel Alexius aus Květná führte die Deckenmalereien im Spätrenaissance-Stil durch, die das Leben und Wirken von Johannes dem Täufer in der Palais-Kapelle zum Thema hatte. Von den Schätzen des Erzbischöflichen Palais seinen hier nur die Sammlungen von Bildern, Porzellan, Glas, der Porträts von Prager Erzbischöfen aus vier Jahrhunderten, Reliquiarien und kostbaren Wandteppichen aus Paris nach Kartons von Alexander Desportes aus den Jahren 1754 bis 1765 mit Themen aus Neuindien erwähnt. In der Durchfahrt führt ein steiler Weg herunter in das Sternberg-Palais mit der Nationalgalerie.

■ SEITE 17 ■

Die Burgrampe mit Ausblick auf den Laurenziberg (Petřín) mit dem Aussichtsturm aus dem Jahr 1891.

■ SEITE 17 ■

Die Burg vom Strahover Garten aus gesehen. Die blühenden Obstbäume bilden den Rahmen zu den Hradschiner Palais und kleineren Objekten in der Loretogasse (loretánská ulice) und im Hohlen Weg (Úvoz).

■ SEITE 18 ■

Das Blumenparterre im Königlichen Garten. Rechts die Präsidentenvilla, die aus einem Barockglashaus von 1730 bis 1732 von Kilian Ignaz Dientzenhofer umgebaut und von Pavel Janák 1937 bis 1938 erweitert wurde. Bei der Entstehung des Königlichen Gartens für Ferdinand I. waren 1535 wahrscheinlich auch der Baumeister Giovanni Spazio und der Gärtner Francesco, mit vollem Namen Francysko Skoryna, der aus Weißrussland stammte, tätig. Ein schöner Bau im Garten ist das mit Sgraffitos geschmückte Große Ballhaus von Bonifaz Wohlmut aus den Jahren 1567 bis 1569. Vor ihm steht die Statuengruppe „Nacht" von Anton Braun 1734. Die Skulptur des mit dem Drachen kämpfenden Herkules auf dem Brunnen, der die Allee abschließt, ist ein Werk von Johann Georg Bendl 1670.

■ SEITE 18 ■

Das Königliche Lustschloß am östlichen Ende des Königlichen Gartens wurde 1538 bis 1562 nach den Plänen eines unbekannten Architekten unter der Leitung von Paolo della Stella, dann von Hans Tirol, der den Gedanken faßte es aufzustocken, und schließlich von

Bonifaz Wohlmut gebaut, der diesen Gedanken verwirklichte. Die Reliefs meißelte Paolo della Stella mit seinen Steinmetzen. Das Lustschloß ist die reinste Renaissancearchitektur nördlich der Alpen.

Inmitten des Giardinetto steht seit 1573 die Singende Fontäne, deren auffallende Wassertropfen im Bronzebecken einen dunklen Klang hervorrufen. Die Arbeit an den Fontäne beschäftigte viele Künstler: Francesco Terzio zeichnet sie 1562, die Gießform schuf Hans Peissner, den Guß führten 1564 bis 1568 Tomáš Jaroš und Vavřinec Křička von Bitýška durch, den oberen Teil ziselierte Giovanni Antonio Brocco und den Zusammenbau der Fontäne führte Wolf Hofprucker durch.

■ SEITE 19 ■

Klárov auf der Kleinseite ist nach der von der Familie Klár gestifteten klassizistischen Blindenanstalt Nr. 131/III. benannt. Ihre Gebäude mit dem kleinen Turm links von den Chotek-Parkanlagen gesehen.

■ SEITE 20 ■

Der Ehrenhof der Prager Burg. Die Burg entstand in den achtziger Jahren des 9.Jh. und war der Sitz der Fürsten des tschechischen Staates aus dem Geschlecht der Přemysliden. Bald entstanden in ihrer zuerst hölzernen Befestigung einige Sakralbauten. 973 wurden das Bistum beim hl.Veit und neben der Kirche des hl. Georgs das Benediktinerinnen-Kloster gegründet. Alle Umbauten, Neubauten, Erweiterungen und Verbesserungen der Burgbefestigung sollten ihre Wichtigkeit als Herrscherresidenz erhöhen und ihre gute Verteidigung ermöglichen. Die größte Blüte verzeichnete die Burg unter der Regierung Karls IV. (1346 – 1378), des Jagellonen Wladislaw (1471 – 1516) und seines Sohnes Ludwig (1516 – 1526) sowie unter den ersten Habsburgern Ferdinand I. 1526 – 1546, Maximilian II. (1526 – 1564), Maximilian II. (1564 – 1576) und Rudolf II. (1576 – 1611). Nach der Schlacht am Weißen Berg spielte die Burg schon nur mehr eine untergeordnete Rolle. Der letzte bedeutende auf dem Bild festgehaltene Umbau erfolgte unter der Regierung Maria Theresias in

den Jahren 1755 – 1775 nach Entwürfen von Niccolo Paccassi. Die Bauten führten nach eigenen Ideen nacheinander Anselmo Lurago, Anton Gunz und Anton Haffenecker durch. In den Ehrenhof tritt man durch das Mitteltor mit Rokokogitter und massiven Pfeilern, die die Statuengruppe kämpfender Giganten, Puttis und Vasen von Ignaz Franz Platzer aus dem Jahr 1769 tragen. Heute sind an ihrerstatt Kopien von Čeněk Vosmík und Antonín Procházka.

■ SEITE 20 ■

Der Blick aus dem Ehrenhof zum Erzbischöflichen Palais, im Hintergrund das Toskana-Palais.

■ SEITE 21 ■

Die Hl.-Kreuz-Kapelle auf dem zweiten Burghof wurde 1753 von Anselmo Lurago projektiert und von 1756 – 1764 gebaut. Beim klassizistischen Umbau von 1852 bis 1856 wurden in die Abschlußnischen die Statuen des hl. Petrus und hl. Paulus von Emanuel Max aus dem Jahr 1854 gesetzt. Heute ist in der Kapelle der Domschatz ausgestellt.

■ SEITE 22 ■

Das Matthias-Tor von 1614 war ursprünglich ein Teil der Befestigung hinter dem Burggraben, der den Hradschiner Platz (Hradčanské náměstí) von der Burg trennte. Durch dieses Tor, das als erster Barockbau in Prag (mit manieristischen Zügen) gilt und wahrscheinlich von Giovanni Maria Filippi stammte, gelangt man in den zweiten Burghof und zum Stiegenaufgang im Eintrittsflügel. Der Theresianische Stiegenaufgang rechts führt in die Kanzlei des Präsidenten der Republik, der Stiegenaufgang von Otto Rotmayer aus den Jahren 1948 – 1956 in den Spanischen Saal und in die Rudolfgalerie.

■ SEITE 23 ■

Das goldene Krönungskreuz mit Kameen aus dem Domschatz stammt aus dem 13.Jh. und war wahrscheinlich ein Geschenk des französischen Königs Johann I. des Gütigen an Kaiser Karl IV., der es 1354 in ein Reliquienkreuz umarbeiten ließ. In die Hinterseite (auf dem Bild) ließ er Reliquien des Leidens Christi - zwei Teile vom hl. Kreuz, des

Nagels, des Schwammes, des Stricks und zwei Dorne und in den Vorderteil einen Teil des hl. Kreuzes, neun antikische und byzantinische Kameen aus Onyx, Ametyst und Saphir einsetzen. Die Arme des Kreuzes sind an der Hinterseite mit Saphiren und Perlen geschmückt. Die Reliquien des hl. Kreuzes sind mit Saphiren, Rubinen und Perlen gesäumt. Der Fuß des Kreuzes ist barock. Das Kreuz wurde von den zwanziger Jahren des 16.Jh. an als Krönungskreuz benützt, und war bis 1645 auf der Burg Karlstein verwahrt. Die Vitrine ergänzen vier gotische vergoldete silberne Reliquiare, alle aus der zweiten Hälfte des 14.Jh.: rechts vorn der Reliquiar mit dem Parler-Zeichen, hinten der Reliquiar der hl. Katharina, links hinten ein Reliquiar mit walzenförmiger Kristallhülle und vorn das Türmchenreliquiar des hl. Wenzels.

■ SEITE 24 ■ 25 ■

Das Panorama der Prager Burg mit der Kleinseite und der Karlsbrücke vom Smetana-Quai.

■ SEITE 24 ■ 25 ■

Die Burg vom Aleš-Quai mit dem natürlichen Kleinseitner Moldauufer bei der Mündung des Flußarmes „Teufelsbach – Čertovka".

■ SEITE 26 ■

Die Landtafelkanzlei im Alten Königspalast ist ein Renaissanceraum zum Mittelpfeiler gewölbt und an den Wänden sowie an der Decke mit den Wappen hochgeborener Beamten versehen. Sie diente seit der Erneuerung der Landtafeln nach dem Burgbrand 1541 ihrem Zweck.

■ SEITE 27 ■

Der Alte Landtag von Bonifaz Wohlmut 1559 bis 1563. Das geschwungene Netzgewölbe schließt bewußt an das des benachbarten Wladislaw-Saals an. Das Katheder im Eck des Raumes faßte er bereits rein renaissancemäßig auf. Der Königsthron wurde in den dreißiger Jahren des 19.Jh. hergestellt. In diesem Raum tagten das Oberste Landesgericht und die Vertreter der böhmischen Stände bis 1847.

■ SEITE 28 ■

Die Westfront der St. Georgskirche auf der Prager Burg ist zum Georgsplatz (Jiřské náměstí) gewendet. Die ursprüngliche karolingische Basilika wurde bereits von Fürst Wratislaw vor 921 gegründet. Zur Zeit der Gründung des ältesten monastischen Hauses in den böhmischen Ländern durch Fürst Boleslav II. und seine Schwester Mlada, die unter dem Ordensnamen Marie die erste Äbtissin wurde, wurde nach 973 zu baulichen Änderungen nach dem Bedarf des Klosterlebens und zur Vergrößerung des Heiligtums sowie zum Bau der Türme geschritten. Damals entstand bereits die Begräbniskapelle der hl. Ludmilla. Als zweite Gründerin der Kirche und des Klosters gilt die Äbtissin Berta, die den ganzen Komplex nach dem Brand während der Belagerung der Burg 1142 erneuerte. Der Anlaß zu den Änderungen um 1220 ging von der Äbtissin Agnes aus. Das gotische Aussehen der Kapelle der hl. Ludmilla stammt aus dem dritten Viertel des 14.Jh. Autor der frühbarocken Westfassade aus den siebziger Jahren des 17.Jh. ist wahrscheinlich Francesco Caratti und der plastische Schmuck wohl am ehesten ein Werk Johann Georg Bendls. Noch 1718 bis 1722 wurde eine Johann-von-Nepomuk-Kapelle nach dem Entwurf von František Maximilian Kaňka mit Statuen von Ferdinand Maximilian Brokoff an die Stirnfront zugebaut. Das Renaissance-Seitenportal in die Georgsgasse (Jiřská ulice) stammt aus der Bauhütte von Benedikt Ried nach 1500, und das Relief des hl.Georgs zu Pferd im Tympanon ist eine Kopie aus dem Jahr 1934. Das Original ist in der Nationalgalerie im Kloster installiert. Die Kirche ist die besterhaltene romanische Architektur Prags.

■ SEITE 29 ■

Interieur der St. Georgskirche. Das erhöhte Presbyterium über der Krypta ist durch eine doppelläufige Treppe mit Geländer aus dem Jahr 1731 zugänglich. In den Apsiden sind Fragmente romanischer Malerei aus der Ära der Äbtissin Agnes sichtbar. Von den zahlreichen Gräbern der Mitglieder der Fürstenfamilie und der Klosterkommunität fesseln im Kirchenschiff die Holztumba

von Fürst Wratislaw mit gemalten Gestalten von Heiligen, Gründern der Kirche und der Darstellung der Kreuzigung Christi sowie das Grabmal Boleslaws II. In der Kapelle der hl. Ludmilla mit Renaissancegewölbe und Wandmalereien vom Ende des 16.Jh. befindet sich das Grabmal der Heiligen von 1380, das in der zweiten Hälfte des 19.Jh. ergänzt wurde. In der Kapelle der hl. Maria sind romanische Wandmalereien aus der ersten Hälfte des 13.Jh.

■ SEITE 30 ■

Das Goldene Gäßchen (Zlatá ulička) auf der Burg hieß ursprünglich nach den Goldschmieden Kaiser Rudolfs II., die hier zwischen den Bogenschützen der Burg lebten. Die kleinen, gewöhnlich ebenerdigen an die spätgotische Burgmauer angeklebten Häuschen entstanden fortlaufend vom 16. Jh. an. Das Häuschen Nr. 22 gehörte im ersten Viertel des 20.Jh. Franz Kafka und während des Zweiten Weltkrieges dem Aventinum-Verleger Otakar Storch-Marien.

■ SEITE 31 ■

Die Dächer der Kleinseitner Palais, des Kleinen Fürstenberg-Palais Nr. 155/III. und des Kolowrat-Palais Nr. 154/III. vom Kolowratgarten aus. Im Vordergrund das glockenförmige Dach des Gartenglorietts, das zusammen mit der übrigen Kleinarchitekturen nach 1769 von Ignazio Giovanni Nepomuceno Paliardi geschaffen wurden.

■ SEITE 32 ■

Der St. Veits-Dom von der früheren Sommerreitschule der Burg aus, die in den dreißiger Jahren des 20.Jh. von Otto Rothmayer umgebaut wurde. Die Arkadengalerie für die Zuschauer baute in den Jahren 1696 bis 1699 zusammen mit der Winterreitschule Jacopo Antonio Canevale nach einem Projekt von Jean Baptiste Mathey.

■ SEITE 32 ■

Die Reliquienbüsten des hl.Wenzels und des hl. Adalberts, die in Prag nach 1486 im Auftrag von Wladislaw von Jagello hergestellt wurden und zum Domschatz in der Hl.-Kreuz-Kapelle gehören. Autor der ersten Büste ist anscheinend der Goldschmied Václav von Budweis.

Die Westfront des Veitsdoms. Er wurde von Kaiser Karl IV. 1344 als dritter Sakralbau gleicher Weihung an diesem Ort nach einer Vier-Apsiden-Rotunde des hl. Wenzels aus den zwanziger Jahren des 10. Jh. und der Spitihnew-Basilika mit zwei Chören aus den sechziger Jahren des 11.Jh. gebaut. Den Kathedralbau projektierte und führte Matthias von Arras und von 1356 an Peter Parler und seine Söhne bis zu den Hussitenkriegen. Der Chor und Teile des Transepts wurden provisorisch mit einer Wand abgeschlossen, an die Bonifaz Wohlmut in den Jahren 1559 bis 1561 die Orgelempore anbaute. Nach einigen erfolglosen Versuchen in den darauffolgenden Jahrhunderten wurde mit der Fertigstellung 1876 nach einem Projekt von Josef Mocker begonnen, den in der Bauführung Kamil Hilbert ersetzte. Auf dem Wenzels-Millenium 1929 wurde der neue Teil mit zwei Westtürmen feierlich geweiht. Der Kathedralbau ist zugleich die letzte Ruhestätte der böhmischen Herrscher, hoher Kirchenfürsten und weiterer bedeutender Persönlichkeiten, unter ihnen vor allem die drei Patrone Böhmens – der hl. Wenzel, der hl. Adalbert und der hl. Johann von Nepomuk.

Das Interieur dieses dreischiffigen Raumes mit Kapellen, Querschiff, Chor und einem Kapellenkranz ist ungemein reich geschmückt. Wir erwähnen hier wenigstens im Triforium die Porträtbüsten der Luxemburger und von Persönlichkeiten, die sich auf den Bau beziehen, sowie die Tumben der Přemysliden aus der Parler – Bauhütte 1375 bis 1385, die Wenzelskapelle über dem Grab des hl. Wenzels, die mit Halbedelsteinen, der Statue des hl. Wenzels von Heinrich Parler aus dem Jahr 1373 und einem Bildzyklus des Meisters des Leitmeritzer Altars aus den Jahren 1506 bis 1509 ausgestattet ist, in dessen höherem Geschoß seit 1346 die Krönungskleinodien aufbewahrt wurden, mit bald darauffolgender Verzierung durch Edelsteine sowie die Fragmente von Wandmalereien aus dem Beginn des 15.Jh., das königliche Oratorium, aller Wahrscheinlichkeit nach von Hans Spiess 1493, das königliche Mausoleum von Alexander Collin 1566 bis 1589, das Grabmal des hl.Ne-

pomuk nach einem Entwurf von Josef Emanuel Fischer von Erlach und hergestellt vom Goldschmied Johann Josef Würth nach einem Modell von Antonio Corradini 1733 bis 1736 mit späteren Ergänzungen, das Standbild des Kardinals Friedrich von Schwarzenberg von Josef Václav Myslbek 1892 bis 1895 und die Vitraillen von Cyril Bouda, František Kysela, Alfons Mucha, Karel Svolinský und Max Švabinský aus den zwanziger bis dreißiger Jahren des 20.Jh. Das Bild zeigt das Mittelportal der Vorderfront, in dessen Tympanon sich ein Relief mit der Kreuzigung Christi nach einem Modell von Karel Dvořák und ausgeführt vom Bildhauer Ladislav Pícha befindet. Die Reliefs an den Bronzetoren mit der Thematik des Dombaus im Laufe der Jahrhunderte wurden von der Firma Anýž 1927 bis 1929 abgegossen. Die Kartone stammten von Vratislav Hugo Brunner und die Modelle von Otakar Španiel.

Der Wladislaw-Saal auf der Burg, der grandioseste spätgotische Raum Mitteleuropas wurde 1492 bis 1502 erbaut auf Wunsch des Könings Wladislav II. nach dem Projekt Benedikt Rieds. Dem Bau fielen zum Opfer einige Säle samt Kapelle im 2. Geschoß des Hauptflügels des alten Palastes. Die einander durchdringenden Rippenbögen in Form von fünf sechseckigen Sternen führen von den Halbpfeilern an der Wand und durchwachsen und übergreifen sich. Die Doppelfenster, die Portale und die Gestaltung der Ostwand sind schon im Renaissancestil. Die Lüster aus der Mitte des 16. Jh. – zwei von ihnen sind Kopien, wurden von den Nürnberger Bürgern Ferdinand I. geschenkt. Durch das Portal aus dem Jahr 1592 oder 1598, wahrscheinlich von Giovanni Gargiolli, in der Achse der Ostwand, betritt man die Orgelempore der Allerheiligen-Kapitelkirche. Das Doppelportal aus dem Jahr 1541 in der Nordwand führt einerseits in den Landtafelraum und andererseits auf die Reiterstiege und das weitere Portal von Ried in den Alten Landtag.

Das Prämonstratenserkloster Strahov

Nr. 132/IV. wurde 1140 von König Wladislaw II. auf Anregung des Olmützer Bischofs Jindřich Zdík gegründet. Mit dem Bau begann man etwa zwei Jahre später. Nach dem Brand wurde das Objekt 1258 bis 1263 renoviert. Im 17.Jh. fanden einige Änderungen und Umbauten unter der Beteiligung von Giovanni Domenico Orsi von 1671 an statt. Die wichtigste war die Erweiterung der Prälatur nach den Plänen von Jean Baptiste Mathey 1683, die unser Bild zeigt. Ihr Baumeister war Silvestro Carlone, und der Umbau wurde 1697 beendet. Die Schäden nach der bereits erwähnten Beschießung des Hradschins 1742 mußten nach dem Entwurf von Anselmo Lurago behoben werden. Ignazio Giovanni Nepomuceno Palliardi baute dann 1782 bis 1783 den neuen Flügel der Bibliothek. Die beiden Türme sind die der Abteikirche Maria Himmelfahrt.

Das romanische Mauerwerk des Kloster blieb zum großen Teil bis in die Höhe des 1. Geschoßes erhalten. Im Westflügel des Konventgebäudes blieben ein ausgedehntes zweischiffiges Cellarium und die Stiegen in der Wand erhalten. Im Südflügel befindet sich das Winterrefektorium mit reichen Stuckverzierungen aus den Jahren um 1730. Der angrenzende Kapitelsaal, das Sommerrefektorium im südöstlichen Teil des Ambits, der Theologische Saal der Bibliothek im 1. Stock, der Festsaal im 2. Stock, der Abteispeisesaal im Prälaturgebäude und außerdem noch vier Kapellen in der Kirche wurden in den Jahren von 1721 bis 1751 von dem Ordensmitglied Siard Nosecký ausgemalt. Das Spätwerk von Anton Franz Maulbertsch, eine Freske mit der geistigen Entwicklung der Menschheit kann man im Philosophischen Bibliotheksaal bewundern.

Die Nerudagasse (Nerudova ulice) auf der Kleinseite. Im Vordergrund das Haus Zu den drei roten Kreuzen Nr. 226/III. Es besteht aus zwei im 16.Jh. und um 1663 reparierten mittelalterlichen Häusern. Im Nebenhaus Nr. 225/III., Zu den drei schwarzen Adlern aus der Renaissancezeit und in späteren Epochen umgebaut, wohnte der tschechische Dichter Jan Neruda 1841 bis 1845 und erneut 1857 bis 1869.

■ SEITE 35 ■

Das Haus Zu den beiden Sonnen Nr. 233/III. in der Nerudagasse (Nerudova ulice) auf der Kleinseite ist ein Renaissanceneubau auf der Stelle eines mittelalterlichen Hauses, das abgetragen wurde. Sein heutiges Aussehen erhielt es während des Umbaus 1673 bis 1690. Die Gedenktafel des tschechischen Dichters Jan Neruda wurde schon 1895 enthüllt.

■ SEITE 36 ■

Das Haus Zu den drei Geigen Nr. 210/ III. ist mittelalterlichen Ursprungs. Es wurde im 17.Jh. und erneut um 1780 umgebaut und war 1667 bis 1748 im Besitz dreier Geigenmacherfamilien, von denen vor allem Thomas Edlinger berühmt war. In das Gasthaus zu ebener Erde gingen im 19.Jh. die tschechischen Dichter Jan Neruda, Karel Hynek Mácha, Václav Hanka u.a.

■ SEITE 36 ■

Das Interieur der Kleinseitner Niklaskirche, ein saalartiger Raum mit Seitenkapellen, ist ein Beweis der Vereinigung von Architektur, Malerei, Bildhauerei und Kunsthandwerk. Die Wandmalereien schufen Johann Lukas Kracker, Franz Xaver Palko und Josef Hager, den Skulpturenschmuck Ignaz Franz Platzer, Richard Georg und Peter Prachner, die Altarbilder Karl Škréta, Ignaz Raab, Francesco Solimena, Josef Kramolín, Ludvík Kohl und den künstlichen Marmor Johann Wilhelm Hennevogel sowie viele weitere.

■ SEITE 37 ■

Das Thun-Hohenstein-Palais Nr. 214/ III. in der Nerudagasse (Nerudova ulice) wurde von Norbert Vinzenz Libsteinský von Kolowrat 1718 bis 1726 nach einem Projekt von Johann Blasius Santin-Aichel an der Stelle von sechs Häusern als Teil der Nr. 193/III. „des Palais der Herren von Neuhaus (Hradec), errichtet. Den Bau leiteten Antonio Giovanni Lurago und Bartolomeo Scotti. Die plastische Ausschmückung der Vorderfront außer zweier Skupturen entstand in der Werkstätte von Mathias

Bernhard Braun. Der Stiegenaufgang des Palais aus der Zeit um 1870 wurde nach den Plänen von Josef Zítek, dem Schöpfer des Nationaltheaters und des Rudolfinums, errichtet. Die Ausmalung besorgten František Ženíšek, Josef Scheiwel und Josef Tulka. Die Thun erbten das Objekt 1768. Hervorragende hochbarocke Architektur. Das Palais ist der Sitz der italienischen Botschaft.

■ SEITE 38 ■

Auf der Nordseite des Kleinseitner Rings zeigt das Bild links das Palais der Herren von Smiřice Nr. 6/III., ursprünglich ein Renaissanceobjekt, dessen untere Hälfte Jaroslav von Smiřice vor 1572 baute. Das Nebenhaus verband 1612 Albrecht Václav von Smiřice nach dem Umbau zu einem einzigen Palais. Im Besitz der Montag von 1763 an erhielt es nach dem Entwurf von Ignazio Giovanni Nepomuceno Palliardi sein heutiges Ausehen. Im Palais fanden 1618 die Beratungen der Führer des Aufstands der böhmischen Stände statt.

■ SEITE 38 ■

Der Landtag Nr. 176/III. in der Landtaggasse (Sněmovní ulice) auf der Kleinseite war ursprünglich in den Jahren 1695 bis 1720 an der Stelle von fünf Häusern als Palais des Grafen Maximilian Thun errichtet worden. Wer Autor des Projekts war, ist noch nicht bekannt. Den Bau leitete Jakob Anton Achtzinger, die Steinmetzarbeiten führte Jakob Franz Santin-Aichel durch. Seit 1779 diente das Gebäude als Theater der Gesellschaft von Pasquale Bondini, die Mozart-Opern aufführte. Nach dem Brand kauften es die böhmischen Stände und bauten es nach einem Entwurf von Ignazio Luigi Palliardi 1801 in den Landtag um. Der Landtagsaal wurde um 1870 renoviert. Heute ist es der Sitz des Tschechischen Nationalrates.

■ SEITE 39 ■

Die Jesuitenkirche des St. Niklas auf der Kleinseite ersetzte die gotische Pfarrkirche aus der zweiten Hälfte des 13.Jh. Das Kirchenschiff mit der Vorderfront in radikaler römischer Stilrichtung auf dem Bild baute Christoph Dientzenhofer von 1704 bis 1711. Sein Sohn Kilian Ignaz schuf von 1737 bis

1752 das Presbyterium mit der Kuppel. Der Glockenturm, der jedoch der Gemeinde gehörte, ist ein Werk von Anselmo Lurago aus den Jahren 1751 bis 1756. Schönste Prager Barockdominante.

■ SEITE 40 ■

Das Thun-Palais Nr. 180/III. am Fuß des Burgbergs war ursprünglich im Renaissancestil gebaut. Sein Eigentümer waren die Grafen Leslie. 1659 kaufte es der Salzburger Erzbischof Quidobald Thun, der das Palais im wesentlichen auf den heutigen Umfang mit polygonalem Turm umbauen ließ. Das hochbarocke Aussehen erhielt das Palais beim Umbau 1716 bis 1727 unter der Leitung Giovanni Antonio Luragos. Noch 1785 bis 1793 projektierte den Palaisumbau Ignazio Giovanni Nepomuceno Palliardi. Das gotisierende Eintrittstor (auf dem Bild) mit dem Hoftrakt entwarf Bernhard Grueber und baute 1850 Kašpar Předák. Zum Palais gehört ein terassenförmiger Garten aus der zweiten Hälfte des 17.Jh., der Änderungen im 19.Jh. erfuhr.

Bei seinem ersten Besuch Prags wohnte hier Wolfgang Amadeus Mozart mit seiner Frau und seinem Schwager auf Einladung des Grafen Johann Josef Thun im Januar 1787. Heute Gebäude der britischen Botschaft.

■ SEITE 40 ■

Das Haus Zum goldenen Hirschen Nr. 26/III. in der Thomasgasse (Tomášská ulice) auf der Kleinseite, war ursprünglich ein Renaissancebau. Es wurde von Kilian Ignaz Dientzenhofer 1725 bis 1726 umgebaut und in der gleichen Zeit mit der Statuengruppe des hl. Hubertus mit einem Hirschen von Ferdinand Maximilian Brokoff verziert.

■ SEITE 41 ■

Das Waldstein-Palais Nr. 17/III., ein riesiger frühbarocker Komplex, bestehend aus Gebäuden, Höfen, Garten und einer Reitschule, ließ der kaiserliche Generalissimus Albrecht von Waldstein 1623 bis 1630 bauen, nachdem er vorher ohne zu zögern dreiundzwanzig, bzw. sechsundzwanzig Häuser niederreißen ließ, darunter auch das Renaissance-Haus der Trčka von Lípa. Der Entwurf stammte von Andrea Spezza, der bis 1628 zugleich auch der Bauleiter war. In kleinerem Maß unterschrieben sich auch die Baumeister Vincenzo Boccacci und Niccolo Sebregondi. Ideenprojektant war Giovanni Pieroni. Die Deckenmalereien in den wichtigsten Räumen des Palais, im Hauptsaal, wo Albrecht von Waldstein als Kriegsgott Mars in einem Kampfwagen zu sehen ist, in der Wenzelskapelle, im Eckkabinett und im Astronomischen Gang schuf Baccio del Bianco. Unter den vielen, häufig noch nicht bestimmten Stukkateuren, arbeiteten hier Domenico Canevalle und Santino Galli.

■ SEITE 41 ■

Das Auersperg-Palais Nr. 16/III. auf dem Waldstein-Platz (Valdštejnské náměstí) erstand 1628 unter Johann Markus Georg Clary-Aldringen auf der Stelle zweier aus dem Mittelalter stammender Häuser. Franz Wenzel Johann Clary-Aldringen baute das Palais 1751 in seine heutige Form um. 1843 ging es in den Besitz der Familie Auersperg über. Bei der Erweiterung des Landtagsgebäudes 1844 wurde das Objekt etwas verkleinert und vom Baumeister Johann Ripota umgebaut. Außergewöhnlich freundschaftliche Beziehungen mit dieser Familie hatte Ludwig van Beethoven, der der Grafin Josefine Clary-Aldringen mehrere Mandolinenkompositionen zueignete.

■ SEITE 42 ■

Bei der Zentralkirche des hl. Josef auf der Kleinseite, dessen Fassade vereinzelt in das barocke Prag die niederländische Kunstrichtung bringt, wurde noch nicht zuverlässig der Projektant festgestellt. Neuestens ist man der Ansicht, daß die Prager Karmeliterinnen den Entwurf bei ihrem Ordensbruder Fra Ignatio a Jesu in Löwen, dessen Namen ursprünglich Johann Raas von Tyrol war, bestellten. Die Kirche wurde 1687 bis 1692 gebaut, und der Skulpturenschmuck auf der Vorderfront stammt von Matthias Wenzel Jäckel 1691. Um zwanzig Jahre früher wurde das Kloster errichtet, das 1782 von den Englischen Fräulein übernommen wurde, und zu dem ein Garten mit Kleinarchitekturen, der heutige Vojan-

Park (Vojanovy sady), gehörte.

■ SEITE 42 ■

Das Oettingen-Palais Nr. 34/III. in der Josefsgasse (Josefská ulice), auf der Kleinseite in nächster Nähe der St. Thomaskirche wurde nach 1548 von Ladislaus Popel von Lobkowicz errichtet. Nach einem Brand wurde es 1723 bis 1725 wahrscheinlich nach den Plänen von František Maxmilian Kaňka neu aufgebaut. Die Fürstenfamilie Oettingen-Wallerstein erwarb das Palais 1841. Das Erdgeschoß des Palais wurde aus Kommunikationsgründen durch eine Durchfahrt und einen Durchgang teilweise geändert.

■ SEITE 43 ■

Das Kolowrat-Palais Nr. 154/III. in der Waldsteingasse (Valdštejnská ulice) gehörte von 1603 an Wilhelm d.Ä. Popel von Lobkowicz, einem Mitglied der Direktorialregierung 1618, der zwei Häuser zu einem einzigen vereinte. Im Besitz der Gräfin Marie Barbara Czernin wurde es nach dem Entwurf von Ignazio Palliardi 1784 bis 1788 umgebaut. Zdeněk von Kolowrat, der das Palais 1886 kaufte, war literarisch tätig und besaß eine große Bibliothek, eine Bildergalerie und eine numismatische Sammlung. Heute ist das Palais der Sitz des Kulturministeriums.

■ SEITE 44 ■

Der Waldstein-Garten (Valdštejnská zahrada) entstand gleichzeitig mit dem Bau des Palais. In ihm dominiert die monumentale Sala terrena mit Malereien von Baccio del Bianco und reicher Stuckverzierung. Die Wege sind mit Kopien der Skulpturen von Adriaen de Vries (die Originale aus den Jahren 1626 bis 1627 nahmen die Schweden während des Dreißigjährigen Krieges 1648 mit) gesäumt. Weiter sind erwähnenswert die Tropfsteingrotte, die Fontanen, die Voliere, das Giardinetto, das geschnittene Weißbuchenspalier und die ruhige Wasserfläche des großen Bassins.

■ SEITE 44 ■

Das viereckige Bassin im Waldstein-Garten hat in der Mitte eine künstliche

Insel mit der Skulpturenkopien des mit der Hydra kämpfenden Herakles und vier Najaden aus Bronze, von Adriaen de Vries, die ursprünglich einen Teil des Marmorbrunnens bildeten. Im Hintergrund sind die Arkaden der Gartenfassade des nordwestlichen Palaisflügels und eine manieristische Nische.

■ SEITE 45 ■

Der Innenraum der Kleinseitner St. Thomaskirche. Der Basilikabau der Kirche mit dem Kloster des Ordens der Augustiner-Eremiten wurde 1285 vom König Wenzel II. bei einer kleinen älteren Kirche gegründet. Das Presbyterium wurde 1315 und der ganze Bau 1379 geweiht. Nach dem Brand auf der Kleinseite 1541 wurde die Kirche unter der Leitung Bernhard Dealbert langsam - bis 1592 - renoviert. Zu jener Zeit war hier auch Ulrico Aostalli tätig, der 1597 in der Kirche begraben wurde, 1726 ist mit dem Umbau der Kirche, der 1731 beendet wurde, Kilian Ignaz Dientzenhofer betraut, der über dem West- und Südportal die älteren Skulpturen des hl.Augustins und des hl. Thomas von Hieronymus Kohl setzte. Beachtenswert ist die frühgotische Kapelle nördlich vom Chor und die Sakristei mit Wandmalereien aus den Jahren bis 1354 und das von einem Mittelpfeiler gestützte Rippengewölbe aus der Mitte des 15.Jh. Der Prior Jan Svitavský von Bochov bestellte Bilder für den Hochaltar bei dem vlämischen Maler Peter Paul Rubens, die 1637 geliefert wurden. Heute sind an ihrer Stelle Kopien. Die Originale befinden sich in der Nationalgalerie. Die Fresken aus dem Leben des hl.Augustins im Hauptschiff (auf dem Bild) und des hl.Thomas im Presbyterium sowie in der Kirchenkuppel stammen von Wenzel Lorenz Reiner aus den Jahren 1728 bis 1730. Von den übrigen Künstlern, die an der Innenausstattung beteiligt waren, seien wenigstens die Maler Bartholomeus Spranger, Karl Škréta, Johann Georg Heinsch, Anton Stevens von Steinfels, Franz Xaver Palko, der Bildhauer Johann Anton Quittainer und Ferdinand Maximilian Brokoff genannt. 1612 wurden im Kreuzgang die Dichterin Elisabeth Johanna Vestonia und viele weitere bedeutende Persönlichkeiten des rudolfinischen Hofes begraben.

■ SEITE 46 ■

Die Waldstein-Reitschule, deren Gartenfassade hinter der Herakles-Figur zu sehen ist, war 1952 bis 1954 zu einem Ausstellungssaal der Nationalgalerie von Julie Pecánková und Miloš Vincík umgebaut worden.

■ SEITE 46 ■

Im Raum des früheren Reitschulenhofes des Waldstein-Palais wurde bis 1978 ein Kompromiß zwischen einem Garten und einem gepflasterten Hof bei der Station Malostranská der Metrotrasse A am Klárov geschaffen. Projektanten Zdeněk Drobný und Otakar Kuča. An der Hoffassade der Reitschule sind die Skulpturen von Göttern der Antike, Kopien von Barockplastiken aus der Werkstätte von Anton Braun, angeordnet. Die Gittertore der Portale schufen Jaromír Bruthans, Zbyněk Runczik und Jan Smrž.

■ SEITE 47 ■

Beim Bau des Großprioratpalais Nr. 485/III. wurden Mauern des ursprünglichen Spitals aus dem 12.Jh. und der Großprioratresidenz von der Wende des 16. und 17.Jh. benützt. Bauherr von 1725 an waren der Großprior Graf Karl Leopold Herberstein und darauf sein Nachfolger Gundakar Poppo von Dietrichstein, Projektant Bartolomeo Scotti. Den Skulpturenschmuck führte die Werkstätte von Matthias Bernhard Braun durch. Zur Johanniterkommende gehörten noch das Konventgebäude Nr. 287/III. und das Alumnat - das spätere Kleine Buquoypalais Nr. 484/III. - sowie die Mühle Nr. 488/III. und 489/III. Die Johanniter heißen nach ihrer Übersiedlung auf die Insel Malta 1530 auch Malteserorden oder Malteserritter.

■ SEITE 47 ■

Das Nostitz-Palais am Maltheserplatz (Maltézské náměstí) Nr. 471/III., ein fünfeckiger Bau um einen Innenhof, wude von Johann Hartwig Nostitz an der Stelle von vier Häusern nach 1662 errichtet. Als sein wahrscheinlicher Schöpfer wird gevöhnlich Francesco Caratti bezeichnet. Die Umbauten verliefen um 1760 und 1780. 1720 lieferte Ferdinand Maximilian Brokoff die Skulpturen für die Vorderfront. Graf Franz Anton Nostitz kaufte in den sechziger Jahren des 18.Jh. das angrenzende Hollweyhaus Nr. 568/III. und baute es in eine Reitschule um. Als Lehrer und Erzieher wirkten bei den Nostitz im 18.Jh. der Theologe und Literaturkritiker Josef Dobrovský, der Historiker Martin Pelcl und der Topograph Josef Jaroslav Schaller. Heute ist in ihm das Kulturministerium und die niederländische Botschaft.

■ SEITE 48 ■

Die Kirche St.Maria unter der Kette auf der Kleinseite wurde zusammen mit dem Johanniterspital 1158 bis 1182 neben der gleichzeitig von der Königin Judith gebauten Brücke errichtet. Deswegen hieß sie zuerst St. Maria am Brückenende. Die romanische Kirche und die Kommende gründete der Kanzler Cervasius und sein Neffe und Unterkanzler Martin mit Hilfe Königs Wladislav I. Um 1280 entstand ein langes frühgotisches Presbyterium, und 1376 wurde mit dem dreischiffigen Zubau begonnen, von dem nur das nördliche Seitenschiff und das etwas jüngere westliche Turmpaar mit dem Vorraum (auf dem Bild) fertiggestellt wurden, deren Baumeister Pešek und Jan Lutka waren. Während der ersten Hälfte des 17.Jh. wurde in der Kirche fast ständig gebaut, davon von 1638 an wahrscheinlich nach einem Entwurf von Carlo Lurago. Im mit frühbarocken Stukkaturen reich verzierten Interieur sind vor allem die Bilder Karl Škrétas - die Schlacht bei Lepanto mit der Anbetung der hl. Maria auf dem Hochaltar und die Enthauptung den hl. Barbara auf dem Seitenaltar aus der Mitte des 17 . Jh. - erwähnenswert.

■ SEITE 49 ■

Die Karlsbrücke ließ Karl IV. 1357 errichten, ale ein Hochwasser 1342 die romanische Brücke aus den siebziger Jahren des 12.Jh., die nach der Gemahlin Königs Wladislaw I. Judithbrücke hieß, zerstörte, und es notwendig war, die sichere Kommunikation zwischen beiden Moldauufern zu erneuern. Die neue Brücke hieß jahrhundertelang Prager- oder Steinerne Brücke, war von Peter Parler projektiert worden und wurde aus behauenen Sandsteinquadern mit sechzehn Bögen gebaut. Die älteste Plastik war ein Kreuz schon im 14.Jh., das in der zweiten Hälfte des 17.Jh. erneuert wurde und eine nicht erhaltengebliebene Skulptur König Georgs. Nach der Skulptur des hl. Johann von Nepomuk 1683 wurden im Laufe des 18. und dann im 19.Jh. alle Brückenpfeiler mit Skulpturengruppen von Heiligen besetzt. Die jüngste Plastik ist die Statuengruppe der hll. Cyrillus und Methodius von 1928. Wegen der sich ständig verschlechternden Atmosphäre mußten schon viele Originale durch Kopien ersetzt werden. Seit 1870 erst heißt die Brücke Karlsbrücke.

■ SEITE 49 ■

Die Gebäude des Klosters des Kreuzherrenordens mit dem roten Stern und die dem hl. Franziskus Seraphicus geweihte Kirche in der Altstadt.

■ SEITE 50 ■

Die St. Salvatorkirche in der Alstadt bildet einen Teil des grüheren riesigen Jesuitenkollegiums Nr. 1040/I und 190/I. Teilweiser Vorgänger der St. Salvatorkirche, gegr. 1578, war die Kirche des hl. Clemens, die seit 1232 den Dominikanern gehörte. Den Bau der dreischiffigen Basilika mit Türmen als Abschluß entwarf und führte anfangs auch Marco Fontana. Der 1601 fertiggestellten Frontfassade wurde 1653 ein wahrscheinlich von Carlo Lurago entworfener Vorraum, angebaut. Lurago hatte schon seit 1638 am Bau der Kirche mitgewirkt. Die Stukkaturen schuf Giovanni Bartolomeo Cometa, die Gestalten des Salvators, der Immaculata, der Evangelisten, der Kirchenväter und der Jesuitenheiligen Johann Georg Bendl 1659 bis 1660. Die Änderung der Türme ist ein Werk von František Maximilian Kaňka aus dem Jahr 1714. Im Interieur herrschen frühbarocke Stukkaturen vor. Jan Karel Kovář malte 1748 das Gewölbe des Chores, drei weitere Künstler, alle mit den Vornamen Johann Georg - Häring, Heinsch und Bendl - schufen die Altarbilder und die übrigen Bilder sowie die Statuen der Apostel an den Beichtstühlen.

Die Kirche des hl. Franziskus Seraphicus ließ 1679 bis 1688 der Großmeister des Kreuzherrenordens mit rotem Stern und Prager Erzbischof Johann Friedrich von Waldstein auf den Fragmenten eines frühgotischen Heiligtums des hl. Geistes aufbauen. Das Projekt des Zentralbaus im römischen Barock arbeitete Jean Baptiste Mathey aus, den Bau leitete Gaudenzio Casanova. Die Gestalten der böhmischen Patrone in den Nischen an der Vorderfront lieferte wahrscheinlich Andreas Philipp Quittainer 1723 bis 1724, Kopien der Engel aus der Werkstätte Matthias Wenzel Jäckels 1722 befinden sich auf der Attika. Auf den Sockeln sind die Statuen der hl. Maria und Johann von Nepomuks von Richard Prachner 1758. Ans Gebäudeeck wurde die Winzersäule von Johann Georg Bendl aus dem Jahr 1676 übertragen. An der kostspieligen Ausstattung des Innenraumes waren vor allem die Maler Johann Georg Heinsch, Michael Leopold Willmann, Johann Christoph Lischka, Wenzel Lorenz Reiner und die Bildhauer Jeremias und Maximilian Konrad Süssner und Matthias Wenzel Jäckel beteiligt. Im Vordergrund auf dem Bild eine Statuenreihe der Kirchenväter auf der Terasse des Portikus der St. Salvatorkirche

Touristen auf der Karlsbrücke.

Die Gebäude der Altstädter Mühlen Nr. 198/I., 200/I., 202/I. und 976/I. wurden ursprünglich 1432 bis 1436 gegründet. Ihre Fassaden wurden vor ihrem endgültigen Neorenaissance-Umbau vielmals überholt. Links das Objekt des Smetana-Museums Nr. 201/I. im Stil böhmischer Renaissance aus dem Jahr 1883 nach einem Projekt von Antonín Wiehl. Die Kartone für die Figuralsgraffitos malten František Ženíšek, Mikoláš Aleš und Jan Koula. Der Altstädter Wasserturm wurde 1489 errichtet. Seine heutige Gestalt erhielt er nach vielen Bränden 1885.

Der zweitgrößte Sakralraum im Klementinum, der dem Jesuitenkollegium den Namen gab, ist die St. Clemens kirche. Sie enstand 1711 bis 1715 an der Stelle eines neueren Heiligtums der gleichen Weihung, das die Dominikaner aus dem früheren Kapitelsaal adaptierten, als Ersatz für die von den Hussiten zerstörte frühgotische Kirche. Der Autor dieses barocken Saalbaus ist einstweilen noch nicht bekannt, ihr Bauführer jedoch ist Antonio Lurago. Den Eintrittsportikus entwarf 1715 František Maximilián Kaňka. Im hervorragenden Interieur schufen Johann Hiebl Wandmalereien mit Szenen aus der Legende des hl. Clemens, Matthias Bernhard Braun mit seiner Werkstätte die Skulpturen von 1715 bis 1721 Peter Brandl und Ignaz Raab die Altarbilder und Josef Kramolín den illusiven Hauptaltar 1770. Die Kirche dient der griechisch-katholischen Kirchengemeinde.

Der Altstädter Brückenturm, das schönste gotische Tor Europas, erhebt sich auf dem ersten Pfeiler der Karlsbrücke. Den Entwurf arbeitete auch hier wieder Peter Parler aus, der auch teilweise verantwortlich für die Ausschmückung in den achtziger Jahren des 14. Jh. zeichnet. Zu jener Zeit war der Turmbau schon fast beendet. Das komplizierte ikonographische Programm teilt den Turm in drei horizontale Sphären – eine irdische, Herrscher- und eine Himmelszone. Im tiefsten Drittel sind die Wappen der Länder Karls IV. bandförmig angeordnet, im zweiten Drittel Originale der Statuen des hl. Veits – des Brückenpatrons – die Sitzfiguren des thronenden Karls IV. und Wenzels IV. und die Gestalten der hll. Adalbert und Siegmund im höchsten Drittel wurden durch Kopien ersetzt. Der Skulpturenschmuck der westlichen Turmfront wurde von den Schweden 1648 zerstört. Das Netzgewölbe über der Tordurchfahrt entstand nach 1373.
Das Denkmal Kaiser Karls IV. ist ein Werk von Ernest Julius Hähnel als Bestellung der Prager Universität zum 500. Jahrestag ihrer Gründung 1848.

Das Haus Zum goldenen Brunnen Nr. 175/I. am Eck Karlsgasse (Karlova ulice) und Seminargasse (Seminářská uli-ce) ist eines der lieblichsten Häuser Altprags. Es handelt sich um einen Renaissancebau an der Stelle eines romanischen Objekts und gotischer Häuser. Zu Beginn des 18. Jh. schuf Johann Ulrich Mayer die Stuckrelieffiguren der hll. Wenzel und Johann von Nepomuk, die das Palladium des Landes Böhmen umgeben, sowie Pest- und Jesuitenheilige.

Der Astronomische Turm des Klementinums verzeichnet auch heute noch die Lufttemperatur und wurde 1722 fertiggestellt. Etwa um 1751 wurde dort nach dem Umbau durch Anselmo Lurago die Sternwarte gegründet. Auf der Spitze des Turms ist die Bleistatue des die Erdkugel tragenden Atlas aus dem Jahr 1727 angeordnet, der wahrscheinlich aus der Werkstätte von Matthias Bernhard Braun stammt. Derselbe Künstler schuf auch die Figur des hl. Ignaz im Giebel der Ostfront.

Die Kleinseite von der Karlsbrücke gesehen. Vorn die Kopie einer Statue des hl. Adalberts von Michael Johann Josef Brokoff aus dem Jahr 1709, gegenüber die einzige Marmorstatue – der hl. Philippus Benitius von Michael Bernhard Mandl von 1714, hinten die beiden Kleinseitner Brückentürme.

Die Altstadt von der Karlsbrücke aus. Links die Plastik des hl. Antonius von Padua von Johann Ulrich Mayer aus 1708. Im Hintergrund der Altstädter Brückenturm und die Kuppel der Kreuzherrenkirche des hl. Franziskus.

Der riesige Komplex des Jesuitenkollegs Klementinum nimmt einen ganzen Häuserblock mit fünf Höfen, vielen verschieden situierten Flügeln, zwei Kirchen und mehreren Kapellen ein. Er wurde fortlaufend von 1654 an nach einem Entwurf und unter der Leitung Carlo Luragos gebaut. Die Ostfront auf dem Bild Nr. 190/I. auf dem Marienplatz entstand nach 1725, entsprechend dem Projekt eines bisher unbekannten Architekten. Aus jener Zeit stammt auch der Skulpturenschmuck von Mathias Bernhard Braun. Im Klementinum befinden sich die Staatsbibliothek und die Technische Staatsbibliothek.

■ SEITE 58 ■

Der illuminierte Kodex Commentarius in Aristotelis de caelo et mundo, deren Autor, der hl. Thomas von Aquino iso ist in der Initiale S dargestellt. Die Handschrift italienischen Ursprungs aus dem letzten Viertel des 15. Jh. gehörte dem ungarischen König Matthias Corvinus und ist heute in der Staatsbibliothek in Klementinum aufbewahrt.

■ SEITE 59 ■

Die ganzseitige Illustration mit der Szene von Marie Verkündung und der knienden Donatorin im Brevier Beneš' von Waldstein.

■ SEITE 60 ■

Das Brevier Beneš' von Waldstein ist reich verziert mit kleinen Illuminationen. Hier das Abendmahl Christis. Das Brevier stammt aus der Zeit nach 1400 und befindet sich in der Staatsbibliothek im Klementinum.

■ SEITE 60 ■

Einer der wertvollsten Bauten des barocken Prags ist das Clam-Gallas-Palais Nr. 158/I., das an der Stelle des romanischen Hofs und gotischen Palastes des mährischen Markgrafens Johann Heinrich von Luxemburg und mehrerer weiterer Häuser 1713 bis 1729 von Johann Wenzeslaus Gallas, Vizekönig von Neapel, errichtet wurde. Der nach den Plänen von Johann Bernhardt Fischer von Erlach und von Thomas Haffenekker zusammen mit Giovanni Domenico Canevale d.J. durchgeführte Bau hatte zu beiden Seiten beider Portale ein Herkulespaar, Sockelreliefs, Putten mit Vasen, Gestalten antiker Götter in der Attika (heute Kopien), den Triton auf dem Brunnen im ersten Hof und die Fackelträger mit den Vasen in dem grandiosen Stiegenaufgang. Alle Skulpturen waren das Werk von Matthias Bernhard Braun und seiner Werkstätte seit 1714. Der Freskenmaler Carlo Innocenzo Carlone schuf in den Jahren von 1727 bis 1730 im Stiegenaufgang Apollos Triumph und malte in weiteren Sälen im 2. Stock die Deckenfresken. Die Stukkaturen

stammen von Santino Bussi, Giovanni Girolamo Fiumberti und Rocco Bolla. Während der Jahre 1796 und 1798 konzertierte im Palais verschiedentlich Ludwig van Beethoven.

■ SEITE 61 ■

beiden astronomischen Uhren, deren Uhrwerk der Verwalter des mathematischen Museums, der Jesuit P. Johann Klein 1751 bis 1752 hergestellt hatte. Sie befinden sich im mathematischen Saal des Klementinums. P. Klein schuf 1738 noch geographische Uhren, die nach Dresden kamen.

■ SEITE 62 ■

Das Gebäude des Neuen Rathauses füllt einen ganzen Block. Es wurde von 1908 bis 1911 nach dem Projekt Osvald Polívkas gebaut. Die allegorischen Statuen am Balkon und in der Attika und die Reliefs in dem Haupteingang schufen Stanislav Sucharda und Josef Mařatka. Die Gestalten aus den Pragen Sagen - der Rabbi Löw und der Eiserne Mann - in den tiefen Nischen an den Ecken stammen von Ladislav Šaloun. An dieser Stelle stand eine romanische Siedlung mit der St. Leonhardkirche, die 1798 abgetragen wurde. Auf dem Bild noch die Seitenfassade des Clam-Gallas-Palais und im Hintergrund rechts der Turm der Dominikanerkirche St. Ägidius.

■ SEITE 62 ■

In der Mauer des kleinen Gartens des Clam-Gallas-Palais befindet sich in einer Nische der Brunnen mit der Kopie der allegorischen Statue Moldau von Václav Prachner aus dem Jahr 1812. Das Original befindet sich in der Nationalgalerie in Zbraslav. Vom Volk wurde diese anmutige Gestalt Terezka genannt. Bis 1791 stand hier eine mittelalterliche Kirche St. Maria zu der Lake. An den Brunnen ist eine Sage aus der Biedermeierzeit gebunden, nach der sich ein alter Junggeselle in die steinerne Terezka verliebt hatte, sie täglich aufsuchte und ihr sein ganzes Vermögen vermachte. Das Testament wurde jedoch nicht anerkannt.

■ SEITE 63 ■

Der Barocksaal der Bibliothek des Kle-

mentinums wurde 1724 von Johann Hiebel ausgemalt, der dort die über alles stehende Wichtigkeit göttlicher Erkenntnisse vor Wissenschaft und Kunst darstellt. Das Interieur ergänzen alte intarsierte Schränke, ein eisernes Geländer, das die Gesimsform der den Saal umgebenden Galerie genau verfolgt, sowie Globen.

■ SEITE 64 ■

Blick über die Dächer der Häuser Nr. 12/I. und 13/I. auf die St. Nikolauskirche am Altstädter Ring (Staroměstské náměstí)

■ SEITE 65 ■

Der Kleine Ring vom Giebel des Hauses Zur Krone Nr. 457/I. aus gesehen. Die Ostseite des Ringes bilden die Häuser Nr. 4/I. bis 12/I., die durch Laubengänge verbunden sind. Links steht das Rott-Haus Nr. 142/I., ein ursprünglich romanisches, im Neorenaissancestil 1890 umgebautes Gebäude. Die Vorderfront schmücken Malereien nach Kartonen von Mikoláš Aleš.

■ SEITE 65 ■

Zwei Grabsteine auf dem Alten jüdischen Friedhof in der Josefstadt (Josefov) - der rechte aus dem Anfang des 17. Jh., der linke mit dem Symbol einer Weintraube aus dem 18. Jh.

■ SEITE 66 ■

Der Alte jüdische Friedhof in der Josefstadt (Josefov) ist eines der beachtenswertesten Prager Kulturdenkmäler. Er entstand in der ersten Hälfte des 15. Jh., und die älteste bekannte Grabplatte stammt aus dem Jahr 1439. 1787 wurde aufgehört hier zu begraben. Die gotischen Grabplatten aus dem 14. Jh. in der Wand des Klausensynagoge wurden dorthin aus dem jüdischen Friedhof an der Stelle der heutigen Wladislawgasse (Vladislavova ulice) gebracht, der nach der Gründung der Neustadt im 15. Jh. aufgelöst wurde. Es befinden sich hier etwa 20 000 bizarr aufeinander aufgeschichtete Grabsteine. Der unregelmäßige Raum des Friedhofs wurde vom 16. bis 18. Jh. mehrmals erweitert. Er ist teilweise mit einer Mauer aus dem Jahr 1911 nach einem Entwurf von Bohumil Hypšman umgeben.

■ SEITE 67 ■

Das Jüdische Rathaus Nr. 250/V. wurde ungefähr unter denselben Bedingungen gebaut wie die Hohe Synagoge: Zeit, Bauherr und Baumeister waren dieselben. Der spätbarocke Umbau 1763 wurde von Josef Schlesinger und die Erweiterung 1908 von Matěj Blecha durchgeführt. Heute ist es der Sitz der Judengemeinde.

Die Judenstadt – das Ghetto – wurde 1850 unter der Bezeichnung Josefstadt (Josefov) zum Gedenken an die Erleichterungen unter Kaiser Josef II., der fünfte Stadtteil Prags.

■ SEITE 67 ■

Der Turm des Jüdischen Rathauses mit Umgang und Uhr. Im Erker des Mansardendaches ist das Zifferblatt mit hebräischen Zahlen.

■ SEITE 68 ■

Das neoromanische Gebäude der Totenkammer Nr. 243/V. auf dem Alten jüdischen Friedhof wurde 1906 von F. Gerstl errichtet. Die Zeremonienhalle der Begräbnisbruderschaft und die übrigen Räume werden als Ausstellungssäle benützt.

■ SEITE 69 ■

Das Interieur der Hohen Synagoge (Rathaussynagoge) Nr. 101/V. weist ein Renaissancegewölbe mit Voluten auf, deren Stuckprofilierung an Rippen erinnern soll. Der Aron ha-kodesh – der Schrein der Pentateuch, bzw. die fünf Bücher Mose – stammt aus dem Jahr 1691. Im Raum sind heute synagogale Textilien und Meßgeräte ausgestellt. Die Hohe Synagoge wurde 1568 von Pankratius Roder auf Kosten des ungeheuer reichen Primas der jüdischen Stadt Mordechaj Maisel gebaut, der dem Kaiser Rudolf II. Geld borgte. Diese Synagoge diente den Repräsentanten und Beamten der jüdischen Gemeinde im Rathaus, mit dem sie verbunden war. Der heutige Eingang von der Roten Gasse (Červená ulička) wurde erst 1935 geschaffen.

■ SEITE 70 ■

Die Altneusynagoge, heute die älteste Europas, ist zweifellos das berühmteste Prager Baudenkmal auf der rechten Moldauseite. Sie wurde am Ende des 13. Jh. von der südböhmischen Zisterzienser-Bauhütte als zweischiffiger Raum mit sechs Feldern der fünfteiligen Gewölbe und vielen Steinmetzdetails gebaut. Das Äußere der Synagoge mit den Zubauten zieren Ziegelgiebel mit Paneelierung zu beiden Seiten des außergewöhnlich steilen Satteldaches.

■ SEITE 70 ■

In die Altneusynagoge gelangt man vom südlichen Vorraum, der wahrscheinlich der älteste Raum des Baus ist, durch ein frühgotisches spitzbogiges Portal vom Ende des 13. Jh. In seinem Tympanonrelief, bestehend aus zwölf Wurzeln, die die zwölf israelische Stämme symbolisieren, wächst ein Weinstock mit spiraligen Ästen heraus, die Weinreben tragen.

■ SEITE 71 ■

Ein Prager Baudenkmal von vorrangiger Bedeutung ist das Agnesareal in der Altstadt. Das Kloster wurde auf Anregung der hl. Agnes aus dem Geschlecht der Přemysliden von ihrem Bruder König Wenzel I. 1233 als erstes Klarissenkloster nördlich der Alpen gegründet. Allmählich entstanden nach dem großzügigen Plan der hl. Agnes um das älteste Heiligtum des hl. Franziskus und gleichzeitig des ältesten gotischen Bauwerks in Prag ein Gebäudekomplex mit Kapitelsaal, Refektorium, Pforte und Dormitorium im Geschoß. Nach Beifügung des kleineren Minoritenkonvents kamen dazu ein Presbyterium zu der Kirche des hl. Franziskus (auf dem Bild links), eine Marienkapelle, ein Kreuzgang, eine Küche, ein weiterer Konventflügel, das Agnesoratorium und die der hl. Barbara geweihte Begräbniskapelle der Klarissinnen. Alle diese Bauten weisen Stilelemente der Zisterzienser-burgundischen Bauhütte auf, zum Unterschied vom der klassischen nordfranzösischen Gotik des Přemyslidenmausoleums aus dem Jahr 1261 der St. Salvatorkirche (auf dem Bild rechts) mit beachtenswerten Kapitellen, die die Köpfe der Könige, Königinnen und auch der hl. Agnes tragen. Die Heilige wurde 1282 in der Kapelle der hl. Maria begraben, wo schon früher über ihrem Grab eine Begräbnisnische errichtet wurde.

Wegen der häufigen Überschwemmungen wurden die Gebeine der hl. Agnes an einen anderen Ort überführt. Er ist seit der Plünderung des Klosters durch die Hussiten und ihre Anhänger unbekannt. 1420 flohen die Klarissinnen während der Hussitenkriege zur hl. Anna in Prag und dann in den Ort Panenský Týnec, wo sie mit einer längeren Pause im 15. und 16. Jh. bis 1627 verblieben. Das Männerkloster erhielt sich bis zum 1. Viertel des 16. Jh. Von 1556 bis 1626 wirkten hier die Dominikaner, die verschiedene bauliche Änderungen und Ergänzungen vornahmen. Die Auflassung des Klosters durch Josef II. 1782 hatte den völligen Verfall des Objekts und seine teilweise Demolierung zur Folge. 1892 wurde der Verein zu Erneuerung des Klosters der seligen Agnes gegründet, aber es dauerte dann noch fast 90 Jahre, ehe das Areal teilweise erneuert wurde und die in ihm ausgestellten Expositionen der tschechischen Kunst des 19.Jh. der Nationalgalerie für die Öffentlichkeit zugänglich gemacht werden konnten. 1989 wurde Agnes von Böhmen in Rom kanonisiert.

■ SEITE 72 ■ 73 ■

Die Ostseite des Altstädter Ringes, oder, wie man früher sagte, des Großen Ringes, ist gesäumt von architektonisch hervorragenden Baudenkmälern. Das wichtigste ist die gotische Teynkirche mit komplizierter Baugeschichte von der kleinen romanischen Kirche aus dem 11. Jh. über eine frühgotische dreischiffige Kirche bis zum heutigen grandiosen basilikalen Bauwerk, das zu Beginn der zweiten Hälfte des 14.Jh. in Angriff genommen wurde, mit polygonalen Abschlüssen aller Schiffe und westlichem Turmpaar. Die Teynkirche war in ihren Hauptzügen um das Jahr 1420 errichtet und mit Unterbrechungen erst zu Beginn des 16.Jh. beendet worden. Im Innern der Kirche blieb eine außergewöhnlich große Zahl von Ausschmückungselementen erhalten. Mit der Prager Bauhütte Peter Parlers hängen die Sedile in den Seitenabschlüssen aus den siebziger und achtziger Jahren des 14.Jh. sowie von außen das Relief des Tympanons vom Nordportal um 1400 zusammen. Die Kreuzigungsgruppe und die Skulptur der thronenden

Maria mit dem Jesulein aus der Zeit nach 1410 verliehen ihrem Schöpfer den Namen Meister der Teynkalvarie. Zum Interieur gehören ein Zinntaufbecken von 1414, das Baldachin über dem Grab des Bischofs Luciano von Mirandola von Matthias Rejsek 1493, der Renaissanceflügelaltar des hl. Johannes des Täufers von Meister IP aus dem Beginn des 16.Jh. und Altarbilder von Karl Škréta.

Auf der noch im ursprünglichen Zustand befindlichen Orgel von Hans Heinrich Mundt 1670 bis 1673 spielten Christoph Willibald Gluck und Ferdinand Seger. Im 14. Jh. wirkten hier die Prädiger Konrad Waldhauser und Jan Milíč von Kremsier (Kroměříž) und 1415 bis 1419 Jakoubek von Mieß (Stříbro). Bis 1620 war die Teynkirche die Hauptkirche der Prager Utraquisten und Sitz des hussitischen gewählten Erzbischofs Jan von Rokycan. In den Jahren 1710 bis 1735 war hier der Prager Historiograph Jan Florian Hammerschmied Pfarrer. Besonders interessant ist hier Grabmal des dänischen Astronomen Tycho Brahe 1601.

Das Kinský-Palais Nr. 606/I. wurde an der Stelle von drei ursprünglich mittelalterlichen Häusern nach dem Projekt von Anselmo Lurago für Johann Arnold Goltz gebaut. 1786 ging es durch Kauf in den Besitz der Grafen Kinský über. An der Fassade sind heute Kopien der allegorischen Gestalten von Ignaz Franz Platzer 1760 bis 1765, die Stukkaturen schuf wahrscheinlich Carlo Guiseppe Bussi. Änderungen am Interieur und der Umbau der Hofflügel wurde von Josef Andreas Kranner entworfen und in der Jahren 1836 bis 1839 ausgeführt. Franz Kafka hatte in dem Palais nicht nur gewohnt, sondern war dort auch von 1893 bis 1901 in das deutsche Gymnasium gegangen. Heute sind dort die graphischen Sammlungen der Nationalgalerie untergebracht.

Das Gebäude der Teynschule Nr. 604/I. bestand im 15.Jh. aus zwei Häusern aus dem dritten Drittel des 13. Jh. und aus dem zweiten Viertel des 14.Jh. Dem entspricht das unterschiedliche Gewölbe der Laubengänge. In der Durchfahrt wurden abgehackte Gewölberippen und Sedile gefunden, in der Fassade befinden sich unter dem Verputz Fragmente

von Spitzbögen als Fensterrahmung. Die venezianischen Giebel von 1560 bis 1570 und die zwanzig Jahre älteren Sgraffiti im Hof erinnern an einen Renaissanceumbau. Auf der Fassade ist ein gemaltes Barockbild von Maria Himmelfahrt. Nach Auflösung der Schule wird das Objekt in der ersten Hälfte des 19.Jh. verändert. Als Lehrer wirkte hier Ende des 15.Jh. der Baumeister Matthias Rejsek.

Das Trčka-Haus Nr. 603/I. entstand durch Vereinigung eines romanischen Hauses von etwa 1200 und zweier gotischer Häuser aus dem zweiten Viertel des 14.Jh., die noch im Mauerwerk des Souterains und in den Geschoßen erhalten geblieben sind. Die Gewölbe im Laubengang zeugen von zwei Bauperioden im zweiten Viertel des 14.Jh. Unter dem Verputz blieben Teile spätgotischer Fenster erhalten. Die heutige Fassade hat rekonstruierte Giebel über einem klassizistischen Umbau von 1770 bis 1773. In diesem Haus wurde Josefine Hampacher-Dušek die Gastgeberin von Wolfgang Amadeus Mozart in Prag geboren.

■ SEITE 74 ■

Das Refektorium in der Mitte des Konventgebäudes ist ein ausgedehnter Saal mit flacher Decke, der der Breite nach durch zwei halbkreisförmige Bänder geteilt ist, die sich auf der Mittelsäule vereinen. Die Wände bestehen aus unverputzten Rohziegeln. Das Refektorium wurde 1234 errichtet.

■ SEITE 74 ■

Der Paradisgarten im Agneskloster entstand durch den Bau des Kreuzgangs 1238 bis 1245. Über dem Ostflügel errichteten die Dominikaner in den siebziger Jahren des 16. Jh. einen Arkadengang im Renaissancestil.

■ SEITE 75 ■

Die St. Nikolauskirche ist heute ein Teil des Altstädter Rings, wodurch die Intimität der urbanistischen Absicht ihres Schöpfers – Kilian Ignaz Dientzenhofers – spürbar gestört ist. Die südliche Hauptfassade war ursprünglich in eine Piazzetta gerichtet, die aus den Häusern des Rathausblocks und dem Krennhaus bestand, das 1901 abgerissen wurde, um

die Pariser Straße (Pařížská třída), ursprünglich Nikolausstraße (Mikulášská třída) bauen zu können. Der sehr eindrucksvolle Zentralbau mit Kuppel auf einem Tambur und zwei Türmen ließ der Benediktinerabt Anselm Vlach 1732 bis 1735 an der Stelle einer frühgotischen Kirche aus der ersten Hälfte des 13.Jh. errichten. Im 14. Jh. war sie die wichtigste Altstädter Pfarrkirche, und die Utraquisten erhielten sich dort von den Hussitenkriegen an bis 1621. Von bedeutenden Predigern wirkten hier Jan Milíč von Kremsier und Matěj von Janov. Sie wurde mehrmals umgebaut, zuletzt bereits von den Emauser Benediktinern im frühbarocken Stil am Anfang der zweiten Hälfte des 17.Jh. Für den Neubau von Dientzenhofer schuf Anton Braun die Alegorie des Alten und Neuen Testaments über dem Südportal und die Figuren böhmischer und Benediktiner Heiligen außen und im Innern der Kirche, 1735 bis 1736 malte Cosmas Damian Asam die Fresken mit Szenen aus dem Leben der hll. Nikolaus und Benediktus im Kirchenraum, die jedoch durch Wasser stark gelitten haben. Sein Bruder Egid Quirin Asam ergänzte das Interieur mit Stuckschmuck. Zugleich mit der Auflassung des Klosters 1787 wurde die Kirche entweiht, dann als Lagerraum und seit 1865 als Militärkonzertsaal benützt. 1871 wurde die Kirche ihrem ursprünglichen Zweck zurückgegeben und diente als orthodoxe Kirche, in der als Chormeister Zdeněk Fibich tätig war. Von 1921 an ist sie die Hauptkirche der Tschechoslowakischen hussitischen Kirche. Nach der Abtragung der Gebäude der Prälatur und des Konvents und nach dem Bau der Nr. 24/I. änderte Rudolf Kříženský 1904 die Westfassade, und zwei Jahre später wurde in die Nische der Außenseite des Presbyteriums die Skulptur des hl. Nikolaus von Bedřich Šimanovský gesetzt und in der Nähe ein klassizistischer von Jan Štursa überarbeiteter Brunnen mit Delfinen angeordnet.

■ SEITE 76 ■

Das Haus Zu steinerner Glocke Nr. 605/I. ist ein ganz einmaliges Objekt in seinem Milieu. Aus dem ursprünglichen Bauwerk aus dem Ende des 13.Jh. wurde durch den Umbau zwischen 1325 und 1330 ein turmförmiger prunkvoller Palast mit einer architektonisch reich gelösten Vorderfront, die Figuralschmuck in den Nischen und Fenstern mit Maßwerk und Wimpergen aufwies. Die kostspielige Innenausschmückung des Hauses mit zwei Kapellen, deren Wände Malereien aufweisen und deren größerer Raum zur ebenen Erde schon um 1310 errichtet wurde sowie die polychromierte und vergoldete Gliederung verrät, daß der damalige Bauherr direkt zum Herrschergeschlecht gehörte. Es besteht die Ansicht, daß den Palast die Přemyslidin Königin Elisabeth errichten ließ. Nach 1685 wurde der gotische Charakter auf grobe Art entfernt, die Ausschmückungselemente wurden abgehaun, zerschlagen und für das frühbarocke Mauerwerk verwendet. Nach einem unbedeutenden Umbau in der zweiten Hälfte des 19.Jh. erhielt das Objekt 1899 ein neobarockes Aussehen. Die komplizierte Rekonstruktion des Hauses wurde 1987 beendet, und seither veranstaltet die Galerie der Hauptstadt Prag dort Austellungen, Konzerte und Vorträge.

■ SEITE 76 ■

Der Saal im zweiten Geschoß des Turmeckhauses Zur steinernen Glocke. Die Kopien der Fenstermaßwerke wurden nach den aufgefundenen Fragmenten rekonstruiert.

■ SEITE 77 ■

Das Jugendstil-Hus-Denkmal in der Mitte des Altstädter Rings wurde erst am 6. Juli 1915 zum 500. Jahrestag der Verbrennung von Magister Jan Hus in Konstanz enthüllt. Die Autoren waren der Bildhauer Ladislav Šaloun und der Architekt Antonín Pfeifer. Sie siegten in einem Wettbewerb um das Denkmal 1900, arbeiteten jedoch dann ihren Entwurf um. Der Grundstein wurde 1903 gelegt. Aus einem Steinsockel erhebt sich die die hohe Gestalt des Predigers aus Bronze, umgeben von einer Gruppe von Hussiten, Exulanten nach der Schlacht am Weißen Berg und einer Alegorie der nationalen Wiedergeburt, die in einer stillenden Mutter samt Kindern dargestellt ist.
Links vom Denkmal ist die Vorderfront des Paulaner Klosters Nr. 930/I., das

zur St. Salvatorkirche in der Salvatorgasse (Salvátorská ulice) ursprünglich deutschen Lutheranern gehörte. Das Objekt wurde an der Stelle dreier Häuser aus dem frühen Mittelalter nach 1689, wahrscheinlich nach den Plänen von Paul Ignaz Bayer gebaut. Die Skulpturen auf der Vorderfront lieferte 1696 Matthias Wenzel Jäckel. Als Josef II. das Kloster 1784 auflöste, wurde es als Münze verwendet. Es ist der einzige erhaltene Bau auf der Nordseite des Altstädter Rings und ist nur ein Torso des ursprünglichen Klosterareals.

■ SEITE 77 ■

Das Storch-Haus Nr. 552/I. auf dem Altstädter Ring wurde an der Stelle eines wertvollen Haus aus dem Mittelalter 1897 für den Buchhändler und Verleger Alexander Storch gebaut. Die Pläne für den Neubau mit einer freien Kopie des ursprünglichen ausnehmend schönen Erkers aus dem zweiten Viertel des 15.Jh. arbeiteten Friedrich Ohmann und Rudolf Krieghammer aus. Den Bau führte František Tichna durch. Die malerische Ausschmückung der Fassade nach Kartons von Mikoláš Aleš führte Ladislav Novák durch und die neugotischen Skulpturen von Jan Kastner, stellte Čeněk Vosmík her. Auf der schmalen Fläche der Vorderfront dominiert die Gestalt des hl. Wenzels auf einem Schimmel als Schutzpatron der tschechischen Nation, die in komplizierter Symbolik in Form eines Baumes dargestellt ist. Das zentrale Motiv ergänzen die Gestalten der heiligen Drei Könige zwischen den Fenstern des vierten Geschoßes, eine südböhmische Landschaft mit Störchen im Giebel und schließlich die Gestalten eines Buchdruckers vor der Presse und eines Mönchs im Skriptorium im Erdgeschoß. In der Mairevolution von 1945 brannte das Haus nieder und wurde 1948 rekonstruiert.

■ SEITE 78 ■ 79 ■

Durchsicht durch die Eisengasse (Železná ulice) zum Altstädter Rathaus und der St. Nikolauskirche mit Verbauung. Etwa in der Mitte ragt die grüne Kuppel der seit 1863 evangelischen Kirche des hl. Salvators in der Salvatorgasse (Salvátorská ulice) hervor. Das Bild

wurde aus dem Haus Nr. 494/I. in der Eisengasse (Železná ulice) geschossen.

■ SEITE 78 ■ 79 ■

Die Westseite des Altstädter Rings ist immer noch unverbaut. Als nach der Verbindung der Altstadt und der Neustadt, der Kleinseite und des Hradschin 1784 wurde das Altstädter Rathaus Nr. 1/I. Sitz des Magistrats und seine Gebäude genügten nicht mehr dem neuen Betrieb. Das Gebäude des Maßhauses in den Platz hinein wurde erweitert und umgebaut und drei weitere Häuser auf dieser Ringseite dazugenommen. 1839 wurden alle diese Gebäude abgetragen um ein neues Rathausgebäude zu errichten. Der Entwurf von Peter Nobile rechnete ursprünglich nicht mit der Erhaltung des Turmes und der Kapelle mit dem Erker. 1838 begann man mit dem Bau, der jedoch auf so starken Widerstand der Öffentlichkeit stieß, daß Kaiser Ferdinand ihn einstellte. 1844 bis 1848 wurde er zwar nach einem neuen Entwurf von Paul Sprenger fertiggestellt, fand jedoch bei der Öffentlichkeit keinen Anklang. Schließlich brannte das Rathaus am 8. Mai 1945 nieder. Die Ruine bis auf eine Fensterachse neben dem Ercker wurde abgetragen und der Bauplatz provisorisch in einen Park verwandelt. Schon seit dem Ende des 19.Jh. bis zu den achtziger Jahren des 20.Jh. hatte man viele Wettbewerbe auf den Neubau des Rathauses veranstaltet, aber keinen der Entwürfe bis jetzt verwirklicht. Die Südseite des Rathauses erlitt Gott sei Dank keinen Schaden. Hier ist sein Kern, das Eckhaus der Volflin vom Stein, das mit Bewilligung Königs Johann von Luxemburg 1338 angekauft wurde. Man begann sofort mit dem Turmbau und noch im selben Jahrhundert wurde das Haus des Krämers Kříž dazugekauft und die Kapelle sowie der Ratsherrensaal errichtet. Nach Erweiterung und dem Bau des Erkers wurde die Kapelle 1381 geweiht. Nach 1399 wurde der neue Saal errichtet. 1358 kam das Haus des Kürschners Mikeš dazu, und das Rathaus wurde im spätgotischen Stil umgebaut. Aus der Zeit um 1490 stammt das Hauptportal mit dem angrenzenden Fenster aus dem Kreis um Matthias Rejsek sowie der Eintrittssaal. Das dreiteilige Renaissancefenster kam um 1525 dazu. Erst in den dreißiger Jahren des 19.Jh. kaufte man das Haus Zum Hahn mit gotischem Laubengang aus dem Ende des 14.Jh., der sich auch in das angrenzende Mikeš-Haus fortsetzte. Im Altstädter Rathaus wurde Georg von Podiebrad am 2. März 1458 zum böhmischen König gewählt. Die Kreuze im Gehsteigmosaik in der Nähe des Erkers erinnern an die Hinrichtung der siebenundzwanzig tschechischen Teilnehmer an der Erhebung gegen die Habsburger am 21. Juni 1621.

■ SEITE 80 ■
Das erste der Rathaushäuser – das Haus Volflin vom Stein mit spätgotischem Portal, Aposteluhr und Kapelle.

■ SEITE 81 ■
Blick vom Turm des Altstädter Rathauses auf eine Häusergruppe mit Laubengängen gegenüber den Südfassaden des Rathauses. Die Häuser Zu den Störchen und Zum goldenen Pferdchen Nr. 482 und 481/I., zwei mittelalterliche Häuser, die im Barock und im Klassizismus umgebaut wurden und nach Eingriffen in ihr Interieur 1952 verbunden wurden. Das Haus Zum roten Fuchs Nr. 480/I., urspünglich ein romanischer Bau aus dem 12.Jh. wurde am ausgeprägtesten Ende des 17. Jh. anscheinend von Jean Baptiste Mathey umgebaut, wie der typische Dachaltan vermuten läßt. Nach 1700 entstanden im Interieur Stuckdecken und die mythologischen Szenen der Deckenmalereien.
Das Haus Zu den Binder Nr. 479/I. war ursprünglich gleichfalls im Kern romanisch. Vom Umbau 1546 bis 1571 blieb ein Saal im Erdgeschoß und das zugebaute dritte Geschoß erhalten. Die Fassade wurde im frühen Barock und später noch einmal im frühen Klassizismus erneuert. Das Štěpánsche Eckhaus Nr. 478/I. mit abgerundeter Fassade und zwei Giebeln steht auf zwei Geschoßen der Keller und auf den Mauern mehrerer gotischer Bauetappen. Nach einem Renaissanceumbau erhielt es um 1700 sein heutiges barockes Aussehen und die Deckenmalereien im Interieur. Das weitere Eckhaus Zum Ochsen Nr. 462/I. ist gotischen Ursprungs. Erhalten geblieben ist das Portal aus den Anfängen des 15.Jh. Die schönen Giebel zeugen

von Umbauten im 17. und 18.Jh. Am Eck steht die Kopie einer Skulptur des hl. Josephs von Lazarus Widman aus der zweiten Hälfte des 18.Jh. Das Original wurde im Mai 1945 zerstört. Mit dem Haus Nr. 478/I. ist es durch Schwibbogen verbunden. Es gehörte zusammen mit dem angrenzenden, dem Vilímek-Haus Nr. 461/I., zum Altstädter Servitenkloster mit der St. Michaelkirche, die von Joseph II. 1786 aufgelöst wurden.

■ SEITE 81 ■
Das Haus Zu den Schönpflug Nr. 592/I. in der Zeltnergasse (Celetná ulice) entstand im 14.Jh. und wurde nach einem Umbau in der Frührenaissance durchgreifend vor 1725 wahrscheinlich nach den Plänen von Johann Blasius Santin-Aichel renoviert. Ein harmonischer Teil der künstlerisch wertvollen Fassade ist auch die Steinskulptur der Maria mit dem Jesulein in geschwungener Linie und einem Lächeln an ihre Bewunderer. Sie ist wohl am ehesten ein Werk von Anton Braun aus der Zeit um 1735.

■ SEITE 82 ■
Die Zeltnergasse (Celetná ulice) in Richtung zum Pulverturm (Prašná brána). Von links das Haus Zum goldenen Hirschen Nr. 598/I., wo im Souterrain das Erdgescchoß eines Hauses aus dem 13.Jh. mit frühgotischem Kreuzgewölbe erhalten geblieben ist. Die Vorderfront und beide Fassaden der Štupartgasse (Štupartská ulice) sind mit Reliefen geschmückt und stammen aus der zweiten Hälfte des 18. Jh.

■ SEITE 83 ■
Das Carolinum Nr. 541/I. ist ein Gebäudekomplex um das Haus des Münzmeisters Johann Rotlev, das 1383 von König Wenzel IV. erworben wurde. Hierher übersiedelte auf Verfügung von Karl IV. 1366 das Collegium Carolinum aus dem Haus des Juden Lazarus aus der Judenstadt beim Altstädter Ring. Es war das älteste der Collegien, die nach der Gründung der ersten Universität in Mitteleuropa am 7. April 1348 von Karl IV. gegründet wurde. Das Haus wurde erweitert und umgebaut. Es wurde sofort die große Aula und die Universi-

tätskapelle der hll. Kosmas und Damian mit wunderschönem vor 1390 fertiggestelltem Erker (auf dem Bild) gebaut. In den weiteren Jahrhunderten erfolgten mehrere Umbauten, von denen der von František Maximilian Kaňka 1715 bis 1718 das Aussehen der Fassade in die Eisengasse (Železná ulice) bestimmte. Die Rekonstruktion von Jaroslav Fragner in zwei Etappen von 1946 bis 1959 (die 1. Etappe war zum 600. Gründungstag der Universität und die 2. Etappe zum 550. Jahrestag der Ausgabe des Kuttenberger Dekrets von Wenzel IV. beendet) gab dem Komplex sein heutiges Aussehen und schuf bis 1968 einen neuen Rektoreneintrittsflügel mit Ehrenhof vom Obstmarkt (Ovocný trh) aus. Das Interieur mit zahllosen gotischen Fragmenten umfaßt vor allem die überwölbten Rippenräume des Rotlevhauses samt Laubengängen, Gängen beim Hof, die große und die kleine Aula und den Saal der Königlichen böhmischen wissenschaftlichen Gesellschaft, den sog. Empfangssaal und weitere. Im Haus des Carolinums ist der Sitz des Rektors der Universität, es finden hier feierliche Promotionen und weitere bedeutende Versammlungen statt. Zum historischen Gebäude gehören auch noch die Häuser Nr. 559, 560, 561, 562, 563 und 564/I. im Block zwischen der Zeltnergasse und dem Obstmarkt.

■ SEITE 84 ■ 85 ■
Der Pulverturm wurde am Stadtmauergraben als Repräsentationsteil des Altstädter Königshofes 1475 gegründet, allerdings auf Kosten der Prager Altstadt. den Bau führten Meister Václav von Luditz (Žlutice), dann von 1478 Matthias Rejsek, der dort bereits zwei Jahre lang als Steinmetz gearbeitet hatte. Der Turm, er hieß damals der neue Turm, wurde nach der Übersiedlung des Jagellonenkönigs Wladislaw 1484 auf die Prager Burg nicht fertiggebaut. Er war figural und ornamental reich geschmückt und ursprünglich wahrscheinlich nach dem Altstädter Brückenturm in drei Zonen mit Plastiken der Herrscher und der Heiligen geteilt. Im Erdgeschoß sind Genreszenen. Ende des 17.Jh. wurde der Turm ein Pulvermagazin und erhielt deshalb den Namen Pulverturm. 1757 beschädigten ihn durch Beschuß die

Preußen stark, so daß es später notwendig war, die losgelöste Steindekoration abzutragen. In den Jahren 1876 bis 1892 wurde der Turm unter der Leitung von Josef Mocker von einem Team zeitgenössischer Bildhauer rekonstruiert. Mit dem Repräsentationshaus (Obecní dům) ist der Turm durch eine überdachte geschlossene Brücke verbunden. Der Turm ist zugleich der Eintritt zum Königsweg, der durch die Zeltnergasse, über den Altstädter Ring und den Kleinen Ring, die Karlsgasse, die Karlsbrücke, die Brückengasse, den Kleinseitner Ring und die Nerudagasse führte und die Verbindungstrasse zwischen dem Königshof und der Prager Burg darstellte.

■ SEITE 86 ■

Detail der figuralen Ausschmückung des Pulverturms, an der Ende des 19.Jh. sich die Bildhauer Jindřich Čapek d.A., Bernard Seeling. Josef Strahovský, Ludvík Šimek und Antonín Wildt beteiligten.

■ SEITE 86 ■

Das Rokoko- ursprünglich Piccolominipalais Nr. 852/I. am Graben (Příkopy) in der Neustadt ließ auf einer in die Tiefe gehenden Parzelle der Fürst Ottaviano Enea Piccolomini auf Fragmenten gotischen Mauerwerks von etwa vier Häusern bauen. Den Bau mit zwei Höfen und Brunnen entwarf Kilian Ignaz Dientzenhofer. Der Bau wurde 1744 bis 1752, also während der Krankheit und des Todes seines großen Schöpfers durchgeführt, und wurde von Anselmo Lurago beendet. Die Plastiken der Vorderfront und des Interieurs schuf Ignaz Franz Platzer, die Stukkaturen, vor allem des pompösen Stiegenaufgangs wahrscheinlich Carlo Giuseppe Bussi. Die Decke des Stiegenaufgangs beherrscht die Freske von Václav Bernard Ambrož, auf der die Quadriga des Helios von weiteren allegorischen Personen umgeben ist. Im Besitz des Geschlechts der Nostitz wurde Ende des 18.Jh. im Garten eine Winter- und Sommerreitschule errichtet 1885 kam das Palais durch Heirat in den Besitz des Grafen Arnold Silva Tarouca, der verschiedene Räume dem Ethnographischen Museum für die Anordnung seiner Sammlungen zur Verfügung stellte.

■ SEITE 87 ■

Der Wenzelsplatz (Václavské náměstí), früher Roßmarkt in der Neustadt, ist eine der lebhaftesten Hauptverkehrsadern Prags. Sie beginnt am goldenen Kreuz, Am Brückel (Na můstku), und endet mit dem Gebäude des Nationalmuseums. Der Platz erhielt seinem Namen 1848 nach einem frühbarocken Reiterstandbild des hl. Wenzels von Johann Georg Bendl 1678 bis 1680, dessen Kopie heute auf dem Vyšehrad steht. Vorn links ist die weiße Fassade des Korunapalais Nr. 846/I. von 1911 bis 1914 nach den Plänen von Antonín Pfeiffer mit Plastiken von Stanislav Sucharda und Jan Štursa.

■ SEITE 88 ■ 89 ■

Die Novotnýbrücke und die Gebäude auf dem Smetanaquai diesmal von der Kleinseitner Kampa aus.

■ SEITE 88 ■ 89 ■

Blick vom Altstädter Brückenturm auf die Türme der Altstadt und im Vordergrund auf das Klementinumareal.

■ SEITE 90 ■

Der Wenzelsplatz vom Nationalmuseum aus gesehen, zeigt eine verschiedenartige Verbauung von Häusern aus dem 18. und 19.Jh. bis zu Neubauten aller Stilrichtungen des 20.Jh. Im Vordergrund die Bronzestatue des hl. Wenzels, ein Meisterwerk von Josef Václav Myslbek, in dem sich seine ganze künstlerische Entwicklung widerspiegelt. Er arbeitete an dem Monument von 1887 an und schuf in mehreren Wettbewerben viele Varianten nicht nur der Reiterstatue, sondern auch der übrigen Patrone Böhmens, von denen schließlich die Gestalten des hl. Adalberts, des hl. Prokops, der hl. Ludmilla und der damals noch seliggesprochenen Agnes ausgewählt wurden. Der hl. Wenzel wurde 1903 fertiggestellt und die drei Skulpturen bis 1912, wo auch die Installation des Monuments begann. Zum Schluß wurde die Plastik des hl. Adalberts 1924 geliefert. Mit der architektonischen Gestaltung des Monuments wurde Alois Dryák und mit der ornamentalen Ausschmückung Celda Klouček betraut. Der Wenzelsplatz war in der Vergangenheit häufig Abhaltungsort politischer

Ereignisse, von denen die größten Massenversammlungen im November und Dezember 1989 waren, wo das Monument des hl. Wenzels ein wichtiger Pietäts- und strategischer Punkt war.

■ SEITE 90 ■

Das Nationalmuseum Nr. 1700/II. wurde in den Jahren 1885 bis 1890 zehn Jahre nach der Abtragung des klassizistischen Roßtors Peter Nobiles 1831 bis 1832 errichtet. Der monumentale vierflügelige Neorenaissancebau mit einem Stiegentrakt zwischen zwei Höfen, Ecktürmen und einer Mittelkuppel des Pantheons entwarf Josef Schulz, der in der Ausschreibung als Sieger hervorgegangen war. Die allegorischen Skulpturen an der Front schufen Josef Mauder, Antonín Popp, Bohuslav Schnirch, Antonín Wagner und weitere Bildhauer. Dutzende Künstler arbeiteten an der Ausschmückung des Interieurs, wo der erwähnenswerteste Raum, der Pantheon, dem Andenken der größten nationalen Persönlichkeiten gewidmet ist, deren Gestalt, bzw. Büsten, dort zu sehen sind. Die Wandmalereien mit den historischen Szenen schufen František Ženíšek, Václav Brožík und Vojtěch Hynais. Vor dem Museum steht eine Rampe mit einer Fontäne, deren allegorischen Figuren der Länder der Böhmischen Krone und der großen Flüsse Antonín Wagner in den Jahren 1891 bis 1894 schuf.

■ SEITE 91 ■

Die Jerusalem- bzw. Jubiläumssynagoge Nr. 1310/II. in der Jerusalemgasse (Jeruzalémská ulice) aus den Jahren 1905 bis 1906 war ursprünglich zum 50. Regierungsjubiläum Kaiser Franz Josefs anstelle der niedergerissenen Synagogen bei der Sanierung der Judenstadt gedacht. Nach zwei aus urbanistischen Gründen abgelehnten Entwürfen von Alois Richter 1899 und Josef Linhart 1901 wurde das Projekt an Wilhelm Stiassny vergeben. Den Bau in pseudomaurischem Stil führte Alois Richter aus.

■ SEITE 92 ■

Das Haus von Vendelín Mottl Nr. 761/II., das aus den Jahren 1906 bis 1907 stammt und zwischen dem Jungmannplatz (Jungmannovo náměstí) und der Straße des 28. Oktobers (Ulice 28. října) eingekeilt ist, schließt die Nationalstraße (Národní třída) ab. Entworfen und gebaut wurde es von Karel Mottl. Die drei Fassaden weisen interessante Details auf, von denen das ausdrucksvollste die Gestaltung des Eintrittsportalls auf dem Jungmannplatz ist.

■ **SEITE 92** ■

Am Eck der Gassen Karoliny Světlé und Konviktská befindet sich die romanische Hl.-Kreuz-Rotunde aus der ersten Hälfte des 12.Jh., die als Herrschaftskirche eines Gehöfts diente. Nach Auflassung durch Josef II. 1784 war sie 1860 zum Abriß bestimmt, wurde aber dann doch 1864 bis 1865 von Vojtěch Ignác Ullmann restauriert. Im Innern sind Fragmente gotischer Malereien aus dem 14.Jh. Den Gußeisenzaun um die Rotunde entwarf 1865 Josef Mánes. Heute dient die Rundkirche der altkatholischen Kirche.

■ **SEITE 93** ■

An der Stelle der klassizistischen Choura-, bzw. Kaurahäuser von 1849, die 1959 abgetragen wurden und des Verwaltungsgebäudes von Vladimír Wallenfels von 1928, das 1977 gesprengt wurde, entstanden nach mehreren erfolglosen Wettbewerben Neubauten. Es wurden nach dem Projekt von Pavel Kupka zwei der drei Objekte der Betriebsgebäude mit unterirdischer Verbindung mit dem Nationaltheater realisiert. als die Konzeption geändert wurde, baute den bereits fortgeschrittenen dritten Flügel Karel Prager in das Schauspielhaus Neue Szene um. Es ist mit geblasenen Glaselementen aus der Glashütte Kavalier in Sázava verkleidet. Der ganze Bau wurde 1983 beendet. Im Vordergrund steht die Plastik „Wiedergeburt" von Josef Malejovský.

■ **SEITE 93** ■

Das Nationaltheater Nr. 223/II., eine hervorragende Architektur des 19. Jh., wurde aus einer Sammlung der ganze Nation errichtet und hat vom kulturellen Gesichtspunkt eine ausnehmend große Bedeutung. Der Bau auf einem trapezförmigen unregelmäßigen Grundriß, der durch den Bauplatz bedingt war, ist nach dem Sieg im Wettbewerb ein Werk Josef Zíteks aus den Jahren 1868 bis 1881 im Neorenaissancestil. An dieser Stelle stand das Gebäude des Salzamtes, an das das Provisorische Theater von Ignác Ullmann von 1862 anschloß. Das gerade fertiggestellte Theater brannte durch eine Unvorsichtigkeit der Arbeiter nieder und wurde neugebaut und um die Möglichkeit des Eingriffes in den Raum des Provisorischen Theaters und dem Umbau des sog. Schulzhauses, genannt nach dem Autor der letzten Bauperiode Josef Schulz, vergrößert. Definitiv wurde das Theater am 18. November 1883 eröffnet. Der Schmuck des Exteriurs und des Interieurs was das Werk der besten Künstler, die als Generation des Nationaltheaters in die Geschichte eingingen. Bohuslav Schnirch ist der Autor der Skulpturen des Apollos und der Musen auf der Attika. Von ihm stammt auch der Entwurf der berühmten Trigas, die umgearbeitet und erst 1910 bis 1911 installiert wurden. Die übrigen allegorischen Figuren schufen Antonín Wagner und Josef Václav Myslbek. Die Decke im Zuschauerraum malte František Ženíšek, das Proszenium schmückte Bohuslav Schnirch aus und den Vorhang lieferte Vojtěch Hynais. Im Foyer sind die Bilder in den Lünetten von Mikoláš Aleš und die Wand- und Deckenkompositionen von František Ženíšek, teilweise in Zusammenarbeit mit Mikoláš Aleš. In den Räumen der königlichen, heute Präsidentenloge, zeigten ihre Kunst Vojtěch Hynais, Julius Mařák und Václav Brožík. Die Möbel entwarf Emilián Skramlík. In den verschiedenen Räumen des Theaters befinden sich viele Büsten bedeutender Persönlichkeiten, die im Theater wirkten. Von 1977 bis 1983 verlief zur hundertsten Eröffnung des Nationaltheaters eine umfangreiche Rekonstruktion und Modernisierung des Gebäudes und der Bau der Betriebsgebäude und der Neuen Szene.

■ **SEITE 94** ■

Der Šítkawasserturm bei den Šítkamühlen stammt aus dem Jahr 1495 und wurde nach verschiedenen Katastrophen wie Feuer, Hochwasser oder Kanonenbeschuß mehrmals wiederaufgebaut. Sein heutiges Aussehen erhielt er 1651, und wurde im 18.Jh. mit dem Zwiebelturm versehen. Die Mühlen wurden 1928 abgerissen und zwei Jahre später durch das konstruktivistische Gebäude Mánes Nr. 250/II. von Otakar Novotný ersetzt.

■ **SEITE 94** ■

Die frühbarocke Rundkapelle der hl. Marie Magdalena unterhalb der Letná ließ 1635 bei seinem Weinberg der Probst des Altstädter, heute nicht mehr vorhandenen Cyriaken-Klosters, Johann Chrysostermes Trembský errichten. 1648 diente die Kapelle den Schweden als Deckung bei der Belagerung der Altstadt. Bei der Rekonstruktion des Čechbrückenkopfes wurde die Kapelle 1955 an ihren heutigen Ort verschoben. Die Kapelle benützt heute die altkatholische Kirche.

■ **SEITE 95** ■

Während des Baus der neuen Gebäude des Nationaltheaters wurde der Garten der Ursulinerinnen nach einem Entwurf von Pavel Kupka und Otakar Kuča restauriert. Die Plastikgruppe „Gespräch" schuf Stanislav Hanzík.
Die klaren Barockfassaden des Ursulinerklosters Nr. 139/II. sind ein Teil eines ziemlich ausgedehnten Areals, das 1672 gegründet wurde. Es wurde in den Jahren 1647 bis 1678 und 1721 bis 1722 gebaut. Die St. Ursulakirche in der Nationalstraße (Národní třída), Bauzeit 1699 bis 1704, entwarf Marcantonio Canevale.

■ **SEITE 95** ■

Das älteste Männerstift in den böhmischen Ländern wurde 993 in Břevnov bei Prag gemeinsam vom Prager Bischof, dem hl. Adalbert und von Fürst Boleslav II. gegründet. Die ursprüngliche Kirche war dem Gründer des dortigen Ordens, dem hl. Benedikt und außerdem den hll. Bonifatius und Alexius geweiht. Um 1045 baute ihr Fürst Břetislav die Kirche des hl. Adalberts, anscheinend als dreischiffige Basilika. Von ihr ist nur die Krypta erhalten geblieben. In der zweiten Hälfte des 13.Jh. begann der gotische Umbau. Die Grabplatte des Benediktiner Einsiedlers, des seliggesprochenen Günther, stammt aus dem Beginn des 14.Jh. 1420 wurde das

Stift von den Hussiten und den Pragern verbrannt und geplündert. Es konnte sich danach lange nicht erholen. Unter der Regierung Kaiser Rudolfs II. wurde es teilweise erneuert und das Patrozinium auf die hl. Margarethe geändert, deren sterbliche Überreste das Stift als Geschenk vom ungarischen König Béla II. schon 1262 erhielt. Die meisten Klostergebäude lagen in Trümmern. Nach der Schlacht am Weißen Berg wurde das Stift von den kaiserlichen Truppen völlig devastiert. Erst unter dem Abt Thomas Sartorius gelang es trotz eines zerstörenden Brandes 1678 das Stift erneut zu errichten. Das meiste Verdienst an der neuen Blüte der Břevnover Abtei hatten jedoch die Äbte Otmar Zinke und Benno Löbl, die für seinen Bau die fähigsten Künstler ihrer Zeit zu gewinnen wußten. Von 1709 bis 1722 wirkte hier Christoph Dientzenhofer, dessen Saalkirche der hl. Margarethe auf dem Grundriß sich durchschneidender Ovale zu den schönsten böhmischen Barockbauten zählt. Noch zu Lebzeiten seines Vaters führte ab 1716 die Bauaufsicht Kilian Ignaz Dientzenhofer durch. Als Bildhauer sind erwähnenswert Karl Joseph Hiernle, Matthias Wenzel Jäkkel, Richard Prachner, Johann Anton Quittainer und weitere. Die Altarbilder für die illusiven Altäre lieferte 1716 bis 1717 Peter Brandl. Johann Jakob Steinfels bedeckte 1719 bis 1721 das Kirchengewölbe mit Fresken, das Wunder des hl. Günthers im Theresianischen Saal der Prälatur malte Kosmas Damian Asam und sein Bruder Egid Quirin schuf dazu 1727 den Stuckrahmen. In den übrigen Räumen des Konvents und der Prälatur arbeiteten an den Wand- und Deckengemälden Josef Hager, Karl Kovář, Franz Lichtenreiter, Georg Wilhelm Neunherz und Anton Tuvora. Zum Areal gehören oder gehörten Wirtschaftsgebäude, ein Garten mit einem Lusthaus Vojtěška, einer Gloriett Josefka und einer Orangerie sowie einem Friedhof mit einer Kapelle des hl. Lazarus.

■ SEITE 96 ■

Im Neuen Tiergarten, der von Ferdinand I. 1534 im Malejovwald in Horní Liboc gegründet wurde, ließ sein Sohn Erzherzog Ferdinand von Tirol nach ei-

genem Entwurf 1555 bis 1556 ein Lustschloß bauen, das nach dem sechszackigen Grundriß den Namen Schloß Stern (Hvězda) erhielt. Die Wandmalereien aus der zweiten Hälfte des 16. und aus dem 17.Jh. blieben nicht erhalten. Im 17. und 18.Jh. änderte sich zweimal die Dachform. Das Lustschloß wurde im Dreißigjährigen Krieg von den Schweden, dann 1742 von den Franzosen und 1757 von den Preußen beschädigt. Schließlich verwandelte es Josef II in ein Pulverlager. 1949 wurde das Lustschloß von Pavel Janák rekonstruiert und in ihm erst ein Museum von Alois Jirásek und dann Mikoláš Aleš errichtet. Im Park unter dem Lustschloß blieb das Gebäude des Ballhauses von Bonifaz Wohlmut erhalten, das nach zweijährigem Bau 1558 fertiggestellt wurde.

■ SEITE 97 ■

Das Interieur des Lustschlosses Stern hat mit einmaligen Stuckverzierungen mehrerer unbekannter italienischer Künstler verzierte Gewölbe. Einer dieser Künstler war wahrscheinlich Giovanni Antonio Brocco. Der Ideenplan bestand darin, aus der antiken Mythologie oder aus der römischen Geschichte Themen festzuhalten, die heroischen Opfermut, Freundlichkeit und Großzügigkeit präsentieren bei gleichzeitiger Ergänzung mit unzähligen halbtierischen Figuren und Ornamentik. All das wurde aus römischen Vorlagen des 1. und 2. Jh. n.Chr. geschöpft. In der Mitte des Gewölbes des ebenerdigen polygonalen Raumes ist die Sohnesliebe nach dem Beispiel Aeneas dargestellt, der aus dem brennenden Troja seinen Vater Anchis (auf dem Bild) trägt.

■ SEITE 98 ■

Der Blick auf den bewaldeten Hang von Troja, die Kaiserinsel (Císařský ostrov) in der Moldau die Peripheriebebauung in Dejvice von der Ruine der alten Weinpresse na Bábě gesehen.

■ SEITE 98 ■

Die ursprüngliche Weinbauerniederlassung in Dejvice ließ ihr Besitzer Hans Paul Hippmann nach 1733 in ein hochbarockes Lustschloß Nr. 15 mit Terassengarten verwandeln. 1912 wurde dort das archäologische Museum aus den

Privatsammlungen von Josef Antonín Jíra untergebracht, das heute ein Teil des Museums der Hauptstadt Prag ist. In der dreißger Jahren des 20.Jh. wurden die Wirtschaftsgebäude abgetragen.

■ SEITE 99 ■

Der Wasserturm auf der Letná in Bubeneč wurde 1888 im Neorenaissancestil von der Firma Hübschmann und Schlaffer nach einem Entwurf von Jidřich Fialka gebaut.

■ SEITE 99 ■

Das Stadthalterlustschloß Nr. 56 in Bubeneč über dem Königlichen Tiergarten war ursprünglich ein Jagdschloß von dem Jagellonenkönig Wladislaw aus dem Jahr 1495. Von jener Zeit stammt nur die Löwenplastik im Stiegenhaus. Rudolf II. beauftragte 1578 Ulrico Aostalli mit einem gründlichen Umbau des Schlosses in ein Arkadenlustschloß mit eckigem Eckturm. Seine heutige Gestalt eines romantischen gotisierenden Baus erhielt es von Georg Fischer 1805 bis 1811. Die Skulpturen schufen Ignaz Michael Platzer und Josef Kranner, die Malereien in den Zimmern stammen aus der Werkstatt von Josef Navrátil. Stilmäßig schließt das nahe Tor in den Königlichen Tiergarten von 1814 an.

■ SEITE 100 ■

Für die Landesjubiläumausstellung 1891 entwarf der Architekt Heiser einen Ausstellungspavillon der Gießereien von Komárov, dessen Details nach Zeichnungen des Architekten Hercík der Modelleur Zdeněk Emanuel Fiala schuf. Die Gußeisenkonstruktion dieses kleinen Neobarockbaus goß man in Komárov, und den Bau leitete K. Šlejf. 1898 wurde der Pavillon, der nach dem Besitzer der Gießereien, Fürst Wilhelm von Hanau Hanauer Pavillon (Hanavský pavilon) benannt war, demontiert und in die Parkanlagen auf der Letná übertragen. Nach der Rekonstruktion 1967 bis 1971 wurde der Restaurantbetrieb wieder aufgenommen.

■ SEITE 100 ■

Blick auf die Türme der Altstadt von der Letná. Im Vordergrund die Gebäudefront der Juristischen Fakultät der Karlsuniversität nach den Plänen von Jan Kotěra aus dem Jahr 1914, die erst 1924 bis 1927 errichtet wurden, des Kernphysikinstituts, das ursprünglich eigentlich in den Jahren 1922 bis 1923 von Josef Sakař als Philosophische Fakultät der Karlsuniversität gebaut wurde, des Staatlichen Musikkonservatoriums von 1902, des kuppelförmigen Eckkomplexes, das ursprünglich als akademisches Gymnasium diente und des Rudolfinums.

■ SEITE 101 ■

Blick von der Letná auf die Moldaubrücken und das Altstädter Moldauufer.

■ SEITE 102 ■

Detail der Ausschmückung des Stiegenaufgangs in der Villa von Troja. Es zeigt den Giganten – eine Karyatide – der das Podest über die Vertiefung trägt, in die weitere zwei Giganten geworfen wurden. Diese Gestalt trägt die Signatur von Georg Heermann, ihr Gegenstück das Datum 1685.

■ SEITE 103 ■

Die Deckenmalerei des Kaisersaals in Troja beendete Abraham Godyn 1693. Es stellt den Triumph des christlichen Glaubens über den Islam nach der Schlacht vor Wien 1683 mit zahllosen allegorischen und historischen Gestalten dar. Die anderen Szenen an den Wänden betreffen ausschließlich verschiedene festliche Gelegenheiten aus der habsburgischen Geschichte, ergänzt durch eine Galerie der wichtigsten Persönlichkeiten.

■ SEITE 105 ■

Das umfagreiche Areal des Lustschlosses in Troja weist maximale Symmetrie auf: die Hauptachse weist nach Süden auf den Veitsdom. Das Schloß und die Wirtschaftsgebäude stehen auf der Terasse, die mit Vasen und zwei Brunnen geschmückt ist. Unter der Terasse breitet sich das monumentale Parterre mit der rekonstruierten Fontäne und den Kopien der ursprünglichen Plastiken aus, das von zwei Orangerien abgeschlossen wird. Ein trapezförmiger Obstgarten mit sternförmig verlaufenden Wegen und Stuckprospekten liegt östlich davon. Durch einen Tunnel unter dem ursprünglichen Hohlweg gelangte man in

den westlichen Teil des Gartens mit einer Sala terrena. Auf dem Hügel über der Schloß im Weingarten, wo heute noch Weinreben gezogen werden, wurde die Kapelle der hl. Klara errichtet. Den Komplex ergänzten noch die Wirtschaftsgebäude, eine Bierbrauerei, eine Mühle und ein Gasthaus.

■ SEITE 105 ■

Das Schloß Troja ist ein einmaliger, durch spätere Umbauten fast nicht betroffener Komplex, der als Vorstadtvilla italienischen Typs für den hohen staatlichen Würdenträger Wenzel Adalbert von Sternberg diente. Den Bau entwarf zwar ursprünglich vor 1678 Domenico Orsi, aber kurz nach dessen Tod setzte Jean Baptiste Mathey ein neues Projekt durch, das von Silvestro Carlone ausgeführt wurde. Der Bau war um etwa 1685 fertig, der großartige Gartenstiegenaufgang bis 1689, auf den Georg und Paul Heermann Plastiken von mit Giganten kämpfenden olympischen Göttern aufstellten. Die letzten Skulpturen wurden 1703 geliefert. 1708 kamen noch Büsten, wahrscheinlich aus der Werkstätte der Brokoff, hinzu. In den Sälen führte seit 1689 die Wandmalereien Francesco Marchetti mit seinem Sohn Giovanni Francesco aus. Mit der Ausschmückung des Kaisersaales wurden vom Bauherrn die Brüder Abraham und Isaak Godyn betraut, die sie nach sechsjähriger Bemühungen 1697 beendeten. Abraham Godyn führte offensichtlich auch den ungewöhnlich luxuriösen Pferdestall mit offen Kaminen, Marmorkrippen und Rankengitterwerk für das Heu aus.

■ SEITE 106 ■

Die Herz–Jesu–Kirche auf dem Platz Georgs von Podiebrad (náměstí Jiřího z Poděbrad) im Prager Stadtteil Vinohrady ist eines der wirklich schönen, wenigen Sakralbauten des 20.Jh. nicht nur in Prag. Ihr Projektant Josip Plečnik gestaltete den Innenraum ohne Presbyterium und den Turm in der ganzen Breite des Objekts. Der Bau verlief 1928 bis 1932. Die Plastiken an der Vorderfront schufen Bedřich Stefan und im Interieur Damián Pešan.

■ SEITE 106 ■

Die Kirche der hl. Ludmilla auf dem

Platz náměstí Míru in dem Stadtteil Vinohrady wurde als Ziegelpseudobasilika mit Querschiff und zwei Türmen an der Vorderfront im neogotischen Stil 1888 bis 1893 nach einem Entwurf von Josef Mocker gebaut. Den Bau leitete Antonín Turek. Das Relief des Christus mit dem hl. Wenzel und der hl. Ludmilla im Tympanon des Westportals lieferte Josef Václav Myslbek. Am Schmuck des Interieurs beteiligten sich Ludvík Šimek, František Hergesel, František Sequens, František Ženíšek, Adolf Liebscher, Jan Kastner und weitere.

Links von der Kirche zeigt das Bild das Theater von Vinohrady, ein Jugendstilbau von 1904 bis 1907 von Alois Jan Čenský. Die Skulpturengruppe auf den Pylonen ist ein Werk von Milan Havlíček 1906.

■ SEITE 107 ■

Über dem Nusle-Tal steht der Koloß des Kulturpalastes nach einem Entwurf von Josef Karlík, Jaroslav Mayer, Vladimír Ustohal und Antonín Vaněk. Das 1981 fertiggestellte Gebäude ist mit der modernster Technik ausgestattet. An seiner Ausschmückung waren Gestalter aller Fachgebiete beteiligt. Es umfaßt eine Kongreßsaal mit der größten Prager Orgel, eine Konferenzsaal, eine Kammermusiksaal, eine Präsidentensalon, ein Restaurant und viele weitere Räume.

Hauptprojektant des Hotels Forum war Jaroslav Trávníček. Der Betrieb wurde 1988 aufgenommen.

■ SEITE 107 ■

Die Brücke über das Nusle-Tal wurde 1967 bis 1974 nach dem Projekt von Stanislav Hubička, Svatopluk Kober und Vojtěch Michálek gebaut. Sie stellt die Verbindung der Autobahn nach Brno und Bratislava mit der Nordsüdmagistrale dar und sichert alle Transportarten einschließlich der Metro. Im Hintergrund die Vertikale des Hotels Forum und die Horizontale des Kulturpalastes vom Karlov gesehen.

■ SEITE 108 ■

Die romanische Rotunde des hl. Martin am Vyšehrad ist die älteste der in Prag erhaltenen Rotunden. Sie wurde unter der Regierung von Wratislaw II. im letzten Drittel des 11.Jh. gebaut. Im 17. und 18.Jh. diente sie als Pulvermagazin und im 19.Jh. als Lagerraum. 1878 wurde sie restauriert und mit einigen Details ergänzt.

■ SEITE 108 ■

Der Vyšehrad war schon in der späten Steinzeit im 4. Jahrtausend v.Chr. besiedelt. Eine weitere aufgedeckte Siedlung stammte aus der ersten Hälfte des 3. Jahrtausends. Erst in der ersten Hälfte des 10.Jh. besiedelten den Felsen des Vyšehrad Slawen. Es entstanden dort eine fürstliche Burgfeste mit ersten Sakralbauten - eine vorromanische Kapelle unbekannter Weihung und eine Kapelle des hl. Evangelisten Johannes - sowie eine Münze. Nach 1067 übertrug der Fürst Wratislav II, der 1085 König wurde, seinen Wohnsitz von der Prager Burg auf den Vyšehrad. Er baute ihn würdig aus, gründete mehrere Kirchen und das Kapitel bei der St. Peter und Paulkirche. Diese dreischiffige Basilika aus dem Jahr 1129 erneuerte Fürst Soběslav I. und baute weitere Kirchen. Seine Nachfolger kehrten wieder auf die Prager Burg zurück. Weitere wichtige Umbauten der Peter und Paulkirche fanden nach dem Brand in der zweiten Hälfte des 13.Jh. und später in der ersten Hälfte des 14.Jh. statt. Karl IV. gab dem Vyšehrad eine neue Ideenfunktion als Ausgangspunkt des Krönungszeremoniells. Nach der Ehrung der Přemyslidentradition begab sich der Festzug von dort auf die Prager Burg zur kirchlichen Zeremonie. Der Vyšehrad wurde zum letzten Mal kostspielig renoviert, neu befestigt und durch die Gründung der Neustadt eigentlich an das übrige Prag angeschlossen. 1420 wurde er von den Pragern geplündert und nahm seither niemals wieder seine geschichtliche Stellung ein. Nach der Schlacht am Weißen Berg begann man den Vyšehrad erneut zu befestigen, doch wurden diese Befestigungen zusammen mit den übrigen Objekten im dreißigjährigen Krieg wieder zerstört. In der zweiten Hälfte des 17.Jh. begann man den Vyšehrad in eine Barockfestung zu verwandeln, die jedoch 1911 ihren Zweck verloren hatte. Die Peter und Paulkirche machte einen Ranaissanceumbau 1575 bis 1576 unter der Leitung von Ulrico Aostalli und

Meister Benedikt durch. Eine Barockisierung der Kirche verlief von 1711 bis 1728 zuerst unter der Leitung von František Maximilian Kaňka, der von Carlo Antonio Canevale abgelöst wurde. Die ursprünglichen Pläne dazu stammten wahrscheinlich von Johann Blasius Santin-Aichel, wurden aber von den beiden Baumeistern geändert. Das heute neogotische Aussehen mit zwei Türmen verlieh der Kirche Josef Mocker 1885 bis 1887. Außer den genannten Bauten, dem Dekanat, beiden Probsteien, den Domherrenhäusern und weiteren Objekten ist am Vyšehrad noch ein Friedhof, wo viele bedeutende Persönlichkeiten der Nation begraben sind.

Das Leopoldtor aus der Zeit vor 1670 erhielt seinen Namen nach dem damaligen Herrscher Leopold I. und hütete den Eintritt in die Festung vom Stadtteil Pankrác. Sein Entwurf in zwei Varianten stammt von Carlo Lurago und der Skulpturenschmuck von Giovanni Battista Allio.

■ SEITE 109 ■

Die Feste in Chodov wurde wahrscheinlich schon Ende des 13.Jh. mit rundem Grundriß, Durchfahrtturm und kleinerem Palasflügel sowie breitem Wassergraben gebaut. In der zweiten Hälfte des 16.Jh. fanden gewisse bauliche Änderungen statt, aber erst im Besitz der Benediktiner des Altstädter Klosters bei der St. Nikolauskirche fand um 1700 ein radikaler Umbau der verfallenen Feste in ein Schloß mit Arkadenhof statt. Heute belebt das restaurierte Objekt mit seinem Aussehen und seinem Zweck als Kulturzentrum das eintönige Grau der Wohnsiedlung Jižní Město

■ SEITE 109 ■

Blick von Vyšehrad auf die Moldau und den Segelschiffhafen in Podolí. Den Monumetalbau des städtischen und des neuen Wasserwerks entwarf Antonín Engel 1929 bis 1931 und 1959 bis 1962.

■ SEITE 110 ■

Das Gut Bertramka Nr. 169 in Prag - Smíchov aus dem Ende des 17.Jh. und in der zweiten Hälfte des 18.Jh. klassizistisch umgebaut, ist vor allem durch den Aufenthalt Wolfang Amadeus Mozarts bekannt. Seine Gastgeber waren

der Komponist und Klaviervirtuose František Xaver Dušek und dessen Gemahlin, die Opernsängerin Josephine, als er 1787 nach Prag gekommen war, um dort im damaligen Grafen Nostitztheater die Premiere seiner Oper Don Giovanni zu dirigieren. Wahrscheinlich hielt sich Mozart in der Bertramka auch 1791 auf, wo er anläßlich seiner Premiere der Krönungsoper La clemenza di Tito für Kaiser Leopold II. wieder beim Ehepaar Dušek wohnte. Im Gebäude sind Räume mit gemalten Decken und Malereien in der Sala terrena erhalten gelieben, die heute als Konzertsaal dient. Im Garten befindet sich eine Mozartbüste von Thomas Seidan aus dem Jahr 1876. Das Gut ist eine Gedenkstätte des Ehepaares Dušek und Mozarts.

■ SEITE 110 ■

Das Zisterzienserkloster in Zbraslav gründete König Wenzel II. 1292 bei einem Jagdschloß, das nach 1268 von Přemysl Ottokar II. gebaut wurde. 1297 begann der Bau des Klosters, der sich bis in die Mitte des 14.Jh. hinzog. Es erhielt den Namen Aula regia - Königsaal - als Beweis für die außergewöhnlichen Beziehungen der letzten Přemysliden, die hier in der prunkvollen Abteikirche der hl. Maria ihr Mausoleum errichteten. In der ersten Hälfte des 14.Jh. schrieben hier die Äbte Otto und Peter von Zittau die Königsaaler Chronik (Zbraslavská kronika). 1420 wurde das Kloster von den Hussiten niedergebrannt und nach der Errneuerung während des Dreißigjährigen Krieges zerstört. Die Äbte Wolfgang Loechner und später Thomas Budetius machten sich um den neuen Barockumbau des Klostergebäude verdient, der 1709 bis 1739 verlief. Josef II. ließ 1785 das Kloster auf. Das Objekt wurde in eine Zuckerraffinerie und in eine chemische Fabrik verwandelt. 1913 kaufte das heruntergekommene Areal Cyril Bartoň von Dobenín und baute es 1924 bis 1925 in ein Schloß um. Das dreiflügelige Konventgebäude mit Ehrenhof stammt aus den Jahren 1709 bis 1732 nach Plänen von Johann Blasius Santin - Aichel, an den 1724 mit Änderungen František Maximilian Kaňka anschloß.

Die ursprüngliche Pfarrkirche des hl. Jakob, die nach Zerstörung der Abteikirche deren Funktion übernahm und in die die sterblichen Überreste der Přemysliden übertragen wurden, ist ein frühbarocker Umbau aus den Jahren 1650 bis 1654. In ihrem Interieur befinden sich außer der Kopie der bekannten Königsaaler Madonna (Zbraslavská madona), deren wertvolles Original von 1350 in der Nationalgalerie zu sehen ist, noch Bilder von Karel Škréta, Petr Brandl und Giovanni Battista Piazzetta. Östlich vom Presbyterium steht das Gebäude der alten Prälatur, das vor 1739 von František Maximilian Kaňka umgebaut und mit Fresken von Wenzel Lorenz Reiner und František Xaver Balko, wieder mit Themen aus der Geschichte des Klosters, versehen wurde. 1911 bis 1912 verwandelte Dušan Jurkovič es in ein Schloß.

Im Königsaal des Klosters von Zbraslav malte die Freske mit dem Thema der Weihe des Grundsteins der Klosterkirche Wenzel Lorenz Reiner 1728. Auch die übrigen Wandbilder beziehen sich auf die Gründung des Klosters durch Wenzel II. Ein Meisterwek leistete hier der Stukkateur Tommaso Soldati mit seinem Sohn Martin. Die Freske im Refektorium mit dem Gleichnis von dem Mann, der zur Hochzeit ohne Hochzeitsgewand kam, schuf František Xaver Balko. Das Konventgebäude bestimmte schon 1941 der letzte Besitzer für Sammlungen der Nationalgalerie, die hier eine Ausstellung tschechischer Bildhauerkunst vom Barock bis in die Gegenwart installierte.

The Roman numbers following the descriptive numbers after the stroke (the descriptive number – čp. – is on the red plate as opposed to the blue plates of the orientation numbers) indicate the individual quarters of the burgh of Prague 1:

I. – the Old Town
II. – the New Town
III. – the Lesser Town
IV. – Hradčany
V. – Josefov

■ **FRONT PAGE OF COVER** ■

The house At the Minute, čp. 3/I., came into being in the place of a narrow little lane about the beginning of the 15th century. It was probably not until the Renaissance reconstruction in the eighties of the 16th century that the house was extended to its present depth, raised, provided with lunette sills and entirely covered, in two time stages, with graffito work (before 1601 and before 1615). In the second half of the 18th century the house underwent a Classicist reconstruction, the graffito work was whitewashed and on the corner was set, on a column which was later destroyed, the house sign of a lion holding a heraldic shield in its paws according to the older name of the house – At the White Lion. The graffito work, representing according to the Bible stories from the Old and New Testaments, mythological scenes, scenes from Roman history and the Jewish Talmud, allegorical figures and a series of French Kings, was renewed and restored in 1919. Inside the house some Medieveal fragments have been preserved, beamed Renaissance ceilings and attic and painted Baroque arches from the period before 1712.

There follow the partly covered façades of the South side of the Old Town Hall: the houses connected with arches of At the Cockerel and the furrier Mikeš, the house of the shopkeeper Kříž with the three-part Renaissance window from the period around 1525 and the line of aldermen's shields under the crown eaves and the house of Volflin of Kamen with its Late Gothic portal and the window from around 1490. In the back-ground we see the East side of Old Town Square with the Týn Cathedral.

■ **BACK PAGE OF COVER** ■

The North-West corner of Old Town Square with the Church of St Nicholas from the Týn Cathedral and Týn School, čp. 604/I.

■ **PAGE 3** ■

The Lesser Town Bridge Towers close off Charles Bridge on the left bank of the Vltava. The lower tower is Romanesque, contemporary with the building of the Judith Bridge roughly from 1158. In 1591 it was rebuilt in Renaissance style. In the tower, originally as part of its external decoration, has been preserved an unique relief from the period around 1170, perhaps depicting the raising of Vladislav II to be King. The gateway replacing the older Romanesque one was built after 1411. The higher bridge tower was founded by King George of Poděbrady in 1464, again probably on the site of a Romanesque building. The monumental sculptural decoration, however, was not realized.

■ **PAGE 4** ■

View from the house At the Stone Bell, čp. 605/I., across the mansard roof of the Kinský Palace, čp. 606/I., of Old Town Square with the monument of Master John Huss. In the background we can see, by the Church of St Nicholas, the houses of the Town Hall block, čp. 22, 21, 20 and 19/I.

■ **PAGE 5** ■

The Prague Clock, woven about with legends of the blinding of its creator, Master Hanuš, by the Aldermen so that he could never again create anything like it, is one of the most frequently visited places in Prague. The astronomical clock on the Old Town Hall was, however, constructed in 1410 by Nicholas of Kadaň – that is, the astronomical dial and the mechanism corresponding to it, and it was not until 1490 that Master Hanuš, alias Jan Růže, with his assistant Jakub Čech added the calendarium. Roughly once every century the clock was repaired, sometimes it was out of operation for several years, improved and decorated – in both Gothic periods with stone carvings, in the 17th century with moving wooden figures of allegorical beings on both sides of the dial and in 1865 with a new calendar face by Josef Mánes and the Procession of the Apostles by Eduard Veselý. It seems, however, that there was an earlier procession of Apostles on the clock in the 18th century. The crowing cockerel was added as late as 1882. In the May revolution of 1945 the majority of the figures on the clock were burned and the copy of the Mánes plate was destroyed by heat. The new statues were carved by Vojtěch Sucharda, the calendar face was painted by Bohumil Čila and the repaired clock was set in motion once again in 1948. Today there are on the clock only copies of the figures. The Sucharda originals and the original of the Mánes plate are on display in the Museum of the Capital City of Prague.

■ **PAGE 6** ■

For the construction of the Municipal or Representative Hall, čp. 1090/I., in Prague a contest was held in 1903 which was won by Antonín Balšínek and Osvald Polívka. The five-sided Art Nouveau building was realized in the years 1905–11. Beneath the cupola in a niche above the façade portico is a mosaic with the theme The Hommage to Prague according to the original sketch by Karel Špillar. The group statues Humiliation and the Rebirth of the Nation at the sides of the arch were created by Ladislav Šaloun, the torch-bearers and other ornamentation by Karel Novák. The other sculptural and relief work of the side façades is the work of Antonín Mára, Josef Mařatka, Josef Pekárek, Eduard Pickardt, František Rous, Antonín Štrunc, František Úprka and Gustav Zoula. Also very interesting are the interiors of the Municipal Halls – the Vestibule, French Restaurant, the Rieger Hall, the Sladkovský Hall, the Palacký Saloon, the confectioner's, the coffee shop, the bowling alley, the bar, the Mayor's Hall and especially the Smetana Concert Hall, sometimes also used for public or social purposes. Of the artists who took part in their decoration we must mention, apart from the names already given above, Mikoláš Aleš, František Hergesel, Josef Kalvoda, Alfons Mucha, Josef Václav Myslbek, Max Švabinský and František Ženíšek. On the site of the present Municipal Halls, the home of the FOK Prague Symphony Orchestra, there lay in the period from 1380 to 1483 the Royal Court. Abandoned, it was reconstructed after 1631 as the Archbishop's Seminary. Many important political gatherings have taken place in the Municipal Halls, the most important of which was the Declaration of the Independence of Czechoslovakia and the issuing of the first Law on 28th October 1918.

■ PAGE 7 ■

Pařížská třída, built up with splendid eclectic and Art Nouveau buildings, has only been truly appreciated in the last quarter of the 20th century. The houses in the neighbourhood of the building with čp. 934/I. at the corner of Old Town Square came into being in the last years of the 19th century. The vast majority were built in the years 1901–06 according to the plans of architects Matěj

Blecha, Richard Klenka of the Vlastimils, Jan Koula, Čeněk Křička, Antonín Makovec, Jan Vejrych, František Weyr and others.

■ PAGE 8 ■

"The Šternberk Palace, čp. 7/III., on Lesser Town Square came into being after 1684 when Adolf Vratislav of Šternberk bought two Renaissance houses here, one of which, the house "Na baště" can still be seen with its concealed façade from the height of the first floor. Before 1720 there was a further High Baroque reconstruction which is clearly the work of Giovanni Battista Alliprandi. Between the windows of the lst floor there is a wall painting of the Virgin Mary with the Infant Jesus. The stucco ceilings by Giovanni Bartolomeo Cometa were supplemented together with paintings at the beginning of the 18th century by unknown artists. Also the property of the Šternberks was the neighbouring Renaissance corner house, čp. 518/III., built around 1585. The Early Baroque reconstruction of the house took place in 1670. During repairs in 1899 the façade was given new graffito work by Celda Klouček.
In the background we see the tower and tambour of St Thomas' Church.

■ PAGE 9 ■

The North garden façade of the Černín Palace with its two lodgias built in the years 1669–1692 is the work of Francesco Caratti. The statue of Hercules Vanquishing the Serpent was created in 1746 by Ignác František Platzer. The French-type garden, designed in 1718 by František Maxmilián Kaňka, was realized by the gardener Matěj Ivan Lebsche. The New Orangery was built by Anselmo Lurago. In the years 1934–35 the garden was reconstructed by Pavel Janák and Otakar Fierlinger.

■ PAGE 9 ■

The Černín Palace, čp. 101/IV., was founded by Humprecht Jan Černín of Chudenice, the Imperial Ambassador to Venice, in 1669 after the demolition of several houses. The architect and director of the building, influenced by Palladian forms, was Francesco Caratti, who was helped by Giovanni Battista Deca-

pauli and Abraham Leuthner. The stone masons' work was carried out by Giovanni Battista Pozzo and Domenico Semprici. From 1676 the building work was supervised Giovanni Batista Maderna, also active here as a stuccoer, together with Giovanni Bartholomeo Cometa and Francesco Perri, then from 1692 there was Domenico Egidio Rossi, from 1696 Giovanni Battista Alliprandi and finally Martino and Giovanni Battista Alli. Supreme Baroque style was used for the building of the palace and in the interior designs from 1718 by František Maxmilián Kaňka. Working on the interior design were stuccoers Tommaso Soldati and later Bernardo Spinetti, marble worker Domenico Antonio Rappa and the fresco painter Václav Vavřinec Reiner, especially with his depiction of the Battle of the Olympians and the Giants on the staircase of 1718. Hardly any of the sculptures have been preserved. In 1851 the empty palace was sold and reconstructed as barracks. For the requirements of the Ministry of Foreign Affairs it was reconstructed according to the project of Pavel Janák in the years 1928–34. It is the most monumental Prague palace.

■ PAGE 10 ■

The Monastery (čp. 99/IV.) and Church of the Virgin Mary of the Angels on Loretto Square were built in the years 1600–1602 as the oldest Capuchin monastic house in Bohemia. The famous Nativity, permanently installed in the side chapel, was created by two Neapolitan monks in 1780. The eighteen less than lifesize figures of wood, straw and plaster are dressed in period costumes stiffened with glue-water. The monastery is linked with the Loretto by a covered bridge, the entrance ballustrade of which, with its twenty-eight little angels holding shields with relief Marian themes from the workshop of Ondřej Filip Quittainer in 1725 can be seen in the forefront of the picture. The originals have, however, already been replaced by copies.

■ PAGE 11 ■

The row of Canons' Houses on Hradčany Square.
The house At the Swan, čp.61/IV., was

originally a Renaissance building, reconstructed as a small Late Baroque palace in the middle of the 18th century and in 1842 it was extended by builder Johann Maxmilián Heger.

On the left is the Saxon-Lauenburg House, čp. 62/IV., of Gothic origin, in which there lived from 1372 to 1399 the builder of St Vitus' Cathedral Petr Parléř, rebuilt in Renaissance style around 1596, and the Kolovrát House, čp. 63/OV., originally established in the 14th century by the lords of Rožmberk who rebuilt it in 1541. Both houses were given an uniform Baroque finish in 1737 according to the plan of Antonín Václav Spannbrucker.

■ PAGE 12 ■

The Loretto, čp. 100/IV., is a place of pilgrimage built around the "casa santa", a precise copy of the little house of the Virgin Mary in Nazareth, brought by angels in 1295 to the Italian Loretto near Ancona. The Sanctuary was built from 1626 by Benigna Kateřina of Lobkovice. Its builder, Giovanni Battista Orsi, also designed in 1634 the original ground-level ambits. After Orsi's death the building of the chapels continued in the ambits under the guidance of Andrea Allio, Silvestro Carlone, Jan Jiří Mayer, Kryštof Dientzenhofer and his son Kilián Ignác into the twenties of the 18th century.

The supremely Baroque façade was built in the years 1721-23 and both Dientzenhofers took part in the project. Included in the building was the older tower with the very pleasant chime of bells from clockmaker Petr Neumann, dating from 1694. Today the 27 bells play only one Marian song A thousand times we greet Thee. A part was played in the sculptural decoration of the façade by Jan Bedřich Kohl. This is also where the world-famous Loretto treasure is kept.

■ PAGE 13 ■

The Casa Santa in the Prague Loretto was blessed in 1631. At the beginning its external decoration was only painted with chiaroscuro and not until 1664 did Jacopo Agosto, Giovanni Battista Colombo and the most successful Giovanni Bartolomeo Cometa work on the stucco figures of the prophets and Sibyls and the reliefs from the life of the Virgin Mary. Inside, above the altar in a niche, is set the black Loretto Madonna from the end of the 17th century. The walls copy their model in detail in the fragments of wall paintings and the red brick walling with the crack.

The Church of the Nativity of Our Lord on the right originated from a chapel in the cloisters from 1661 which was twice made wider by Kryštof Dientzenhofer and finally lengthened by his step-son Jan Jiří Aichbauer in the years 1733-35. The ceiling fresco in the Presbytery was painted by Václav Vavřinec Reiner in 1736, that in the nave by Jan Adam Schöpf in 1742, the stuccos are the work of Tommaso Saldati in 1735-37.

In the foreground is a fountain with a group sculpture of the Ascension of the Virgin Mary by Jan Michal Brüderle from 1739, today a copy by Vojtěch Sucharda.

■ PAGE 14 ■

View of the Capuchin Monastery with the Church of the Virgin Mary of the Angels and the Loretto across the roofs of the houses of Nový Svět (New World).

■ PAGE 14 ■

For the construction of the palace, čp. 182/IV., on Hradčany in 1689-91, obviously according to the decision of the builder Michal Osvald Thun-Hohenstein, use was made of the walls of the houses which originally stood on the site, up to the height of the second floor. The author of the plans, according to the Roman Baroque trend, is considered to be Jean Baptiste Mathey and the actual builder was Giacomo Antonio Canevalle. The palace has been known as the Tuscan Palace since 1718. On the attic gable between the two roof arbours are situated the allegorical figures of the Seven Free Arts by Jan Brokof, dating from around 1695. At the corner towards Loretto Street (Loretánská ulice) Ottavio Mosto created the figure of the Archangel Michael around 1700.

■ PAGE 15 ■

The predecessor of the Chapter House, čp. 65/IV., on the left of the photograph was the courtyard and tower of the canon and builder of St Vitus' Cathedral, Václav of Radeč of 1414. Together with the neighbouring house, which was purchased in 1365 with his brothers by the canon and first director of construction Leonhard Bušek of Velhartice, it was combined in 1486 by Provost Hanuš of Kolovraty. Reconstructions in 1685 and 1734 gave the house its present shape.

The Renaissance Martinský Palace, čp. 67/IV., was built on the site of three earlier houses after the middle of the 16th century for Ondřej Teyfl of Kinsdorf. Around 1620 it was extended by Governor Jaroslav Bořita of Martinice who went through the defenestration in 1618. The graffito work on the façade and on the courtyard from the period around 1580 depicts Old Testament scenes from the telling of Joseph in Egypt and Samson and also mythological scenes from the year 1634. Inside the Great Hall with its panelled painted ceiling and adjoining chapel, the entrance to which is framed by the figures of Adam and Eve, have been renovated.

■ PAGE 16 ■

The Castle ramp with a view over Prague. In the foreground is the dominating cupola of the Lesser Town Church of St Nicholas.

■ PAGE 16 ■

The Archbishop's Palace, č. 56/IV., stands on the site of the Renaissance house of Florián Griespek which was sold in 1562 to Archbishop Antonín Brus of Mohelnice and immediately adaped. Of a further significant reconstruction of the palace in the years 1675-79 according to the plans of Jean Baptiste Mathey in the time of Archbishop Jan Bedřich of Valdštejn everything except the portal and the roof arbour was covered up by a new Classicist reconstruction with Rococo elements from the years 1764-65 by Jan Josef Wirch. Archbishop Antonín Příchovský entrusted the sculptural decoration to Ignác František Platzer and in the eighties of the 19th century this was supplemented by Tomáš Seidan. Daniel Alexius of Květná carried out the Late Renaissance ceiling paintings depicting the life and works of St John the Baptist in the chapel of the palace. Of the treasures in the Archbishop's Palace let us mention the collections of paintings, porcelain, glass, portraits of Prague Archbishops covering four centuries, reliquiaries and outstanding tapestries created in Paris according to the sketches of Alexandre Desportes from the years 1754–65 with themes from New India.

Through the entrance on the left on the ground floor a steep path leads down to the Šternberk Palace where the National Gallery is situated.

■ PAGE 17 ■

The Castle ramp with a view of Petřín Hill with the lookout tower built in 1891.

■ PAGE 17 ■

The Castle from the Strahov Garden. The blossoming fruit trees form a frame for the palaces of Hradčany and the smaller buildings in Loretánská street and in the Úvoz.

■ PAGE 18 ■

Flower parterre in the Royal Garden. On the right is situated the Presidential Villa, created from a Baroque glasshouse from the years 1730–32, adapted by Kilián Ignác Dientzenhofer and extended by Pavel Janák in the years 1937–38. At the birth of the Royal Garden for Ferdinand I there probably stood in 1535 the builder Giovanni Spazio and the gardener Francesco, whose real name was Frantsysko Skoryna and who came from White Russia. A marvellous structure in the garden is the graffito-decorated Great Ball-court of Bonifác Wohlmut dating from 1567–69, in front of which is the group statue Nights by Antonín Brauner from the year 1734. The statue of Hercules Struggling with the Serpent on the fountain at the end of the alley is the work of Jan Jiří Bendl from 1670.

■ PAGE 18 ■

The Royal Summer Palace at the East end of the Royal Garden was built in the years 1538–62 according to the plans of an unknown architect under the supervision of Paolo della Stella, then Hans Tirol, who had the idea of building an upper floor, and finally Bonifác Wohlmut, who realized this idea. The reliefs were carved by Paolo della Stella and his company. This is the purest Renaissance architecture North of the Alps.

In the centre of the giardinetta there stands since 1573 the Singing Fountain whose bronze reservoir rings darkly as the drops of water fall into it. The work on the fountain employed many artists: Francesco Terzio designed it as early as 1562, the pig-mould was created by Hans Peissner, the casting was done in the years 1564–68 by Tomáš Jaroš and Vavřinec Křička from Bitýška, the upper part was chiselled by Antonio Brocco and it was set up in 1571 by Wolf Hofprucker.

■ PAGE 19 ■

Klárov in the Lesser Town is named after the classicist Klárov Institute for the Blind, čp. 31/III., the building with the little low tower on the left of the photograph. The picture is taken from the Chotek Gardens.

■ PAGE 20 ■

The Court of Honour of Prague Castle. The Castle came into being in the eighties of the 9th century and became the seat of the Princes of the Czech state from the Premyslide family. Several sacral buildings soon appeared within its at first wooden fortifications. In 973 the Bishopric was established at St Vitus and a Benedictine Nunnery at the Church of St George. All the reconstructions, new buildings, expansions and improvements to the fortifications of the Castle were intended to increase its importance as a ruler's residence and ensure its perfect defence. The Castle flourished most under the rule of Charles IV (1346–1378), Vladislav Jagellon (1471–1516) and his son Ludvík (1516–1526) and the first Habsburgs Ferdinand I (1526–1564), Maxmilián II (1564–1576) and Rudolf II (1576–1611). After the Battle of the White Mountain the Castle played only a secondary role. The last important reconstruction, which is recorded by our photograph, took place under the rule of Maria Theresa in the years 1755–75 according to the project of Niccola Paccassi, directed in turn, with their own contributions, by Anselmo Lurago, Antonín Gunz and Antonín Haffenecker.

The Court of Honour is entered by the Central Gate with Rococo gratings framed by massive pillars bearing the statues of fighting giants, putti and vases by Ignác František Platzer of 1769. Today they have been replaced by copies by Čeněk Vosmík and Antonín Procházka.

■ PAGE 20 ■

View through from the Court of Honour of the Castle to the Archbishop's Palace with the Tuscan Palace in the background.

■ PAGE 21 ■

The Chapel of the Holy Rood in the Second Courtyard of the Castle was designed in 1753 by Anselmo Lurago and built in the years 1756–64. During the Classicist reconstruction in 1852–56 there were set in the niches of the apse the statues of St Peter and St Paul by Emanuel Max dating from 1854. Today the Treasure of St Vitus' Cathedral is displayed in the chapel.

■ PAGE 22 ■

The Matyáš Gate dating from 1614 was originally part of the fortifications beyond the moat separating Hradčany Square from the Castle. Through this gate, considered to be the first Baroque monument in Prague (with Mannerist traits) and probably designed by Giovanni Maria Filippi, one passes to the Second Castle Courtyad or to the staircase in the entrance wing. By the Theresian staircase on the right one enters the Office of the President of the Republic, by the Otta Rothmayer staircase dating from 1948–56 one reaches the Spanish Hall and the Rudolf Gallery.

■ PAGE 23 ■

The gold Coronation Cross with cameos from the St Vitus' Treasure dates from the 13th century. Probably it was received as a gift by Emperor Charles IV from the French King and made into a reliquary in 1354. In the back (in the photograph) it was possible to place relics of Chirst's suffering – two parts of the Holy Cross, a nail, sponge, string and two thorns, on the front side a part of the Holy Cross and nine antique and Byzantine cameos – onyxes, amethyst and saphire. The arms of the cross are edged with saphires and pearls which are turned to the rear side, the remains of the Holy Cross are fringed by saphires, rubies and pearls. The foot of the Cross is Baroque. The cross, which was used for coronations from the twenties of the 16th century, was kept until 1645 in Karlštejn.

The showcase is completed with four Gothic silver-gilt reliquaries made mostly in the 2nd half of the 14th century: on the right at the front is a reliquary with the Parléř sign, at the back a reliquary of St Catherine, on the left at the back a reliquary with a cylindrical crystal case and in front a tower-shaped reliquary of St Wenceslas.

■ PAGE 24 ■ 25 ■

Panorama of Prague Castle with the Lesser Town and Charles Bridge from the Smetana Embankment.

■ PAGE 24 ■ 25 ■

View of the Castle from the Aleš Embankment with the natural Lesser Town bank of the Vltava at the mouth of its arm – the Čertovka.

■ PAGE 26 ■

The Office of the Land Records in the Old Royal Palace is a Renaissance room, arched over a central pillar, decorated on the walls and the ceiling with the emblems of high-born officials. It was used from the renewal of the Land Records up to the fire in the Castle in 1541.

■ PAGE 27 ■

The Old Parliament was created by Bonifác Wohlmut in 1559–1563. Whereas with the reticulated twisted vaulting the architect consciously linked up with the neighbouring Vladislav Hall, the cathedra in the corner of the hall is purely Renaissance in concept. The Royal Throne was made in the thirties of the 19th century. The Supreme Provincial Court and representatives of the Czech Estates sat here up to 1847.

■ PAGE 28 ■

The West façade of the Church of St George in Prague Castle faces onto Jiřské Square. The original Caroline Basilica was founded by Prince Vratislav before the year 921. At the time of the foundation of the oldest monastic house in the Czech lands by Prince Boleslav II and his sister Mlada, who became the first Abbess under the monastic name of Marie, structural changes were made after 973 for the requirements of the monastic life, the Sanctuary was made larger and a tower was built. At this time the funeral chapel of St Ludmila already existed. The second founder of the church and the monastery is considered to be the Abbess Berta, who rebuilt the entire complex after a fire during the siege of the Castle in 1142. The stimulus for alterations around the year 1220 was given by the Abbess Agnes. The Gothic form of the Chapel of St Ludmila dates from the 3rd quarter of the 14th century. Francesco Caratti is probably the author of the West Early Baroque façade from the seventies of the 17th century. The moulded decoration is most likely the work of Jan Jiří Bendl. In the years 1718–22 the Chapel of St John of Nepomuk was also built onto the façade according to the plans of František Maxmilián Kaňka with the statues of Ferdinand Maxmilián Brokof. The Renaissance side portal into Jiřská street comes from the workshop of Benedikt Ried after 1500. The relief of St George on his horse on the tympanon is a copy from 1934. The original is installed in the National Gallery, situated in a monastery. The church is the best preserved Romanesque architecture in Prague.

■ PAGE 29 ■

The interior of the Church of St George. The raised Presbytery above the Crypt is reached by a two-armed staircase with banisters dating from 1731. In the apses are clear fragments of Romanesque paintings from the era of the Abbess Agnes. Of the numerous graves of members of the princely family and the monastic community one's attention is drawn by the wooden tomb of Prince Vratislav in the nave with painted figures of the saints, the founders of the church and a scene of the Crucifixion

and the tombstone of Boleslav II. In the Chapel of St Ludmila with Renaissance vaulting and wall paintings from the end of the 16th century is situated the saint's gravestone from the year 1380, supplemented after the middle of the 19th century, in the chapel of the Virgin Mary are Romanesque wall paintings from the 1st half of the 13th century.

■ PAGE 30 ■

Golden Lane in Prague Castle was originally Goldsmiths' Lane after the goldbeaters of the Emperor Rudolf II who lived here among the Castle archers. The miniature, mostly single-storey houses, stuck to the Late Gothic castle wall, came into being progressively from the 16th century. House No.22 belonged in the 1st quarter of the 20th century to Franz Kafka and then during the 2nd World War to the founder of the Aventinum, Otakar Štorch Marien.

■ PAGE 31 ■

The roofs of Lesser Town palaces, the Little Fürstenberg Palace, čp.155/III., and the Kolovrat Palace, čp. 14/III., from the Kolovrat Garden. In the foreground is the bell-shaped roof of the garden-house which, together with other small structures, was created after 1769 by Ignazio Giovanni Nepomuceno Palliardi.

■ PAGE 32 ■

The Cathedral of St Vitus from the former Castle Summer Riding School, reconstructed in the 30's of the 20th century by Otto Rothmayer. The Arcade Gallery for onlookers was built in the years 1696–99 together with the building of the Winter Riding School by Jacopo antonio Canevale according to the plans of Jean Baptiste Mathey.

■ PAGE 32 ■

The relic busts of St Wenceslas and St Vojtěch, made in Prague after 1486 at the expense of Vladislav Jagellon, from the St Vitus' Treasure in the Chapel of the Holy Rood. The author of the first bust is clearly the goldsmith Václav of Budějovice.

■ PAGE 33 ■

West façade of the Cathedral of St Vitus. It was founded by the Emperor Charles IV in 1344 as the third sacral building consecrated on that spot after the four-apsed rotunda built to St Wenceslas in the twenties of the 10th century and the Spytihněv Basilica with two choirs from the sixties of the 11th century. The building of the cathedral was designed and supervised by Mathew of Arras and from 1356 by Petr Parléř and his sons up to the Hussite Wars. The complete choir with part of the transept was provisionally closed off by a wall to which Bonifác Wohlmut added a choir in 1559–61. After several unsuccessful attempts in the following centuries the completion of the building was started in 1876 according to the project of Josef Mocker, who was replaced in the supervision of the building work by Kamil Hilbert. On the St Wenceslas millennium in 1929 the new part with the two Western towers was consecrated. The Cathedral is also the place of the last rest of Czech rulers, high Church dignitaries and other important personages, among whom the three Czech patron saints stand out – St Wenceslas, St Vojtěch and St John of Nepomuk.

The interior of this triple-naved space with chapels, a cross nave, choir and a garland of chapels is exceptionally richly decorated. Let us draw attention at least to the portrait busts of the Luxemburgs and persons related to the building in the triforium and the tombs of the Přemyslides created by the Parléř works in 1375–85, to the St Wenceslas Chapel over the grave of St Wenceslas set with semi-precious jewels with the statue of St Wenceslas by Jindřich Parléř from 1373 and a cycle of paintings by the Master of the Litoměřice Altar from the years 1506–1509, on the first floor of which are stored the Crown Jewels from 1346 with subsequent decoration with precious stones, to the fragments of wall paintings from the beginning of the 15th century, to the royal oratory, probably by Hans Spiess from 1493, to the royal mausoleum by Alexander Collin from the years 1566–89, to the tombstone of St John of Nepomuk, designed by Josef Emanuel Fischer of Erlach and executed by goldsmith Jan Josef Würth according to the model of Antonio Corradini in the years 1733–36

with later additions, to the statue of Cardinal Bedřich Schwarzenberg by Josef Václav Myslbek from the years 1892–95 and to the windows by Cyril Bouda, František Kysela, Alfons Mucha, Karel Svolinský and Max Švabinský from the twenties and thirties of the 20th century.

The photograph shows the central portal of the façade, in the tympanon of which is situated a relief with the scene of the Crucifixion according to the model of Karel Dvořák carved by Ladislav Pícha. The reliefs on the bronze doors with the theme of the building of the cathedral in the course of the centuries were cast by the firm of Anýž in the years 1927–29 according to the sketches of Vratislav Hugo Brunner and the models of Otakar Španiel.

■ PAGE 33 ■

The Vladislav Hall in the Castle, the most splendid Late Gothic interior in Central Europe, was built in 1492–1502 according to the wishes of King Vladislav II according to the project of Benedikt Ried. For its construction were sacrificed halls and chapels on the 2nd floor of the Main Wing of the Old Palace. The circled, mutually intermingled ribs of five six-pointed stars run out from the half-pillars by the walls which they grow through and entwine. The associated windows, portals and the design of the East wall are already Renaissance. The chandeliers from the middle of the 16th century, two of which are copies, were gifts from the burghers of Nuremburg to Ferdinand I. Through the portal from 1592 or 1598, probably by Giovanni Gargiolli, along the line of the East wall, one enters the choir of the Capitular Church of All Saints. The double portal from the period after 1541 in the North wall leads on the one hand into the room of the Land Records, on the other hand to the Riders'Steps, the neighbouring Ried Portal leads into the Old Parliament.

■ PAGE 34 ■

The Srahov Premonstrate Monastery, čp. 132/IV., was founded in 1140 by King Vladislav II at the suggestion of the Bishop of Olomouc, Jindřich Zdík. Building began roughly 2 years later.

After a fire the building was renovated in the years 1258–63. In the 17th century several alterations and reconstructions took place (with the participation of Giovanni Domenico Orsi from 1671) the most important of which was the extension of the Prelature according to the plans of Jean Baptiste Mathey from 1682, which is shown in the picture. The builder was Silvestro Carlone, the reconstruction was completed in 1697. After the already-mentioned bombardment of Hradčany in 1742 it was again necessary to repair the damage according to the plan of Anselmo Lurago. Ignazio Giovanni Nepomuceno Palliardi built the new wing of the library in the years 1782–83. The two towers belong to the Abbatial Church of the Assumpiton of the Virgin Mary.

The Romanesque walling of the monastery has mostly been retained up to the height of the 1st floor, in the West wing of the convent building the extensive twin-naved area of the cellarium has been preserved and a staircase in the thickness of the wall. In the East wing is situated the Winter Refectory with rich stucco decoration from the period around 1730. The neighbouring Capitulary Hall, the Summer Refectory in the South-East corner of the cloisters, the Theological Library Hall on the first floor, the Ceremonial Hall on the 2nd floor, the Abbatial Chapel together with the Abbatial Dining Room in the building of the Prelature and a further four chapels in the church were painted by a local member of the Order Siard Nosecký between the years 1721 and 1751. We can admire a late work by Anton Franz Maulbertsch, a fresco with the theme of the spiritual history of humanity, in the Philosophical Hall of the Library.

■ PAGE 34 ■

Neruda street in the Lesser Town. In the foreground is the house At the Three Red Crosses, čp. 226/III., made up of two Medieval houses, adapted in the 16th century and around the year 1663. In the next-door house, čp. 225/III., At the Three Black Eagles, adapted in further eras, lived the poet Jan Neruda in the years 1841–45 and again in 1857–69.

■ **PAGE 35** ■

The house At the Two Suns, čp. 233/III., in Neruda street in the Lesser Town is a new Renaissance building on the site of a Medieval house which was pulled down. It acquired its present appearance in a reconstruction in the years 1673–90. The memorial plaque to the poet Jan Neruda was unveiled as early as 1895.

■ **PAGE 36** ■

The house At the Three Fiddles, čp. 210/III., is of Medieval origin, rebuilt in the 17th century and again around 1780. In the years 1667 to 1748 it was the property in turn of three violin-making families, outstanding among them being Tomáš Edlinger. The public house on the ground floor was visited in the 19th century by the poets Jan Neruda, Karel Hynek Mácha, Václav Hanka and others.

■ **PAGE 36** ■

The interior of the Lesser Town Church of St Nicholas, a hall-like area with side chapels, documents the cohesion of architecture, painting, sculpture and artistic crafts. The ceiling paintings were created by Jan Lukáš Kracker, František Xaver Palko and Josef Hager, the sculptural decoration by Ignác František Platzer, Richard, Jiří and Petr Prachner, the altar paintings by Karel Škréta, Ignác Raab, Francesco Solimena, Josef Kramolín, Ludvík Kohl, the artificial marble by Jan Vilém Hennevogel and many others.

■ **PAGE 37** ■

The Thun-Hohenstein Palace, čp. 214/III., in Neruda street was built by Norbert Vincenc Libsteinský of Kolovrat in the years 1718–1726 according to the project of Jan Blažej Santini-Aichl on the site of six houses as a part of čp. 193/III., the Palace of the Lords of Hradec. The building was supervised by Antonio Giovanni Lurago and Bartolomeo Scotti. The plastic decoration of the façade, apart from two figures, originated in the workshop of Matyáš Bernard Braun. The palace staircase was built around 1870 to the plans of Josef Zítek, the designer of the National Theatre and the Rudolfinum and painted by František Ženíšek, Josef Scheiwle and Josef Tulka. The Thuns inherited the building in 1768. It is outstanding supreme Baroque architecture. The palace is the seat of the Italian Embassy.

■ **PAGE 38** ■

On the North side of Lesser Town Square the photograph shows on the left the palace of the Lords of Smiřice, čp. 6/III., originally a Renaissance building, the lower half of which was built by Jaroslav of Smiřice before 1572. After reconstruction in 1612 Albrecht Václav of Smiřice joined it together with a further house to make a single unit. Owned by the Montag family from 1763 it was rebuilt in its present form according to the project of Ignazio Giovanni Nepomuceno Palliardi. In this palace in 1618 the conferences were held of the leaders of the Czech Uprising of the Estates.

■ **PAGE 38** ■

The Parliament, čp. 176/III., in Parliament street (Sněmovní ul.) in the Lesser Town was originally built as the palace of Count Maxmilián Thun in the years 1695–1720 in the place of five former houses. So far nobody knows who was the author of the project. The building work was supervised by Jakub Antonín Achtzinger and the stonework was carried out by Jakub František Santini-Aichl. From 1779 the building served as the theatre of the Pasqualo Bondini Company, which performed the operas of Mozart. After a fire it was purchased by the Czech Estates and rebuilt according to the project of Ignazio Luigi Palliardi in 1801 as a Parliament. The Parliamentary Hall was reconstructed around 1870. Today it is the seat of the Czech National Council.

■ **PAGE 39** ■

The Jesuit Church of St Nicholas in the Lesser Town replaced a Gothic parish church from the 2nd half of the 13th century. The nave of the cathedral with its radical Romanesque façade, which we see in the photograph, was built in 1704–11 by Kryštof Dientzenhofer. His son Kilián Ignác created the Presbytery and the cupola in the years 1737–52. The belfry, which belonged to the community, is the work of Anselmo Lurago from the years 1751–56. The most beautiful Baroque landmark in Prague.

■ **PAGE 40** ■

The Thun Palace, čp. 180, beneath Prague Castle was originally a Renaissance building and belonged to the Counts Leslie. In 1659 it was purchased by the Árchbishop of Salzburg, Quidobald Thun, who created it roughly in its present extent with the polygonal tower. The High Baroque appearance of the palace dates from the reconstruction in the years 1716–27 under the supervision of Giovanni Antonio Lurago. Repairs to the palace in 1785–93 were planned by Ignazio Giovanni Nepomuceno Palliardi. The Gothic-style entrance gate (in the pohotograph) and the courtyard wing were designed by Bernhard Grueber and built in 1850 by Kašpar Předák. The palace has a terraced garden created in the 2nd half of the 17th century and redesigned in the 19th century.
On his first visit to Prague Wolfgang Amadeus Mozart and his wife and brother-in-law stayed here at the invitation of Count Johann Josef Thun in January 1787. Today it is the building of the British Embassy.

■ **PAGE 40** ■

The house At the Golden Stag, čp. 26/III., in Tomášská street in the Lesser Town, originally Renaissance, was reconstructed by Kilián Ignác Dientzenhofer in the years 1725–26 and decorated at the same time with the statue of St Hubert and the Stag by Ferdinand Maxmilián Brokof.

■ **PAGE 41** ■

The Valdštejn Palace, čp. 17/III., an enormous Early Baroque complex of buildings, courtyards, garden and riding-school, was built at the order of the Imperial Generalissimo Albrecht of Valdštejn in the years 1623–30 after the pulling down without any pangs of twenty-three or possibly even twenty-six houses, among them the Renaissance house of the Trčka family of Lípa. The designer and building supervisor up to 1628 was Andrea Spezza. To a lesser extent contributions were also made by builders Vincenzo Boccacci and Niccolo Sebregendi. The idea of the project was that of Giovanni Pieroni. The ceiling paintings in the important rooms of the palace, in the main hall, where we see Albrecht of Valdštejn as the God Mars in his war chariot, in the St Wenceslas Chapel, in the corner study and in the Astronomical Corridor were created by Baccio del Bianco. Among the many stucco artists, often not yet identified, there worked here Domenico Canevalle and Santino Galli.

■ PAGE 41 ■
The Auersperk Palace, čp. 16/III., on Valdštejn Square grew up in 1628 in the time of Jan Marek Jiří Clary-Aldringen in place of two houses of Medieval origin. František Václav Jan Clary-Aldringen rebuilt the palace in 1751 in its present form. In 1843 it passed into the hands of the Auersperk family. In the extension of the building of the Provincial Parliament in 1844 the building was made somewhat smaller and altered by builder Jan Ripota. The composer Ludwig van Beethoven cultivated exceptionally friendly relations with this family and wrote several compositions for the mandoline for Countess Josefina Clary-Aldringen.

■ PAGE 42 ■
In the central Church of St Josef in the Lesser Town, the façade of which is an unique example of the Dutch trend in Baroque Prague, the architect has not yet been definitely determined. The latest theory is that the Prague Carmelite Nuns ordered the plan from their brother in the Order Fra Ignatio à Jesu in Louvain whose civilian name was Johann Raas of Tyrol. The church was built in the years 1687–92 and the sculptural decoration of the façade was executed by Matěj Václav Jäckel in 1691. Twenty years before this a nunnery was built which was taken over in 1782 by the English Virgins and which had a garden with small architectural follies – today known as Vojanovy sady (Vojan Gardens).

■ PAGE 42 ■
The Oettingen Palace, čp. 34/III., in Josefská street in the Lesser Town close to the Church of St Thomas, was built af-

ter 1548 by Ladislav Popel of Lobkovice. It burned down and in the years 1723–25 it was rebuilt, probably according to the plans of František Maxmilián Kaňka. The princely family of Oettingen-Wallerstein obtained the palace in 1841. The ground floor of the palace, for reasons of access, had to be partly changed into passages for pedestrians and vehicles.

■ PAGE 43 ■
The Kolovrat Palace, čp. 154/III., in Valdštejn street belonged from 1603 to Vilém the Elder Popel of Lobkovice, a member of the Directorial Government of 1618, who made one house out of two. Under the ownership of Countess Marie Barbora Černínová it was reconstructed according to the plans of Ignazio Palliardi in the years 1784–88. Zdeněk of Kolovraty, who bought the palace in 1886, was active in literature and had an extensive library, picture gallery and numismatic collection. Today the palace houses the Ministry of Culture.

■ PAGE 44 ■
The Valdštejn Garden came into being at the same time as the palace. It is dominated by a monumental sala terrena with paintings by Baccio del Bianco and rich stucco decoration. The paths are lined with copies of the statues of Adriaen de Vries (the originals, dating from the years 1626–27, were taken away by the Swedes during the Thirty Years War in 1648) and there are also stalactite grottoes, fountains, a volière, a giardinetto, clipped beam espaliers and the calm surface of a large pond.

■ PAGE 44 ■
The square pond in the Valdštejn Garden has an artificial island set in its middle on which are set copies of bronze statues – Hercules Struggling with the Hydra and four Naiads – by Adriaen de Vries, which originally formed part of a marble fountain. In the background are the arcades of the garden façade of the North-West wing of the palace with a Mannerist niche.

■ PAGE 45 ■
The interior of the Lesser Town Church

of St Thomas. This basilical church with the Monastery of the Augustinian Hermits was founded in 1285 by King Wenceslas II by an older little church. The Presbytery was consecrated in 1315, the entire building in 1379. After the Lesser Town Fire in 1541 the church was slowly – up to 1592 – renovated under the supervision of Bernardo Dealberto. Also active here at this time was Ulrico Aostali, who was buried in the church in 1597. In 1726 the reconstruction of the church, completed in 1731, was entrusted to Kilián Ignác Dientzenhofer, who set above the West and South portals the older figures of St Augustine and St Thomas by Jeroným Kohl. Worth noticing is the Early Gothic chapel to the North of the Choir and the Sacristy with wall paintings from the years 1353–54 and ribbed vaulting arching to a central pillar from the middle of the 15th century. Prior Jan Svitavský of Bochov ordered the paintings for the Main Altar from the Flemish painter Peter Paul Rubens and they were delivered in 1637. The paintings in the church today are copies, the originals have been installed in the National Gallery. In the years 1728–30 Václav Vavřinec Reiner decorated the main nave with scenes from the life of St Augustine (in the photograph) and the Presbytery and the cupola of the church with scenes from the life of St Thomas. Of the other artists who participated in the interior decorations let us at least mention the painters Bartloloměj Spranger, Karel Škréta, Jan Jiří Heinsch, Antonín Stevens of Steinfels, František Xaver Palko and the sculptors Jan Antonín Quittainer and Ferdinand Maxmilián Brokof. In 1612 there was buried in the cloisters the poetess Alžběta Johanna Vestonia, together with many other important personalities of the Rudolfine Court.

■ PAGE 46 ■
The Valdštejn Riding School, the garden façade of which can be seen behind the figure of Hercules, was reconstructed in the years 1952–54 as an exhibition hall of the National Gallery by Julie Pecánková and Miloš Vincík.

■ PAGE 46 ■
In the area of the former Riding School Yard of the Valdštejn Palace there was created by 1978 a sort of compromise between a garden and a paved courtyard by the Malostranská Station of Line A of the Prague Metro at Klárov. The architect was Otakar Kuča. By the courtyard façade of the Riding School are placed the figures of Greek and Roman gods, copies of Baroque statues from the workshop of Antonín Braun. The barred gates of the portals were created by Jaromír Bruthans, Zbyněk Runzik and Jan Smrž.

■ PAGE 47 ■
In the building of the Grand Prior's Palace, čp. 485/III., use was made of the walling of the original hospital from the 12th century and of the Grand Prior's Residence from the turn of the 16th and 17th centuries. The builder from 1725 on was the Grand Prior Count Karel Leopold Herberstein and then his successor Gundakar Poppo of Dietrichstein, and the architect was Bartolomeo Scotti. The sculptural decoration was carried out by the workshops of Matyáš Bernard Braun. Part of the Johannite comenda were the convent building čp. 287/III., the later Little Buquoy Palace čp. 484/III., and the mill čp. 488/III. and 489/III. From the time of their transfer to the Island of Malta in 1530 the Knights of St John have also been known as the Maltese Order or the Maltese Knights.

■ PAGE 47 ■
The Nostic Palace on Maltese Square, čp. 471/III., a five-sided building around an internal courtyard, was built by Jan Hartwig Nostic in place of four earlier houses after 1662. The probable architect was Francesco Caratti. Alterations took place around 1760 and 1780. In 1720 Ferdinand Maxmilián Brokof supplied the statues for the façade. Count František Antonín Nostic bought the neighbouring Hollweylovský house in the sixties of the 18th century, čp. 468/III., and rebuilt it as a riding school. In the 18th century there worked in the Nostic family as teachers and governors the theologist and literary critic Josef Dobrovský, the historian František Martin Pelcl and the topographer Josef Jaroslav Schaller. Today it is occupied by the Ministry of Culture and the Dutch Embassy.

■ PAGE 48 ■
The Church of the Virgin Mary under the Chain in the Lesser Town was built together with the Hospital of the Knights of St John in the years 1158/82 at the foot of the Queen Judith Bridge which was being built at the same time. For this reason it was first named Virgin Mary – End of the Bridge. The Romanesque church and comenda were founded by Chancellor Gervasius and his nephew Sub-chancellor Martin with the aid of King Vladislav I. Around 1280 there came into being the long Early Gothic presbytery and in 1376 the building began of the triple nave, of which only the North side nave was completed and the slightly younger West double tower with forehall (in the photograph), where builders Pešek and Jan Lutka worked. In the course of the 1st half of the 17th century there was building work going on almost constantly in the church, from 1638 probably under the supervision of Carlo Lurago. In the interior, richly decorated with Early Baroque stucco work, the paintings of Karel Škréta stand out – the Battle of Lepant with the Adoration of the Virgin Mary on the Main Altar and the Beheading of St Barbara on the Side Altar from the middle of the 17th century.

■ PAGE 49 ■
Charles Bridge was founded by Charles IV in 1357 when, after the flood which destroyed in 1342 the Romanesque bridge from the seventies of the 12th century, called after the wife of King Vladislav I, Judith, it was necessary to renew safe communications between the two banks of the Vltava. The new bridge, for centuries known as the Prague Bridge or the Stone Bridge, was designed by Petr Parléř and built of chiselled sandstone blocks in sixteen arches. The oldest sculpture was a cross, already in existence in the 14th century, renovated in the 2nd half of the 17th century, and a statue of King George which has not been preserved. After the figure of St John of Nepomuk from 1683, all the pillars of the bridge were occupied by groups of saints in the course of the 18th and then again, in the 19th century. The youngest is the statue of St Cyril and St Methodius dating from 1928. Because of the constant deterioration of the atmosphere many of the originals have already been replaced by copies. The bridge did not become known as Charles Bridge until 1870.

■ PAGE 49 ■
The buildings of the Monastery of the Knight Crusaders of the Red Star with the Church of St Francis of Serafino in the Old Town.

■ PAGE 50 ■
The Church of St Salvator in the Old Town is part of the former enormous Jesuit College, čp. 1040/I. and 190/I. The part predecessor of the present cathedral, founded in 1578, was the Church of St Clement, which from 1232 belonged to the Dominicans. The building of the triple-naved basilica with towers in the apse was designed and at first also supervised by Marco Fontana. The façade, completed in 1601, was rebuilt with a new porticus after 1653, probably designed by Carlo Lurago, who worked on the building of the church from 1638. The stucco work here was done by Giovanni Bartolomeo Cometa, the figures of Salvator, Immaculata, the Evangelists, the Fathers of the Church and the Jesuit saints by Jan Jiří Bendl in the years 1659–60. The appearance of the tower is the work of František Maxmilián Kaňka from 1714. The interior of the church is dominated by Early Baroque stucco work. Jan Karel Kovář in 1748 painted the vaulting of the Presbytery and three artists with the Christian names Jan Jiří – Häring, Heinsch and Bendl – created the pictures on the altars and in the apse and the statues of the Apostles in the confessionals.

■ PAGE 50 ■
The Church of St Francis of Serafino was built in the years 1679–88 for the Grand Master of the Order of the Knights Crusaders with the Red Star and Archbishop of Prague, Jan Bedřich of Valdštejn, on the fragments of the Early Gothic Shrine of the Holy Ghost.

The project of the central building of Roman Baroque was elaborated by Jean Baptiste Mathey, the building work was supervised by Gaudenzio Casanova. The figures of the Czech patron saints for the niches in the façade were probably supplied by Ondřej Filip Quittainer in the years 1723–24, copies of angels from the workshop of Matěj Václav Jäckel from the year 1722 are set on the gable. On bases are the statues of the Virgin Mary and St John of Nepomuk by Richard Prachner, dating from 1758, to the corner was transferred the Vintners' Column by Jan Jiří Bendl from 1676. The main work on the costly decoration of the interior was done by the painters Jan Jiří Heinsch, Michael Leopold Willmann, Jan Kryštof Liška, Václav Vavřinec Reiner and the sculptors Jeremiáš and Maxmilián Konrád Süssner and Matěj Václav Jäckel. In the foreground we see the row of figures of the Fathers of the Church on the terrace of the portico of the Church of St Salvator.

■ PAGE 51 ■
Tourists on Charles Bridge.

■ PAGE 52 ■
The buildings of the Old Town mills, čp. 198/I., 200/I., 202/I. and 967/I., were originally founded in the years 1432–36 and their façades were altered many times over before the final more or less Neo-Renaissance reconstruction. On the left is the building of the Smetana Museum, čp. 201/I., in the style of Czech Renaissance from the year 1883 according to the plans of Antonín Wiehl. The sketches for the figural graffito work were painted by František Ženíšek, Mikuláš Aleš and Jan Koula. The Old Town Water Tower was built in 1489. Its present form, after many fires, dates from 1885.

■ PAGE 52 ■
The second largest sacral area in the Clementinum, which gave the Jesuit college its name, is the Church of St Clement. It grew up in the years 1711–1715 on the site of a newish sanctuary of the same consecration, adapted by the Dominicans from the former capitulary hall as compensation for the Early

Gothic church destroyed under the Hussites. The author of the Baroque hall is not yet known, but it was supervised by Giovanni Antonio Lurago. The entrance portico was designed in 1715 by František Maxmilian Kaňka. The outstanding interior was jointly created by Jan Hiebel with his ceiling paintings with scenes from the legend of St Clement, Matyáš Bernard Braun and his workshop with numerous statues in the years 1715–21, Petr Brandl and Ignác Raab with altar paintings and Josef Kramolín with the illusive main altarpiece in 1770. The church serves the Greek Catholic Church.

■ PAGE 53 ■
The Old Town Bridge Tower, the most beautiful gothic gate in Europe, rises from the first pile of Charles Bridge. The plan was again elaborated by Petr Parléř, who was partly also the author of the sculptural decoration from the eighties of the 14th century, when most of the tower had been completed. A complex iconographic programme divides the tower into three horizontal spheres – the mundane, the sovereign and the heavenly. In the lowest third is a strip of the emblems of the lands of Charles IV, the originals of the statues of St Vitus – the patron of the bridge, Charles IV on his throne and Václav IV (Wenceslas IV) in the central zone and the figures of St Vojtěch and St Zigmund in the highest zone have all been replaced by copies. The decoration of the West façade of the tower was destroyed by the Swedes in 1648. The reticulated vaulting in the gateway came into being after 1373.
The memorial to Emperor Charles IV was created by Ernest Julius Hähnel and ordered by the University of Prague for the 500th anniversary of its foundation in 1848.

■ PAGE 54 ■
The house At the Golden Well, čp. 175/I., on the corner of Karlova and Seminářská streets is one of the most charming houses of old Prague. It is a Renaissance building partly on the site of a Romanesque building and Gothic houses. At the beginning of the 18th century Jan Oldřich Mayer created the

stucco relief figures of St Wenceslas and St John of Nepomuk framing the Palladium of the Czech land and plague and Jesuit saints.

■ PAGE 55 ■
The Astronomical Tower of the Clementinum, which still today records the daily air temperature, was completed in 1722 and then reconstructed in 1751 by Anselmo Lurago when the observatory was founded. On the tip of the dome of the tower is placed a lead statue of Atlantis bearing the Globe from the year 1727, perhaps from the workshop of Matyáš Bernard Braun. The same artist created the statue of St Ignatius in the gable of the East façade.

■ PAGE 56 ■ 57 ■
The Lesser Town from Charles Bridge. In front on the left a copy of the statue of St Vojtěch (Adalbert) by Michal Jan Josef Brokof dating from 1709, opposite the only marble statue of St Philip Benitius by Michael Bernard Mandl from 1714, in the background the two Lesser Town Bridge Towers.

■ PAGE 56 ■ 57 ■
The Old Town from Charles Bridge. On the left is the statue of St Anthony of Padua by Jan Oldřich Mayer, dating from 1708. In the background is the Old Town Bridge Tower and the cupola of the Crusaders' Church of St Francis.

■ PAGE 58 ■
The immense complex of the Jesuit College – the Clementinum – takes up an entire city block with five courtyards, many wings in various situations, two churches and several chapels. It was built continuously from 1654 according to the plans and under the supervision of Carlo Lurago. The East façade in the photograph, čp. 190/I., on Mariánské square came into being after 1725 according to the project of an as yet unknown architect. The sculptural decorations of the same period are by Matyáš Bernard Braun. The State Library and the State Technical Library are situated in the Clementinum.

■ PAGE 58 ■
The illuminated codex Commentarius

in Aristotelis de caelo et mundo, the author of which, St Thomas Aquinas, is depicted in the initial S. A manuscript of Italian provenance from the last quarter of the 15th century which belonged to the Hungarian King Matthew Corvinus and is now deposited in the State Library in the Clementinum.

■ PAGE 59 ■
A full-page illustration with the scene of the Annunciation of Our Lady and a kneeling donor in the Breviary of Beneš of Valdštejn.

■ PAGE 60 ■
The Breviary of Beneš of Valdštejn is richly decorated with tiny illuminations, here the scene of the Last Supper. It dates from the period after 1400 and is preserved in the State Library in the Clementinum.

■ PAGE 60 ■
One of the most valuable Baroque buildings in Prague is the Clam-Gallas Palace, čp. 158/I., built on the site of a Romanesque court and Gothic palace of the Moravian Margrave Jan Jindřich Lucemburský and several other houses in the years 1713–29 by Jan Václav Gallas, the Vice-regent of Naples. The building designed by Johann Bernhardt Fischer from Erlach was executed by Tomáš Haffenecker, probably with Giovanni Domenico Caneval the younger. The pairs of Hercules figures flanking both portals, the reliefs on the bases, the putti with vases, the figures of Greek and Roman gods on the attic gable (today copies), the Triton on the fountain in the first courtyard and the torch-bearers with vases on the splendid staircase are the work of Matyáš Bernard Braun and his workshop from 1714. Carlo Innocenzo Carlone in the years 1727–30 did the fresco on the staircase of Apollo's Triumph and also painted two halls on the 2nd floor. The stucco decorations were the work of Santino Bussi, Giovanni Girolamo Fiumberti and Rocco Bolla. In the years 1796 and 1798 several concerts were given in the palace by Ludwig van Beethoven.

■ PAGE 61 ■
One of the two astronomical case clocks, the mechanisms of which were made by the curator of the Mathematical Museum, the Jesuit P. Jan Klein, in the years 1751–52. They are to be found in the Mathematical Hall of the Clementinum. In 1738 P. Klein also created a geographical clock which ended up in Dresden.

■ PAGE 62 ■
The building of the New Town Hall, taking up an entire block, was built in the years 1908–11 according to the plans of Osvald Polívka. The allegorical statues on the balcony and the attic gable and the reliefs around the main entrance were created by Stanislav Sucharda and Josef Mařatka. The figures from Prague legends – Rabbi Löwe and the Iron Man – in deep niches on the corners are by Ladislav Šaloun. On this site there used to stand a Romanesque settlement with the Church of St Linhart which was knocked down in 1798. In the photograph we can see the side façade of the Clam-Gallas Palace and in the background on the right the tower of the Dominican Church of St Giles.

■ PAGE 62 ■
In the surrounding wall of the garden of the Clam-Gallas Palace there is a niche with a fountain and a copy of the allegorical statue of Vltava by Václav Prachner dating from 1812. The original of this statue is in the National Gallery in Zbraslav. Among the people of Prague this charming statue was known as Terezka. Up to 1791 there stood here the Medieval Church of the Virgin Mary on the Pool. Connected with the fountain is a legend from the Biedermeier Period according to which a confirmed bachelor fell in love with stone Terezka, visited her every day and left her all his property. The will was not, however, recognised.

■ PAGE 63 ■
The Baroque Hall of the Clementinum Library was painted in 1724 by Jan Hiebel. He depicted here the prevailing importance of the recognition of matters concerning God over science and the arts. The interior is supplemented by original inlaid cupboards, iron railings following precisely the shape of the edges of the gallery running round the hall and globes.

■ PAGE 64 ■
View over the roofs of the houses čp. 12/I and 13/I of the Church of St Nicholas on Old Town Square.

■ PAGE 65 ■
View of Small Square from the gable of the house At the Crown, čp. 457/I. The East side of the square is formed by houses čp. 4/I to 12/I, connected by arches. In the shade on the left stands the house „U Rotta", čp. 142/I, originally Romanesque and rebuilt in Neo-Renaissance style in 1890. The façade is decorated with paintings according to sketches by Mikoláš Aleš. In the background is the cupola with two towers of the Old Town Church of St Nicholas.

■ PAGE 65 ■
Two gravestones in the Old Jewish Cemetery in Josefov – the one on the right is from the beginning of the 17th century, the one on the left with the symbol of grapes is from the 18th century.

■ PAGE 66 ■
The Old Jewish Cemetery in Josefov is one of the most remarkable monuments in Prague. It came into being in the 1st half of the 15th century and the oldest known gravestone is from 1439. Burial ceased here in 1787. The Gothic gravestones from the 14th century set in the wall of the Klaus Synagogue were brought here from the Jewish Cemetery on the site of what is now Vladislavova street which was abolished after the foundation of the New Town in the 15th century. There are here around twenty thousand gravestones strangely piled up on one another. The irregular area of the cemetery was extended several times in the course of the 16th to 18th centuries. It was partly surrounded by a wall according to the plan of Bohumil Hypšman in 1911.

■ PAGE 67 ■
The Jewish Town Hall, čp. 250/V., was built under roughly the same conditions as the High Synagogue: the date, builder and sponsor were the same. The

Late Baroque reconstruction in 1763 was carried out by Josef Schlesinger, the extension in 1908 by Matěj Blecha. Today it is the headquarters of the Jewish religious community in Prague.

The Jewish Town – the Ghetto – became in 1850, under the name of Josefov in memory of the relaxations under Emperor Josef II, the fifth quarter of Prague.

■ PAGE 67 ■

The tower of the Jewish Town Hall with parapet and clock. In the oriel of the mansard roof is set a dial with Hebraic numerals.

■ PAGE 68 ■

The Neo-Romanesque building of the morgue, čp. 243/V., in the Old Jewish Cemetery was built in 1906 by F. Gerstl. The ceremonial hall of the Prague Funeral Brotherhood and other areas are used for exhibition purposes.

■ PAGE 69 ■

The interior of the High Synagogue, čp. 101/V., has a Renaissance vault with volutes, the stucco profiling of which is meant to recall ribs. The Aaron ha-kodesh – the case for the Tora or five Books of Moses – dates from 1691. In this area today there is an exhibition of synagogue textiles and equipment used during worship. The High Synagogue was built in 1568 by Pankrác Roder at the expense of the exceedingly rich Primate of the Jewish Town Mordechai Maisel who lent money to the Emperor Rudolf II. This synagogue was used by the representatives and officials of the Jewish community in the Town Hall, with which it was connected. The present entrance from Červená lane was established in 1935.

■ PAGE 70 ■

The Old-New Synagogue, today the oldest in Europe, is undoubtedly the most famous Prague monument on the right bank of the Vltava. It was built at the close of the 13th century by the South Bohemian Cistercian works as a double naved area with six fields of five-part vaults with a multitude of stonework details. The exterior of the synagogue with extensions is decorated with brick gables with panelling on both sides of the exceptionally steep saddle roof.

■ PAGE 70 ■

One enters the Old-New Synagogue from the South entrance hall, which is perhaps the oldest room in the building, through an Early Gothic pointed portal from the end of the 13th century. In its tympanon there grows up from twelve roots, symbolizing the twelve tribes of Israel, a vine with spirals of branches bearing grapes.

■ PAGE 71 ■

A Prague monument of prime significance is the Anežka complex in the Old Town. it was founded at the instigation of St Agnes Přemyslovna by her brother King Václav I in 1233 as the first Nunnery of the Claires to the North of the Alps. Gradually, according to the generous plans of Agnes, there came into being around the oldest shrine of St Francis, which is also the oldest Gothic building in Prague, a complex of buildings – the convent wing with the Chapter Hall, the Refectory, the Porter's Lodge and the Dormitory upstairs. After the annexing of the smaller Convent of the Minorites there were added the Presbytery of the Church of St Francis (on the left on the photograph), the Chapel of the Virgin Mary, the Cloister, the Kitchen, a further Convent Wing, the Agnes Oratory and the Funeral Chapel of the Claires, consecrated to St. Barbara. All these buildings show elements of the style of the Cistercian-Burgundian building works as opposed to the style of the Classical North French Gothic of the Přemysl Mausoleum, built from 1261 – the Church of St Salvator or the Holy Saviour (on the right on the photograph) with the amazing decoration of the capitals, with the faces of Kings, Queens and St Agnes herself. The Saint was buried in 1282 in the Chapel of the Virgin Mary, where earlier a funeral niche was built above her grave. Because of frequent flooding the body of Agnes was taken elsewhere and since the ransacking of the nunnery by the Hussites and their supporters its whereabouts are unknown. In the year 1420, during the Hussite Wars, the Claires fled to St Anna's in Prague and then to Panenský Týnec, where they remained with a lengthy pause in the 15th and 16th centuries up to 1627. The Monastery was maintained up to the first quarter of the 16th century. In the years 1556–1626 the Dominican Order was here and the monks carried out various structural changes and additions. The abolition of the monastery by Josef II in 1782 caused the absolute decline of the buildings and their partial demolition. In 1892 was founded the Association for the Renovation of the Convent of the Blessed Agnes, but it was more than ninety years before the exhibition of Czech 19th Century Art could be opened to the public by the National Gallery in partially restored area. In 1989 Agnes of Bohemia was canonised in Rome.

■ PAGE 72 ■ 73 ■

The East side of Old Town Square, formerly known as the Great Ring, is made up of outstanding architectural monuments. Most important is the Gothic cathedral of the Mother of God before Týn with its complex architectural history from the small Romanesque church of the 11th century through the Early Gothic triple-naved church to the present-day splendid basilical building begun after the middle of the 14th century with polygonal apses on all naves and the West double tower. In its main traits it was complete in 1420 and its completion continued with pauses up to the beginning of the 16th century. Inside the cathedral there has been preserved an exceptional quantity of decorative elements. Connected with the Parléř workshops in Prague are the sediles in the side apses from the seventies and eighties of the 14th century and outside the relief of the tympanon of the North portal from around 1400. The Crucifixion group and the statue of the Virgin Mary enthroned with the infant Jesus from the period after 1410 gave their creator the name of the Master of the Týn Calvary. The tin christening font from 1414, the baldaquin above the grave of Bishop Lucián of Mirandola by Matěj Rejsek of 1493, the Renaissance winged altar of St John the Baptist by Master IP from the beginning of the 16th century and the altar pictures of Karel Škréta complete the picture of the interior. The unique organ by Hans Heinrich Mundt from the years 1670-73 was played by Christoph Wilibald Gluck and Ferdinand Seger. In the 14th century there preached here Konrád Waldhauser and Jan Milíč of Kroměříž and in the years 1415-19 Jakoubek of Stříbro. Up to 1620 the Týn Church was the main Prague Calixtin church and the seat of the elected Hussite Archbishop Jan of Rokycany. In the years 1710-35 the parson here was the Prague historiographer Jan Florián Hammerschmied. Great interest is aroused by the gravestone of the Danish Astronomer Tycho de Brahe.

The Kinský Palace, čp. 606/I., was built on the site of three originally Medieval houses according to the design of Anselmo Lurago for Jan Arnošt Goltz. In 1786 it was bought by the Kinský family and became part of their property. On the façade today are copies of allegorical figures by Ignáz František Platzer from the years 1760-65 and stucco work probably created by Carlo Giuseppe Bussi. The alteration of the interiors and the reconstruction of the courtyard wings, proposed by Josef Ondřej Kranner, took place in the years 1836-39. Franz Kafka not only lived in the palace, but also attended the German grammar school here in the years 1893-1901. Today the graphics collections of the National Gallery are to be found here.

The building of the Týn School, čp. 604/I., was created in the 15th century from two houses from the last third of the 13th century and from the 2nd quarter of the 14th century which have been preserved in the corresponding vaulting in the arcades. In the entry we find the hewn ribs of the vaulting and sedilia, on the façade fragments of broken window lining were covered by plaster. The Venetian gables from the years 1560-70 and the twenty years older graffiti work in the courtyard recall the Renaissance reconstruction. On the façade is a painted Baroque picture of the Assumption of the Virgin Mary. After the school was abolished the building was altered in the first half of the 19th century. The builder Matěj Rejsek was a teacher here at the end of the 15th century.

Trčkovský dům, čp. 603/I., came into being through the combination of a Romanesque house from the period around 1200 with two Gothic houses of the 2nd quarter of the 14th century which have been preserved in the walling of the basements and the upper floors. The vaulting in the arcades gives evidence of two building periods in the 2nd quarter of the 14th century. Under the plaster, parts of Late Gothic windows have been preserved. The present façade has reconstructed gables above the Classicist renovation from the years 1770-73. In this house was born Josefina Hampacherová-Dušková, the hostess of Wolfgang Amadeus Mozart in Prague.

■ PAGE 74 ■

The Refectory in the centre of the Convent building is an extensive flat-ceilinged room divided across by two semicircular strips meeting at the central pillar. On the walls use is made of raw brickwork. It was built before 1234.

■ PAGE 74 ■

The Paradise Court in the Agnes Convent came into being with the building of the cloister in the years 1238-45. Above the East Wing the Dominicans built a Renaissance arcade cloister in the seventies of the 16th century.

■ PAGE 75 ■

Today the Church of St Nicholas is part of Old Town Square, which considerably destroys the intimity of the urbanistic intention of its creator – Kilián Ignác Dientzenhofer. The South and main façade originally faced onto a piazzetta formed by the houses of the Town Hall block and Krennový dům, which was demolished in 1901 for the creation of Pařížská třída which was formerly Nicholas Avenue. The impressive central construction with the cupola on a tambour and two towers was built by the Benedictine Abbot Anselm Vlach in the years 1732-35 in place of the Early Gothic church from the 1st half of the 13th century. In the 14th century it was the most important parish church of the Old Town. The Utraquists stayed here from the Hussite Wars up to 1621. Of the important preachers active

here let us mention Jan Milíč of Kroměříž and Matthew of Genoa. It was rebuilt several times, for the last time by the Benedictines of the Emaus in early Baroque style after the middle of the 17th century. For Dientzenhofer's new building Antonín Braun created allegories of the Old and New Testaments above the South portal and the figures of Czech and Benedictine saints inside and outside the cathedral. In the years 1735-35 Cosmas Damian Asam painted frescos with scenes from the lives of St Nicholas and St Benedict inside the cathedral, but they suffered considerably from water leaking in. His brother Egid Quirin Asam completed the interior with stucco decorations. At the same time as the monastery was closed the church was also deconsecrated, then used as a storehouse and from 1865 as a military concert hall. In 1871 it was returned to its spiritual purpose as a sacral area of the Orthodox Church where Zdeněk Fibich was active as choirmaster and from 1921 as the main church of the Czechoslovak Hussite Church. After the pulling down of the buildings of the Prelate's Residence and the Convent and after the construction of čp. 24/I., Rudolf Kříženský adapted the West façade in 1904 and two years later there was set in the niche on the outside of the Presbytery a statue of St Nicholas by Bedřich Šimanovský and close by was situated a Classicist fountain with dolphins designed by Jan Štursa.

■ PAGE 76 ■

The house At the Stone Bell, čp. 605/I., is a quite exceptional building in its environment. The original building from the end of the 13th century became after the reconstruction between the years 1325 and 1330 a splendid tower-like palace with an architecturally rich façade decorated with figural sculptures in niches and with windows with tracery and Wimbergs. The costly interior of the house with its two chapels covered in wall paintings, from which a larger room on the ground floor was arranged around 1310, polychromed and gilded articulations show that it was built for someone from the ruling family itself. There is one line of thought that the palace was built by Queen Eliška Přemyslovna. After 1685 the Gothic character of the house was insensitively removed, the decorative elements were hewn off, broken up and used in the Early Baroque walling. After an insignificant reconstruction after the middle of the 19th century the building was given its Neo-Baroque appearance in 1899. The complicated reconstruction of the house was completed in 1987 and since then the Gallery of the Capital City of Prague has organized exhibitions, concerts and lectures here.

■ PAGE 76 ■

The hall on the 2nd floor of the corner tower of the house At the Stone Bell. Copies of the window traceries were reconstructed according to fragments found.

■ PAGE 77 ■

The Art Nouveau monument to John Huss in the middle of Old Town Square was unveiled as late as 6th July 1915 for the 500th anniversary of the burning of Master John Huss in Constance. The authors of the work, sculptor Ladislav Šaloun and architect Antonín Pfeifer, won the contest for the monument in 1900, but subsequently made some alterations to their design. The foundation stone was laid in 1903. From the stone base rises the tall bronze figure of the preacher surrounded by groups of Hussites, White Mountain exiles and allegories of the national revival in the shape of a nursing mother and her children.

To the left of the monument we see the façade of the Convent of the Pauline Monastery, čp. 930/I., which belonged to the Church of St Salvator in Salvator St., originally the church of the German Lutherans. The building was constructed on the site of three houses from the Early Middle Ages after 1689, probably according to the plans of Pavel Ignác Bayer. The statues on the façade were supplied in 1696 by Matěj Václav Jäckel. when Josef II closed the monastery in 1784 it was used as a mint. It is the only preserved original building on the North side of Old Town Square, but it is merely the torso of the original monastery area.

■ PAGE 77 ■

Storch House, čp. 552/I., on Old Town Square was built on the site of a demolished valuable Medieval house in 1897 for the bookseller and publisher Alexandr Storch. The plans for the new building with a freely interpreted copy of the original exceptional oriel window from the second quarter of the 15th century were elaborated by Bedřich Ohmann and Rudolf Krieghammer, the building work was carried out by František Tichna. The painting decorating the façade according to the sketches of Mikoláš Aleš were carried out by Ladislav Novák, the Neo-Gothic statues of Jan Kastner were carved by Čeněk Vosmík. Dominant on the narrow area of the façade is the figure of St Wenceslas (Václav) on a white horse as the protector of the Czech nation, depicted in complex symbolism in the form of a tree. The central scene is supplemented by the figures of the Three Kings between the windows of the 4th floor, the South Bohemian landscape with storks in the gable and finally the figures of the printer at his press and the monk in the scriptorium on the ground floor. In the May revolution of 1945 the house burned down and was reconstructed in 1948.

■ PAGE 78 ■ 79 ■

The view along Železná (Iron) street to Old Town Square with the Church of St Nicholas and surrounding buildings. Roughly in the centre is the green dome from 1863 of the Evangelical Church of Št Salvator in Salvátorská street. The picture was taken from čp. 494/I in Železná street.

■ PAGE 78 ■ 79 ■

The West side of Old Town Square has still not been dealt with. After the joining together of the Old Town and the New Town, the Lesser Town and Hradčany in 1784, when the Old Town Hall, čp. 1/I, became the seat of the Council, its buildings were not large enough for the new operations. The building of the "Mazhauz" onto the square was expanded and adapted and engulfed a further three houses on this side of the "ring". In 1839 all these buildings were pulled down to make

way for the building of the new Town Hall. The plans of Peter Nobile did not originally encompass the preserving of the tower and the Chapel with its oriel window. Building work began in 1838, but there was such strong public protest that Emperor Ferdinand stopped it. In the years 1844–48 it was completed according to a new design by Paul Sprenger, but that, too, caused dissatisfaction. In the end the Town Hall burned down on 8th May 1945. The ruin was removed but for a single line of windows right beside the oriel and the building site was temporarily arranged as a park. From the end of the 19th century up to the eighties of the 20th century there have been many competitions for a new Town Hall building, but no plans have been realized so far.

Thankfully nothing happened to the South side of the Town Hall. Here is its core, the corner house of the Volflins of Kamen, bought in 1338 after approval by King John of Luxemburg. Work on the building of the tower began immediately. In the same century was added the house of the shopkeeper Kříž and the Chapel and the Council Hall were established. After the extension of the building and the building of the oriel window the Chapel was deconsecrated in 1381. After 1399 a new hall was built. In 1458 the house of the furrier Mikeš was added and the Town Hall reconstructed in Late Gothic style. From the period around 1490 comes the main portal with the neighbouring window from the group of Matěj Rejsek and the entrance hall. The tripartite Renaissance window was added around 1525. Not till the thirties of the 19th century was the house At the Cockerel purchased with Gothic arching from the end of the 14th century also running through the neighbouring Mikeš house. In the Old Town Hall Jiří of Poděbrady was elected King of Bohemia on 2nd March 1458. The crosses in the mosaic of the pavement near the oriel window recall the execution of the twentyseven Czech participants in the anti-Habsburg resistance on 21st June 1621.

■ PAGE 80 ■

The first of the buildings of the Old Town Hall – the house of the Volflins of

Kamen – with Late Gothic portal, astronomical clock and Chapel.

■ PAGE 81 ■

View from the tower of the Old Town Hall of the group of houses with arcades opposite the South façades of the Town Hall: The house At the Storks and At the Golden Horse, čp. 482 and 481/I., two Medieval houses reconstructed in Baroque and Classicism, joined together after alterations to the interior in 1952. The house At the Red Fox, čp. 480/I., originally Romanesque from the 12th century, reconstructed most strikingly at the end of the 17th century, probably by Jean Baptiste Mathey, proof of which is the typical roof arbour. After 1700 there were installed in the interior ceilings decorated with stucco and painted mythological scenes. The house "U Bindrů", čp. 479/I., was again originally Romanesque at heart, from the reconstruction in the years 1546–71 there have been preserved the hall on the ground floor and the built-on third floor. The façade was reconstructed in Early Baroque and again in Early Classicism.

The corner Štěpanovský House, čp. 478/I., with the rounded façade with two gables, stands on two floors of cellars and walling from several Gothic stages of building. After a Renaissance reconstruction it underwent a Baroque reconstruction around 1700 when it received its present appearance and the ceiling paintings in the interior.

A further corner house, At the Ox, čp. 462/I., is Gothic in origin. The portal has been preserved from the beginning of the 15th century. The interesting gables point to reconstructions in the 17th and 18th centuries. On the corner is a copy of the statue of St Joseph by Lazar Widman from the period following the middle of the 18th century. The original was destroyed in May 1945. Together with the neighbouring Vilímovský House, čp. 461/I., it belonged to the Old Town Servite Monastery with the Church of St Michael, closed by Josef II in 1786.

■ PAGE 81 ■

The house "U Schönpflugů", čp. 592/I., in Celetná street originated in the 14th century and after a Renaissance reconstruction it was thoroughly renovated before 1725, probably according to the plans of Jan Blažej Santini. A harmonious part of the high quality façade is the stone statue of the Madonna and Child in vivid movement, rewarding her admirers with a smile. It is probably the work of Antonín Braun from the period around 1735.

■ PAGE 82 ■

View along Celetná street in the direction of the Powder Tower. In the foreground on the left is the house At the Golden Stag, čp. 598/I., where in the cellar there is partly preserved the groundfloor of a house from the 13th century with Early Gothic cross vaults. The main façade and both façades onto Štupartská street, which are decorated with reliefs, date from the 2nd quarter of the 18th century.

■ PAGE 83 ■

The Carolinum, čp. 541/I., is a series of buildings grouped round the house of the Master of the Mint, Jan Rotlev, acquired in 1383 by King Wenceslas IV. The Charles College established by Charles IV in 1366 moved here from the house of Lazar Žid in the Jewish Town by Old Town Square. It was the oldest of the colleges which sprang up here after the foundation of the first university in Central Europe on 7th April 1348 by Charles IV. The house was further enlarged and rebuilt and immediately constructed were the Great Hall and the University Chapel of St Cosmas and Damian with a splendid oriel completed before 1390 (in the photograph). Several reconstructions took place in further centuries, of which the alteration by František Maxmilián Kaňka in the years 1715–18 determined the appearance of the façade onto Železná street. The reconstruction of Jaroslav Fragner in two stages from 1946 to 1959 (the first stage was completed for the 600th anniversary of the foundation of the University and the 2nd stage for the 550th anniversary of the issue of the Decree of Kutná Hora by Wenceslas IV), gave the entire complex its present appearance and created up to 1968 the new Rector's Entrance Wing with the Court of Honour from the Fruit Market (Ovocný trh). The interior with its countless Gothic fragments contains in particular the rib-vaulted areas of the Rotlev house with its arcade, the corridors by the courtyard, the Great and the Small Hall and the hall of the Royal Bohemian Society of Sciences, the socalled Reception Hall and others. In the building of the Carolinum is the seat of the Rector of the University and graduation ceremonies and other important gatherings are held here. Also belonging to the Carolinum are houses čp. 559, 560, 561, 562, 563 and 564/I. in the block between Celetná street and the Fruit Market.

■ PAGE 84 ■ 85 ■

The Powder Tower was founded in the moat of the fortifications as a representative part of the Old Town's Royal Court in the year 1475, but at the expense of Prague Old Town. The building work was supervised by Master Václav of Žlutice, then from 1478 by Matěj Rejsek who had already been working on it for two years as a stonemason. The tower, at that time known as the New Tower, even though it was not completed until after King Vladislav Jagellon moved to Prague Castle in 1484, was richly decorated figurally and ornamentally and originally, probably after the model of the Old Town Bridge Tower, was divided into three zones with carvings of rulers and saints. On the groundfloor level there were genre scenes. At the end of the 17th century it became a store for gunpowder and therefore renamed the Powder Tower. In 1757 it was severely damaged by the firing of the Prussians so that it was necessary after a time to remove the loosened stone decorations. In the years 1876–92 the tower was reconstructed under the supervision of Josef Mocker by a team of contemporary sculptors. The tower is connected to the Municipal Hall by a covered bridge. The tower is also the entrance gate to the Royal Way, the route of which leads along Celetná street, across Old Town Square and Small Square, along Karlova street, across Charles Bridge, along Mostecká (Bridge) street, through Lesser Town Square and up Neruda street, forming a link between the Royal Court and Prague Castle.

■ PAGE 86 ■
Detail of the sculptural decoration of the Powder Tower in which there participated at the end of the 19th century the sculptors Jindřich Čapek senior, Bernard Seeling, Josef Strachovský, Ludvík Šimek and Antonín Wildt.

■ PAGE 86 ■
The Rococo, originally Piccolomini Palace, čp. 852/I. In the street Na příkopě in the New Town Prince Ottaviano Enea Piccolomini had built on the fragments of the Gothic walling of around four houses a building with two courtyards with fountains designed by Kilián Ignác Dientzenhofer. It was realized in the years 1744–52, in other words also during the illness and death of its great creator. It was completed by Anselmo Lurago. The sculptural decoration of the façade and interior were created by Ignác František Platzer, the stucco work, especially on the splendid staircase, probably by Carlo Giuseppe Bussi. The ceiling of the staircase is dominated by the fresco of Václav Bernard Ambrož, where Helios and his team of four horses are surrounded by further allegorical figures. When the palace was the property of the Nostic family winter and summer riding-schools were built in the gardens. In 1885 the palace was acquired through marriage by the Count Arnošt Sylva-Taroucca, who lent certain parts of the building to the National History Museum for its collections.

■ PAGE 87 ■
Wenceslas Square, the former Horse Market in the New Town, is one of the liveliest arteries of Prague. It begins at the Golden Cross on Můstek and is closed at the top by the building of the National Museum. The square was named in 1848 after the Early Baroque equestrian statue of St Wenceslas by Jan Jiří Bendl from the years 1678–80, the copy of which is to be found today at Vyšehrad. In the foreground on the left is the white façade of the Koruna Palace, čp. 846/II., from the years 1911–1914, designed by Antonín Pfeif-

fer and decorated with the sculptures of Stanislav Sucharda and Jan Štursa.

■ PAGE 88 ■ 89 ■
The Novotný Causeway and the buildings of the Smetana Embankment, this time as seen from the Kampa in the Lesser Town.

■ PAGE 88 ■ 89 ■
View of the Old Town towers from the Old Town Bridge Tower with the area of the Clementinum in the foreground.

■ PAGE 90 ■
Wenceslas Square as seen from the National Museum shows the variety of the buildings from the houses showing what it looked like in the 18th and 19th centuries to new buildings in all the styles of the 20th century. In the foreground stands the bronze statue of St Wenceslas, the supreme work of Josef Václav Myslbek, in which is mirrored the whole of his artistic development. He worked on it from 1887 and in several competitions created many variants, not only of the rider on horseback, but also of other Czech patron saints, of which there were finally selected the figures of St Vojtěch (Adalbert), Prokop, Ludmila and the then Blessed Agnes of Bohemia. St Wenceslas himself was ready in 1903 and a further three statues by 1912, when the installation of the monument began. The last to be delivered was the statue of St Vojtěch in 1924. The architectural shaping of the monument was entrusted to Alois Dryák, ornamental decoration to Celda Klouček.
Wenceslas Square was in the past also the frequent site of various political events, the greatest of which were the massive gatherings in November and December 1989, when the statue of St Wenceslas was an important sacred and strategic point.

■ PAGE 90 ■
The National Museum, čp. 1700/II., was built in the years 1885–1890, ten years after the pulling down of the Classicist Horse Gate by Peter Nobile from the years 1831–32. The monumental Neo-Renaissance four-winged building with its staircase block between the two courtyards, small corner towers and the

central dome of the Pantheon was designed by Josef Schulz, the winner of the contest held. The allegorical figures in the façade were created by Josef Mauder, Antonín Popp, Bohuslav Schnirch, Antonín Wagner and other sculptors. Dozens of artists worked on the decoration of the interior, where the most important area, the Pantheon, is devoted to the memory of the greatest national personalities, represented by complete figures or busts. The wall paintings with historical scenes here were created by František Ženíšek, Václav Brožík and Vojtěch Hynais. In front of the Museum is a ramp with a fountain decorated with allegorical figures of the lands of the Czech Crown and the great Rivers by Antonín Wagner from the years 1891 to 1894.

■ PAGE 91 ■
The Jerusalem or Jubilee Synagogue, čp. 1310/II., in Jerusalem street, built in the years 1905–06, was originally designed for the 50th anniversary of the government of Franz Josef in place of the synagogues pulled down in the clearance of the Jewish Town. After two rejected designs by Alois Richter in 1899 and Josef Linhart in 1901 – for urbanistic reasons – the project was awarded to Wilhelm Stiassny. The building work, in pseudo-Moorish style, was carried out by Alois Richter.

■ PAGE 92 ■
The house of Vendelín Mottl, čp. 761/II., which, wedged in 1906–07 between Jungmann Square and 28th October Street, closes off Národní třída (National Avenue), was designed and built by Karel Mottl. The three façades offer interesting details, the most striking of which is the design of the entrance portal onto Jungmann Square.

■ PAGE 92 ■
On the corner of the streets Karoliny Světlé and Konviktská we find the Church of the Holy Rood, a Romanesque rotunda from the first half of the 12th century which used to be the nobles' church of the Court. After it was closed by Josef II in 1784 it was listed for demolition in 1860 and finally saved and restored in the years 1864–65 by

Vojtěch Ignác Ullmann. Inside there are fragments of Gothic paintings from the 14th century. The cast iron fence around the rotunda from 1865 was designed by Josef Mánes. Today it serves the Old Catholic Church.

■ PAGE 93 ■

In place of the Classicist Chour or Kaur houses from 1849, which were pulled down in 1959, and the administrative building of Vladimír Wallenfels of 1928, demolished by explosives in 1977, new buildings grew up after unsuccessful competitions had been held. According to the plans of Pavel Kupka were realized two of the three administration buildings with underground connections to the National Theatre. When a change was made in the concept, Karel Prager reconstructed the half-built third wing as the New Stage (Nová scéna), clad in blown glass units produced in the Kavalier Glassworks in Sázava. The building was completed in 1983. In the foreground is the sculpture "Rebirth" by Josef Malejovský.

■ PAGE 93 ■

The National Theatre, čp. 223/II., outstanding architecture of the 19th century, built from a nation-wide collection, is of quite exceptional importance from the point of view of culture. The building, on an irregular trapezoid groundplan, given by the building site, is the work of Josef Zítek, who won the competition, dates from 1868–81 and is in Neo-Renaissance style. On this site there used to stand the building of the salt-works and this was followed by the Temporary Theatre of Ignác Ullmann from 1862. Hardly was it completed than the theatre, thanks to the carelessness of the workers, burnt down and was again built up and enlarged through the possibility of encroaching on the space of the Temporary Theatre, and the additional building of the so-called Schulz House, named after the author of the completed building, Josef Schulz. The Theatre was definitively opened on 18th November 1883. The decoration of the exterior and interiors was undertaken by the best artists, known as the National Theatre Generation. Bohuslav Schnirch created the sta-

tues of Apollo and the Muses on the attic gable and designed the famous chariots with their teams of three horses, which were not prepared and installed until the years 1910–11. The remaining allegorical figures were created by Antonín Wagner and Josef Václav Myslbek. The ceiling in the auditorium was painted by František Ženíšek, the proscenium was decorated by Bohumil Schnirch, the curtain was the work of Vojtěch Hynais. In the foyer we find paintings in Lunettes by Mikoláš Aleš and the wall and ceiling compositions of František Ženíšek, partly in cooperation with Mikoláš Aleš. In the rooms of the Royal and now the Presidential Box we find the implementation of the art of Vojtěch Hynais, Julius Mařák and Václav Brožík, the furniture was designed by Emilián Skramlík. In various parts of the theatre are situated many busts of important personalities connected with the theatre. In the years 1977–83 there took place on the occasion of the centenary of the opening of the National Theatre extensive reconstruction and modernization of the building and the construction of new operating buildings and the New Stage.

■ PAGE 94 ■

The Šítkovská Water-tower of the Šítkovské Mills was built in 1495 and later rebuilt several times after such disasters as floods, fire or artillery. Its present appearance dates from 1651, in the 18th century it acquired its onion-shaped dome. The mills were demolished in 1928 and two years later replaced by the Constructivist building of Mánes, čp. 250/II., by Otakar Novotný.

■ PAGE 94 ■

The circular Early Baroque Chapel of St Mary Magdalene below Letná was built in 1635 beside his vineyard by the Old Town Provost of the no longer existent Monastery of the Cyriacs, Jan Zlatoústý Trembský. In 1648 the Chapel served the Swedes as a shelter in their siege of the Old Town. When the bridgeheads of Čechův Bridge were reconstructed in 1955 the Chapel was moved somewhat to its present site. The Chapel is used today by the Old Catholic Church.

■ PAGE 95 ■

In the course of the construction of the new buildings of the National Theatre alterations were also carried out to the garden of the Ursula Sisters, designed by Pavel Kupka and Otakar Kuča. The group statue Conversation was created by Stanislav Hanzík.

The simple Baroque façades of the Ursuline Convent, čp. 139/II., are part od a relatively extensive complex which was founded in 1672. It was built in the years 1647–78 and 1721–22. The Church of St Ursula on Národní třída, built in the years 1699–1704, was designed by Marcantonio Canevale.

■ PAGE 95 ■

The oldest monastery in the Czech lands was founded in 993 in Břevnov near Prague jointly by the Bishop of Prague, St Vojtěch, and Prince Boleslav II. The original church was consecrated by the founders of the Order to St. Benedict and also to St Boniface and St Alexius. Around 1045 Prince Břetislav built here the Church of St Vojtěch, probably a triple–naved basilica. Only the crypt has been preserved. In the second half of the 13th century a Gothic reconstruction began. The Gravestone of the Benedictine hermit the Blessed Vintíř dates from the beginning of the 14th century. In 1420 the Monastery was burnt down by the Hussites and the people of Prague and devastated, from which it took a long time to recover. Under the rule of Emperor Rudolf II it was partly rebuilt and the patrocinium was changed to St Margaret, whose relics the Monastery received as a gift from the Hungarian King Béla II in 1262. The majority of the monastery buildings lay in ruins. After the Battle of the White Mountain the Monastery was completely devastated by the Imperial troops. Only under the Abbot Thomas Sartorius was it possible, in spite of a destructive fire in 1678, to enhance the Monastery once again. The greatest merit in the fresh flourishing of the Břevnov Abbey, however, was that of Abbots Otmar Zinke and then Benno Löbl, who acquired the most capable artists of their time for its reconstruction. From 1709 to 1722 Kryštof Dientzenhofer worked here and his hall–like

Church of St Margaret on a groundplan of interlinking ovals is one of the very best Czech Baroque buildings. From 1716, while his father was still alive, supervision of the building work was undertaken by Kilián Ignác Dientzenhofer. Among the sculptors represented here are Karel Josef Hiernle, Matěj Václav Jäckel, Richard Prachner, Jan Antonín Quittainer and others. The Altar pictures for the illusive altars were supplied by Petr Brandl in 1716-1717. Jan Jakub Steinfels in 1719-21 covered the vault of the church with frescos, the scene of the Miracle of the Blessed Vintíř in the Therezian Hall of the Prelacy was painted by Kosmas Damian Asam and his brother Egid Quirin created a stucco frame for it in 1727. In the other rooms of the convent and the prelacy there worked on the wall and ceiling paintings Josef Hager, Karel Kovář, František Lichtenreiter, Jiří Vilém Neunherz and Antonín Tuvora. Part of the complex are or were the office buildings, the gardens with the Vojtěška summer-house, the Josefka garden-house and the Orangery and the Cemetery with the Chapel of St Lazarus.

■ **PAGE 96** ■
In the New Huntinggrounds, founded by Ferdinand I in 1534, in the Malejovský Forest in Horní Liboc, his son the Archduke Ferdinand of Tyrol, had built in the years 1555-56, according to his own design, a summer residence called after its six-pointed groundplan – Hvězda (Star). The ceiling paintings from the second half of the 16th century and the 17th century have not been preserved. In the course of the 17th and 18th centuries the shape of the roof was changed twice. The summer residence was destroyed during the Thirty Years War by the Swedes, then in 1742 by the French and in 1757 by the Prussians and finally Josef II situated a store for gunpowder there. In 1949 the summer residence was reconstructed by Pavel Janák and in it was gradually established the Museum of Alois Jirásek and Mikoláš Aleš. In the huntinggrounds below the summer palace there has been preserved the building of the Ball-court designed by Bonifác Wohl-

mut, which was completed after two years of construction in 1558.

■ **PAGE 97** ■
In the interior of the Hvězda summer residence there are arches decorated with unique stucco work by several unknown Italian artists. One of them was probably Giovanni Antonio Brocco. According to the ideological plan of taking from ancient mythology or Roman history themes emphasising heroic devotion, kindliness and generosity, supplemented by numerous half-human and half-animal figures and ornaments, they drew of Roman originals from the 1st and 2nd centuries A.D. In the centre of the vaulting of the groundfloor polygonal area is a scene depicting filial love in the shape of Aeneas carrying his father Anchises out of a blazing Troy (in the photograph).

■ **PAGE 98** ■
View of the wooded slope of Troja, the Imperial Island (Císařský ostrov) in the Vltava and the peripheral building in Dejvice from the ruins of the old Winepress on Baba.

■ **PAGE 98** ■
The original wine-growing farm in Dejvice was rebuilt by its owner Hans Paul Hippmann after 1733 as a Supreme Baroque summer palace, čp. 15 with a terraced garden. In 1912 there was here an archeological museum of the private collections of Josef Antonín Jíra which are today part of the Museum of the Capital City of Prague. In the thirties of the 20th century the farm buildings and offices were pulled down.

■ **PAGE 99** ■
The Letenská Water Tower in Bubeneč was built in 1888 in Neo-Renaissance style by the firm of Hübschmann and Schlaffer according to the design of Jindřich Fialka.

■ **PAGE 99** ■
Royal Hunting-ground was originally established as a hunting lodge by Vladislav Jagellon in 1495. The only reminder of this time now is the sculpture of a lion on the staircase. In 1578 Rudolf II entrusted Ulrik Aostalli with an im-

portant reconstruction of the lodge as an arcaded summer palace with a square corner tower. The building was given its present appearance by the Romantic Gothic reconstruction of Jiří Fischer from the years 1805-11. The sculptural decoration was created by Ignác Michal Platzer and Josef Kranner, the paintings in the rooms came from the workshops of Josef Navrátil. In style it is linked with the nearby gateway into the Royal Hunting-ground of 1814.

■ **PAGE 100** ■
For the Provincial Jubilee Exhibition in 1891 architect Heiser designed the exhibition pavilion of the Komárov Foundries, the details of which, according to the drawings of architect Hercík, were created by modeller Zdeněk Emanuel Fiala. The cast-iron construction of this exceptional Neo-Baroque building was cast in the foundries in Komárov and the building work was supervised by K. Šlejf. In 1898 the pavilion, called after the owner of the foundries, Prince Vilém Hanavský, was taken apart and moved to the Letenské Gardens. After its reconstruction in the years 1967-71 the restaurant in the pavilion was re-opened.

■ **PAGE 101** ■
View of the towers of the Old Town from Letná. In the foreground are the ramparts of the buildings of the Law Faculty of Charles University, built according to the plans of Jan Kotěra from 1914, but not until the years 1924-27, the Institute of Nuclear Physics, originally built for the Philosophical Faculty of Charles University in 1922-23 by Josef Sakař, the State Conservatoire of Music from 1902 with its corner cupola, originally an academic grammar school, and the Rudolfinum.

■ **PAGE 101** ■
View from Letná of the bridges over the Vltava river and the buildings on the Old Town bank.

■ **PAGE 102** ■
Detail of the decoration of the staircase of the Trója villa shows a giant – a caryatide – holding up a landing over

a gorge into which two other giants have been thrown. This figure is marked with the signature Georg Heermann, its opposite number with the date 1865.

■ PAGE 103 ■

The ceiling painting of the Imperial Hall in Trója was completed by Abraham Godyn in 1693. He depicted here the triumph of the Christian faith over Islam after the victorious battle by Vienna in the year 1683 with numerous allegorical and historical figures. The other scenes on the walls concern exclusively the celebrations of various events from the history of the Habsburg family, supplemented by a gallery of the most important personalities.

■ PAGE 104 ■ 105 ■

The extensive area of the Trója Summer Palace is designed with the maximum symmetry and the main axis is turned to the South in the direction of St Vitus Cathedral. The chateau and the offices are built on a terrace decorated with vases and two fountains. Below the terrace an ornamental parterre extends with a reconstructed fountain and copies of the original sculptures, ending in two orangeries. To the East is a trapezoid orchard with a star-shaped network of paths and with stucco prospects. Access to the Western part of the gardens with its sala terrena was through a tunnel under the original approach road. On the hillside above the chateau in the vineyard where vines are still cultivated to the present day was built the Chapel of St Claire. The complex was further supplemented by the economic buildings – the farm, brewery, mill and public house.

■ PAGE 104 ■ 105 ■

The chateau in Trója is an unique unit, almost untouched by later reconstructions, built as a suburban villa of the Italian type for the high state official Václav Vojtěch of Šternberk. The original plans for the building were made before 1678 by Domenico Orsi, but shortly afterwards, following his death, a new project was put forward by Jean Baptiste Mathey and implemented by Silvestro Carlone. The building was roughly finished in 1685 and by 1689 the

splendid garden staircase on which Georg and Paul Heermann placed the figures of the Gods of Olympus, fighting with the Titans. The last statues were delivered in 1703. By 1708 further busts were placed on the outer ballustrade, probably from the Brokoffs. In the halls from 1689 ceiling paintings were carried out by Francesco Marchetti and his son Giovanni Francesco, but the builder entrusted the decoration of the Imperial Hall to the brothers Abraham and Isaac Godyn, who completed it after 6 years of effort in 1697. Abraham Godyn clearly also painted the unusually luxurious stables with their fireplaces, marble mangers and ornate hayrack.

■ PAGE 106 ■

The Church of the Most Sacred Heart of the Lord on George of Poděbrady Square in Vinohrady is outstanding among the few sacred buildings of the 20th century, not only in Prague. The architect Josip Plečnik designed the interior untraditionally without a presbytery and with a tower extending for the whole width of the building. The building was carried out in the years 1928–32. The sculptures on the façade were the work of Bedřich Stefan, those in the interior of Damán Pešan.

■ PAGE 106 ■

The Church of St Ludmila on Peace Square (Náměstí Míru) in Vinohrady was built as a brick pseudo-basilica with a transverse nave and twin-towered façade in Neo-Gothic style in the years 1888–93 according to the plans of Josef Mocker. The building work was supervised by Antonín Turek. The relief of Christ with St Wenceslas and St Ludmila in the tympanon of the West portal was supplied by Josef Václav Myslbek. Work was done on the decoration of the interior by Ludvík Šimek, František Hergesel, František Sequens, František Ženíšek, Adolf Liebscher, Jan Kastner and others.

To the left of the church the photograph shows the Vinohrady Theatre, an Art Nouveau building from the years 1904–07 by Alois Jan Čenský. The group statues on the pylons are the work of Milan Havlíček from 1906.

■ PAGE 107 ■

Above the buildings of the Nusle Valley stands the mighty colossus of the Palace of Culture, designed by Josef Karlík, Jaroslav Mayer, Vladimír Ustohal and Antonín Vaněk. The building, completed in 1981 and equipped with the most up-to-date technology and decorated by artists of all genres, contains a Congress Hall with the largest organ in Prague, a Conference Hall, a Chamber Hall, the Presidential Salon, a restaurant and many other facilities.

The chief designer of the Forum Hotel was Jaroslav Trávníček. The hotel was opened in 1988.

■ PAGE 107 ■

The Nusle Bridge was built in the years 1967–74 according to the plans of Stanislav Hubička, Svatopluk Kober and Vojtěch Michálek. It links up the motorway leading to Brno and Bratislava with the North–South Highway (Severojižní magistrála) and is used by all types of transport, including the Prague Metro. In the background we see the vertical shape of the Forum Hotel and the horizontal shape of the Palace of Culture as seen from Karlov.

■ PAGE 108 ■

The Romanesque rotunda of St Martin on Vyšehrad is the oldest preserved rotunda in Prague. It was built under the reign of Vratislav II in the last third of the 11th century. In the 17th and 18th centuries it served as a powder store and in the 19th century as a storehouse. In 1878 it was restored and some details were added.

■ PAGE 108 ■

Vyšehrad was already the site of a settlement in the Late Stone Age in the 4th millennium B.C. A further settlement found here dated from the lst half of the 3rd Millennium. After that a settlement was not established on the Vyšehrad cliff until the Slavs in the lst half of the 10th century. There arose here a fortified princely castle, the first sacred buildings – a pre-Romanesque church consecrated to an unknown saint and the Chapel of St John the Evangelist – and a mint. After 1067 Prince Vratislav II, who became King in 1085, moved his seat here from Prague Castle, had it rebuilt in a worthy manner and founded several churches and the Chapter House of the Church of St Peter and St Paul. This triple-naved basilica from 1129 was renovated by Prince Soběslav I and he also had several further church buildings built. His successors returned once more to Prague Castle. A further important reconstruction of the Church of St Peter and St Paul was realized after the fire in the 2nd half of the 13th century and then in the 1st half of the 14th century. Charles IV gave Vyšehrad a new ideological function as the starting point for the coronation ceremony where, after paying homage to the Přemyslide tradition, a ceremonial procession passed through Prague to the Castle for the church ceremony. Vyšehrad was renovated for the last time at considerable expense, newly fortified and actually, with the establishment of the New Town, joined to the Prague conglomeration of towns. In 1420 Vyšehrad was devastated by the people of Prague and its original historical position was never again renewed. After the Battle of the White Mountain the renewal of the fortifications on Vyšehrad was begun, but these were again destroyed, together with the other buildings, in the course of the Thirty Years War. In the 2nd half of the 17th century it was changed into a Baroque fortress which was not discontinued until 1911. The Church of St Peter and St Paul underwent Renaissance alterations in the years 1575–76 which were supervised by Ulrico Aostalli and Master Benedict. The Baroque transformation of the church took place in the years 1711–28, first under the guidance of František Maxmilián Kaňka, whose place was later taken by Carlo Antonio Canevale, perhaps originally according to the plans of Jan Blažej Santini by both builders. The present Neo-Gothic style of the building with its two towers was the work of Josef Mocker in the years 1885–87. Apart from the buildings already mentioned, the Deanery, both Provost's Houses, the Canons' Houses and other buildings, there is on Vyšehrad an extensive cemetery where dozens of important personalities of the nation are buried.

The Leopold Gate from the period before 1670 received its name from the ruler of the time, Leopold I. It guarded the entrance to the fortress from Pankrác. It was designed in two versions by Carlo Lurago and the sculptural decoration is the work of Giovanni Battista Allio.

■ **PAGE 109** ■

The Fortress (TVRZ) in Chodov was probably built aroound the end of the 13th century on a circular groundplan with an entrance tower and a smaller palace wing and a wide water-filled moat. In the second half of the 16th century certain building alterations were made, but only when it belonged to the Old Town Benedictine Monastery by St Nicholas did there occur, around 1700, a radical reconstruction of the devastated Fortress as a chateau with an arcade courtyard. Today the restored building enlivens the greyness of the housing estates of the South City both with its appearance and its activity as a centre of culture.

■ **PAGE 109** ■

View from Vyšehrad of the Podolí yacht harbour on the Vltava. The monumental buildings of the Municipal Water Works and the New Water Works were designed by Antonín Engel in the years 1929–31 and 1959–62.

■ **PAGE 110** ■

The villa Bertramka, čp. 169, in Smíchov from the end of the 17th century, rebuilt in Classicist style in the 2nd half of the 18th century, is famous first and foremost because Wolfgang Amadeus Mozart stayed there. He was the guest of two of his friends – the composer and pianist František Xaver Dušek and his wife Josefína, an opera singer, in 1787 when he came to Prague to conduct the première of the opera Don Giovanni in what was then the Count Nostic Theatre. Probably Mozart visited Bertramka once again when he stayed with the Dušeks in 1791 in connection with the première of his Coronation opera La clemenza di Tito for the Emperor Leopold II. Inside the building the interiors have been preserved with their painted ceilings and also the paintings

in the sala terrena, used as a concert hall. Also popular are concerts on the terrace. In the garden there is a bust of Mozart by Tomáš Seidan dating from 1876. The villa is open to the public as a memorial to the Dušeks and to Mozart.

■ **PAGE 110** ■

The Zbraslav Cistercian Monastery was founded by King Wenceslas II in 1292 by the hunting lodge built after 1268 by Přemysl Otakar II. In 1297 the building began and it dragged on into the middle of the 14th century. The monastery was called Aula regia – the Royal Hall – as proof of the exceptional links with the last Přemyslides, who built their mausoleum here in the splendid Abbey Church of the Virgin Mary. Here there came into being in the first half of the 14th century the Zbraslav Chronicle, written by the Abbots Otta and Petr Žitavský. In 1420 the monastery was burned by the Hussites and after its renovation was again devastated in the Thirty Years War. The Abbots Wolfgang Loechner and then Thomas Budetius were to be thanked for the new Baroque construction of the monastery buildings, which took place in the years 1709–39. Josef II closed the monastery in 1785 and also permitted the new utilization of the buildings as a sugar refinery and a chemical plant. In 1913 the ruined area was purchased by Cyril Bartoň of Dobenín and in the years 1924–25 he had it reconstructed as a chateau.

The three-winged building of the Convent with the Court of Honour was built in the years 1709–32 according to the plans of Jan Blažej Santini, followed on from 1724 by the alterations of František Maxmilián Kaňka.

■ **PAGE 111** ■

The original Parish Church of St James, which took over the function of the Abbey Church after its destruction, including the transfer of the Přemyslide remains, was reconstructed in Early Baroque style in 1650–54. In the interior we can find, apart from a copy of the Zbraslav Madonna, the valuable original of which, dating from 1350, is exhibited in the National Gallery, also paintings by Karel Škréta, Petr Brandl and Giovanni Battista Piazzetta. To the East of the Presbytery there is the extensive building of the Prelate's Residence, reconstructed before 1739 by František Maxmilián Kaňka and decorated with frescos by Václav Vavřinec Reiner and František Xaver Balko, again with themes from the history of the Monastery. In the years 1911–12 it was adapted as a chateau by Dušan Jurkovič.

■ **PAGE 112** ■

In the Royal Hall of the Zbraslav Monastery a fresco was painted in 1728 by Václav Vavřinec Reiner on the theme of the Consecration of the Foundation Stone of the Zbraslav Monastery Church. The other scenes on the walls are also related to the history of the foundation of the Monastery by Wenceslas II. His supreme work was realized here by the stuccoer Tommaso Sol-

dati with his son Martin. The fresco in the Refectory with the portrait of the man who came to his wedding without his wedding raiment was created by František Xaver Balko. The Convent building was designated in 1941 by its last owner for the collections of the National Gallery, which installed here an exhibition of Czech sculpture from the Baroque up to the present.

■ PREMIÈRE PAGE DE LA COUVERTURE ■

La maison A la minute no 3/I fut érigée à la place d'une ruelle étroite seulement au commencement du 15e siècle. Et ce ne fut probablement qu'à l'occasion de la reconstruction Renaissance des années quatre-vingts du 16e siècle qu'on prolongea la maison en profondeur, qu'on l'éleva, qu'on l'orna d'une corniche en lunette et qu'on la décora entièrement en deux étapes de sgraffites (avant 1601 et avant 1615). Dans la seconde moitié du 18e siècle, la maison fut reconstruite en style néo-classique, les sgraffites furent badigeonnés et au coin, on plaça sur la colonne détruite ultérieurement le signe du lion tenant la cartouche de blason dans les pattes, selon le vieux nom de la maison – Au lion blanc. Les sgraffites représentent, selon les modèles graphiques, les histoires de l'Ancien et du Nouveau Testament, les scènes mythologiques, les sujets de l'histoire romaine et du Talmud judaïque, les personnages allégoriques et de nombreux rois de France, furent découverts et restaurés en 1919. A l'intérieur de la maison furent conservés des fragments médiévaux, les plafonds Renaissance en poutres et la charpente de toit, et les voûtes baroques peintes de l'époque avant 1712. Les façades suivantes, partiellement recouvertes, de la partie sud de l'Hôtel de ville de la Vieille-Ville: les maisons Au coq et du fourreur Mikš reliées par les arcades, la maison du marchand Kříž avec une fenêtre Renaissance tripartite d'environ 1525 et la rangée des armoiries des échevins sous la corniche de couronnement, et la maison de Volflin de la Pierre avec son portail gothique tardif et une fenêtre d'environ 1490. Au fond, nous voyons la partie est de la place de la Vieille-Ville avec l'église Notre-Dame du Týn.

■ DERNIÈRE PAGE DE LA COUVERTURE ■

Le coin nord-ouest de la place de la Vieille-Ville avec l'église Saint-Nicolas, vu de l'église Notre-Dame du Týn et de l'École du Týn no 604/I.

■ PAGE 3 ■

Les tours du pont de Malá Strana (Ville Mineure), ferment le pont Charles sur la rive gauche de la Vltava. La plus basse est une tour romane, bâtie en même temps que le pont Judith environ dès 1158. En 1591 elle subit une adaptation Renaissance. Dans la tour, formant à l'origine partie de la décoration extérieure, fut conservé un relief unique d'environ 1170, représentant peut-être la promotion de Ladislas II à la dignité souveraine de roi. La porte ayant remplacé une vieille porte romane fut bâtie après 1411. La tour du pont la plus haute fut fondée sur l'initiative du roi Georges de Poděbrady en 1464, sans doute aussi à la place d'une construction romane. Mais on n'exécuta plus une décoration plastique monumentale.

■ PAGE 4 ■

La vue du haut de la maison A la cloche de pierre no 605/I, au-dessus du toit mansardé du palais Kinský no 606/I, de la place de la Vieille-Ville avec le monument Jan Hus. Nous voyons au fond, près de l'église Saint-Nicolas, les maisons du bloc de l'Hôtel de Ville nos 22, 21, 20 et 19/I.

■ PAGE 5 ■

L'horloge de Prague, voilée dans la légende parlant de son créateur Maître Hanuš aveuglé par les échevins qui ne voulaient pas qu'une oeuvre pareille soit jamais créée ailleurs. Cette horloge compte parmi les lieux pragois les plus fréquentés par les touristes. Elle fut fabriquée en 1410 par Mikuláš de Kadaň, à savoir le cadran astronomique et le mécanisme correspondant. En ce n'est que vers 1439, que maître Hanuš, de son nom Jan Růže, et son aide Jakub Čech ajoutèrent le calendrier. Presque tous les cent ans, l'horloge dut subir des réparations, parfois elle ne marchait pas pendant de longues années, dans d'autres cas elle était perfectionnée et ornée – dans les deux périodes gothiques par des sculptures de pierre, au 17e siècle par les figures de bois mobiles des personnages allégoriques des deux côtés des cadrans, et en 1865 par un nouveau panneau du calendrier de Josef Mánes et par le défilé des apôtres d'Eduard Veselý. Il semble cependant que d'autres apôtres aient défilé dans cette horloge déjà au 18e siècle. Le coq poussait ses coquericos seulement en 1882. Pendant la révolution de mai 1945, la plupart des figurines de l'horloge furent détruites par le feu, la copie du panneau de Mánes fut ravagée par la chaleur. Les nouvelles statuettes furent taillées dans le bois par Vojtěch Sucharda et le panneau du calendrier fut peint par Bohumír Číla. L'horloge réparée commença à fonctionner en 1948. Aujourd'hui, les statues de l'horloge sont des copies. Les originaux de Sucharda et le panneau de Mánes sont exposés au Musée de la ville de Prague.

■ PAGE 6 ■

Un concours avait été lancé en 1903 pour la construction de la Maison municipale no 1090/I à Prague, remporté par Antonín Balšínek et Osvald Polívka. L'édifice Art nouveau à cinq angles fut construit dans les années 1905–1911. Dans la niche sous la coupole, au-dessus du portique de la façade frontale est placée la mosaïque ayant pour sujet l'Hommage rendu à Prague selon le carton de Karel Špillar. Les groupes de statues Humiliation et Résurrection de la nation flanquant l'arc furent créés par Ladislav Šaloun, les phosphores et les autres ornements sont l'oeuvre de Karel Novák. Les autres oeuvres, statues et reliefs des façades latérales furent créées par Antonín Mára, Josef Mařatka, Josef Pekárek, Eduard Pickardt, František Rous, Antonín Štrunc, František Úprka et Gustav Zoula. Les espaces intérieurs de la Maison municipale présentent également un intérêt tout particulier – le vestibule, le restaurant français, le café, la salle de billard, le bar, la salle du maire de Prague, la salle Rieger, la salle Sladkovský, le salon Palacký, la pâtisserie et avant tout la salle de concert Smetana servant parfois aussi aux événements mondains. A côté des artistes déjà mentionnés, il faut noter les noms de Mikoláš Aleš, František Hergesel, Josef Kalvoda, Alfons Mucha, Josef Václav Myslbek, Max Švabinský et František Ženíšek, qui avaient participé à la décoration de ces salles. A la place de la Maison municipale actuelle, siège de l'Orchestre symphonique de la ville de Prague FOK, était située entre les années 1380 et 1483, la Cour royale. Délabrée, elle fut reconstruite après 1631 en séminaire archiépiscopal. Dans la Maison municipale se sont tenues de nombreuses assemblées politiques dont la plus importante fut la proclamation de l'indépendance de la Tchécoslovaquie et la promulgation de la première loi le 28 octobre 1918.

■ PAGE 7 ■

La rue Pařížská avec ses maisons éclectiques et Art nouveau représentatives, trouve sa pleine appréciation seulement dans le dernier quart du 20e siècle. Les maisons avoisinant le no 934/I au coin de la place de la Vieille-Ville furent bâ-

ties au cours des dernières années du 19e siècle. La plupart d'entre elles furent cependant construites dans les années 1901–1906 selon les plans des architectes Matěj Blecha, Richard Klenka z Vlastimilů, Jan Koula, Čeněk Křička, Antonín Makovec, Jan Vejrych, František Weyr et autres.

■ PAGE 8 ■

Le palais Šternberk no 7/III, place Malostranské vit le jour après 1648, où Adolf Vratislav de Šternberk acheta deux maisons Renaissance dont la maison Au bastion est toujours visible grâce à sa façade en retrait jusqu'à la hauteur du premier étage. Avant 1720, une autre reconstruction en style baroque culminant eut lieu, apparemment l'oeuvre de Giovanni Battista Alliprandi. Entre les fenêtres du 1er étage est placé le tableau mural de la Madone avec l'enfant Jésus. Les plafonds en stuc de Giovanni Bartolomeo Cometa et les peintures furent complétés au commencement du 18e siècle par des artistes inconnus.
Les Šternberk possédaient également la maison Renaissance voisine du coin no 518/III bâtie vers 1585. L'adaptation en style baroque primitif fut réalisée en 1670. Pendant la réparation en 1899, Celda Klouček orna la façade de nouveaux sgraffites.
A l'arrière-plan, nous voyons la tour et le tambour de l'église Saint-Thomas.

■ PAGE 9 ■

La façade nord du palais Černín donnant sur le jardin et comportant deux loggias, fut construite dans les années 1669–1692 par Francesco Caratti. La statue d'Hercule triomphant du dragon fut créée par Ignác František Platzer en 1746. Le Jardin à la française, dessiné en 1718 par František Maxmilián Kaňka, fut réalisé par le jardiniste Matěj Ivan Lebsche. La nouvelle orangerie fut aménagée par Anselmo Lurago. Dans les années 1934–1935, le jardin fut reconstruit par Pavel Janák et Otakar Fierlinger.

■ PAGE 9 ■

Le palais Černín no 101/IV fut fondé en 1669 par Humprecht Jan Černín de Chudenice, ambassadeur impérial à Venise, après la démolition de plusieurs

maisons. L'auteur des plans et directeur de la construction influencée par les formes de Palladio, fut Francesco Caratti, aidé par Giovanni Decapauli et Abraham Leuthner. Les travaux de taille de la pierre furent exécutés par Giovanni Battista Pozzo et Domenico Semprici assistés de leurs aides. Depuis 1676, la construction fut dirigée par Giovanni Battista Maderna qui y travaillait également comme stucateur, ensemble avec Giovanni Bartholomeo Cometa et Francesco Perri. Dès 1692, le directeur en fut Domenico Egidio Rossi, depuis 1696 Giovanni Battista Alliprandi et à la fin Martino et Giovanni Battista Allio. Depuis l'année 1718, František Maxmilián Kaňka appliqua à la construction du palais et dans les projets des intérieurs le style baroque à son apogée. A la décoration des intérieurs travaillaient les stucateurs Tomasso Soldati et plus tard Berbardo Spinetti, le marbrier Domenico Antonio Rappa et le fresquiste Václav Vavřinec Reiner dont il faut mentionner surtout la lutte entre les Olympiens et les Géants, réalisée dans l'escalier en 1718. Les sculptures n'ont guère été conservées. En 1851, le palais qui allait en se dégradant, fut vendu et reconstruit en casernes. Il fut reconstruit dans les années 1928–1934 selon le projet de Pavel Janák, pour les besoins du ministère des Affaires étrangères. C'est le plus monumental des palais de Prague.

■ PAGE 10 ■

Le couvent (no 99/IV) avec l'église Notre-Dame des Anges place Loretánské náměstí fut bâti dans les années 1600–1602 étant la plus vieille maison de l'ordre des capucins en Bohême. La crèche célèbre installée à perpétuité dans la chapelle latérale, avait été créée par deux moines de Naples en 1780. Dix-huit figurines n'atteignant pas la grandeur naturelle, fabriquées en bois, paille et plâtre, sont vêtues de costumes d'époque, apprêtés à l'aide de colle délayée. Un petit pont couvert fait communiquer le couvent avec la Lorette dont la balustrade d'entrée est visible à l'avant- plan de notre cliché. Elle porte les figures de vingt-huit petits anges tenant des boucliers où figurent en relief les scènes représentant la Viegre. C'est l'oeuvre de l'atelier d'Ondřej Filip Quittainer de 1725. Cependant, les originaux ont déjà été remplacés par les copies.

■ PAGE 11 ■

La rangée des maisons de canonicat, place Hradčanské.

La maison Aux cygnes no 61/IV, à l'origine un bâtiment Renaissance, fut reconstruite en petit palais baroque tardif au milieu du 18e siècle et élargi en 1842 par l'architecte Johann Maxmilián Heger.

A gauche la maison saxo-lauenbourgeoise no 62/IV d'origine gothique où vécut dans les années 1372–1399 le constructeur de la cathédrale Saint-Guy Petr Parléř. Elle fut reconstruite en style Renaissance vers 1596. Ensuite la maison des Kolovraty no 63/IV bâtie à l'origine au 14e siècle par les seigneurs de Rožmberk qui la firent reconstruire en 1541. Les deux maisons furent adaptées de manière similaire en style baroque en 1737 selon le projet d'Antonín Václav Spannbrucker.

■ PAGE 12 ■

La Lorette (no 100/IV) est un pèlerinage construit tout autour de la maison sainte (casa santa), copie exacte de la maison de Nazareth de la Vierge, maison transportée par les anges en 1295 à Loretto près d'Ancona en Italie. Dès 1626, Benigna Kateřina de Lobkovic fit construire le sanctuaire. Son constructeur Giovanni Battista Orsi dessina en 1634 les cloîtres, à l'origine au niveau du rez-de-chaussée. Après sa mort, la construction des chapelles dans les cloîtres se poursuivait sous la direction d'Andrea Allio, Silvester Carlone, Jan Jiří Mayer, Kryštof Dientzenhofer et de son fils Kilián Ignác jusqu'aux années vingt du 18e siècle.

La façade baroque culminant fut construite dans les années 1721–1723, le projet en étant l'oeuvre commune des deux Dientzenhofer. On introduisit dans l'édifice une vieille tour possédant un charmant carillon, oeuvre de l'horloger Petr Neumann de 1694. De nos jours, les 27 clochettes jouent seulement une chanson consacrée à la Vierge – Mille fois nous te saluons. Jan Bedřich Kohl participa à la décoration plastique de la façade. C'est là qu'est placé le Trésor de la Lorette mondialement connu.

■ PAGE 13 ■

La maison sainte de la Lorette de Prague fut consacrée en 1631. Tout d'abord, sa décoration extérieure était peinte seulement et ce ne fut qu'en 1664 où Jacopo Agosto, Giovanni Battista Colombo et, qui réussissait le mieux – Giovanni Bartolomeo Cometa travaillèrent aux personnages en stuc des prophètes et des Sibylles et aux reliefs représentant les scènes de la vie de la Sainte Vierge. A l'intérieur, la niche placée au-dessus de l'autel porte la statue de la Vierge noire de la Lorette provenant de la fin du 17e siècle. Les murs imitent en détail leur modèle en présentant des fragments de peintures murales et de maçonnerie en brique apparente avec une fente.

L'église de la Nativité à droite fut créé en 1661 avec la chapelle du cloître, qui fut deux fois élargie par Kryštof Dientzenhofer et prolongée dans les années 1733–1735 par son beau-fils Jan Jiří Aichbauer. La fresque du plafond au presbytère fut peinte par Václav Vavřinec Reiner en 1736, celle de la nef par Jan Adam Schöpf en 1742, les stucs sont l'oeuvre de Tommaso Soldati de 1735–1737.

Au premier plan il y a la fontaine avec la statue de l'Assomption provenant de 1739, oeuvre de Jan Michal Brüderle, aujourd'hui c'est sa copie de Vojtěch Sucharda.

■ PAGE 14 ■

Vue du couvent des capucins avec l'église Notre-Dame des Anges et de la Lorette, dirigée au-dessus des toits des maisons du Nouveau Monde.

■ PAGE 14 ■

Pour construire son palais no 182/IV à Hradčany dans les années 1689–1691, Michal Osvald Thun-Hohenstein décida de profiter jusqu'au second étage des murs des anciennes maisons se trouvant à cet emplacement. A en juger d'après le style baroque romain, on considère que l'auteur des plans était Jean Baptiste Mathea, l'architecte exécutant étant Giacomo Antonio Canevalle. Dès 1718, le palais est appelé Toskánský. Sur l'attique, entre deux belvédères du toit, sont placées les figures allégoriques des Sept Arts libres, sculptées par Jan Bro-

kof environ en 1695. Au coin de la rue Loretánská, Ottavio Mosto créa environ en 1700 la statue de l'archange Michel.

■ PAGE 15 ■

Le prédecesseur de la résidence capitulaire no/65 IV à gauche sur la photo, avait été celle (comportant une tour) du chanoine et constructeur de la cathédrale Saint-Guy, Václav de Radeč de 1414. Le prévôt Hanuš de Kolovraty unifia en 1486 cette ancienne résidence et la maison voisine achetée en 1365 par Leonhard Bušek de Vilhartice, chanoine et premier directeur de la construction, et par ses frères. Les reconstructions datant de 1685 et de 1734 donnèrent à la maison son aspect actuel.

Le palais Renaissance Martinský palác no 67/IV fut érigé à la place de trois maisons après le milieu du 16e siècle à l'intention d'Ondřej Teyfl de Kinsdorf. Vers l'année 1620, il fut élargi par le gouverneur Jaroslav Bořita de Martinice, qui avait subi la défénestration en 1618. Les sgraffites sur la façade frontale et de la cour qui proviennent d'environ 1580, représentent les scènes du Vieux Testament parlant de Joseph d'Egypte et de Samson, et aussi les scènes mytholoqiques de 1634. A l'intérieur on y a rénové la grande salle au plafond à caissons décoré de peintures avec la chapelle attenante dont l'entrée est flanquée par les figures d'Adam et d'Eve.

■ PAGE 16 ■

La rampe du château offrant la vue de Prague. Au premier plan dominent les coupoles de l'église Saint-Nicolas de la Ville-Mineure.

■ PAGE 16 ■

Le palais archiépiscopal no 56/IV est situé à la place de la maison Renaissance de Florián Griespek, vendue en 1562 à l'archevêque Antonín Brusa de Mohelnice et adaptée tout de suite après. La reconstruction suivante, assez importante du palais des années 1675–1679 selon les plans de Jean Baptiste Mathey du temps de l'archevêque Jan Bedřich de Valdštejn fut recouverte, à l'exception du portail et de la tonnelle du toit, de la reconstruction néo-classique comportant des éléments rococo et datant des années 1764–1765, oeuvre de Jan Josef Wirch. L'archevêque Antonín Příchovský confia la décoration plastique au sculpteur Ignác František Platzer. Dans les années quatre-vingts du 19e siècle, elle fut complétée par Tomáš Seiden. Daniel Alexius de Květná exécuta les peintures du plafond Renaissance tardive, représentant la vie et les actes de Saint Jean Baptiste, ornant la chapelle du palais. Parmi les joyaux du palais archiépiscopal citons les collections de tableaux, de porcelaines, de verreries, de portraits des archevêques de Prague au cours de quatre siècles, de reliquaires et de splendides tapisseries créées à Paris d'après les cartons d'Alexandre Desportes dans les années 1754–1765 représentant les scènes des Nouvelles Indes.

Par le passage à gauche au rez-de-chaussée mène une route abrupte descendant au palais Šternberk, abritant la Galerie nationale.

■ PAGE 17 ■
La rampe du château offrant la vue de la colline de Petřín au sommet de laquelle se dresse la tour belvédère construite en 1891.

■ PAGE 17 ■
Le Château de Prague vu du jardin de Strahov. Les arbres fruitiers en fleur forment un cadre superbe des palais de Hradčany et des bâtiments moins grands de la rue Loretánská et Úvoz.

■ PAGE 18 ■
Le parterre de fleurs dans le Jardin royal. A gauche est située la villa du président construite de la serre baroque des années 1730–1732, qui fut adaptée par Kilián Ignác Dientzenhofer et élargie par Pavel Janák dans les années 1937–1938. Au berceau du Jardin royal dessiné pour Ferdinand Ier, se trouvait en 1535 probablement l'architecte Giovanni Spazio et le jardinier Francesco, dont le nom était Francysko Skoryna, originaire de Biélorussie. Le Grand jeu de paume orné de sgraffites, oeuvre de Bonifác Wohlmut des années 1567–1569, est une construction qui met en valeur sa splendeur dans le jardin. Devant ce bâtiment est placée la statue

de la Nuit d'Antonín Brauner de 1734. La statue d'Hercule luttant avec le dragon sur la fontaine qui ferme l'allée, est l'oeuvre de Jan Jiří Bendl de 1670.

■ PAGE 18 ■
Le Pavillon royal situé à l'extrémité est du Jardin royal fut bâti dans les années 1538–1562 selon les plans d'un architecte inconnu sous la direction de Paolo della Stella, ensuite de Hans Tirol qui eut l'idée d'y ajouter un étage, et à la fin de Bonifác Wohlmut qui le réalisa. Les reliefs furent taillés par Paola della Stella et ses assistants. C'est l'oeuvre architectonique du plus pur style Renaissance au Nord des Alpes.

Au milieu du jardinet Renaissance giardinetto se trouve dès 1573 la Fontaine chantante – son bassin de bronze vibre de tons profonds sous l'impact des gouttes d'eau. Beaucoup d'artistes avaient participé à la création de cette fontaine: elle fut dessinée par Francesco Terzio en 1562, le moule en fut fabriqué par Hanś Peissner, elle fut coulée dans les années 1564–1568 par Tomáš Jaroš et Vavřinec Křička de Bitýška, la partie supérieure fut ciselée par Antonio Brocco et elle fut assemblée en 1571 par Wolf Hofprucker.

■ PAGE 19 ■
Klárov en Ville-Mineure doit son nom à l'Institut Klár pour les aveugles no 131/III; édifice avec une tourelle basse, à gauche sur la photographie. La vue est prise dans le parc Chotek.

■ PAGE 20 ■
La cour d'honneur du château de Prague. Le Château avait pris naissance dans les années quatre-vingts du 9e siècle et devint la résidence des princes de l'Etat tchèque de la famille des Přemyslides. A l'intérieur des fortifications construites à l'origine en bois, naquirent sous peu plusieurs bâtiments religieux. En 973 fut fondé l'épiscopat auprès de l'église Saint-Guy, et auprès de l'église Saint-Georges, le couvent des bénédictines. Toutes les reconstructions, nouvelles constructions, élargissements et le perfectionnement des fortifications du Château, avaient pour but de donner plus d'éclat à son importance comme résidence du souverain et aussi d'en assu-

rer une défense parfaite. Le Château connut son plus grand essor au cours du règne de Charles IV (1346–1378), de Ladislas Jagellon (1471–1516) et de son fils Louis (1516–1526), et des premiers Habsbourg Ferdinand Ier (1526–1564), Maxmilien II (1564–1576) et Rodolphe II (1576–1611). Après la bataille de la Montagne Blanche, le Château ne joua plus qu'un rôle secondaire. Il subit sa dernière reconstruction importante, saisie par notre photo, pendant le règne de Marie Thérèse dans les années 1755–1775 selon le projet de Niccola Paccassi, reconstruction dirigée par Anselmo Lurago, ensuite par Antonín Gunz et puis par Antonín Haffenecker, qui y apportèrent leurs propres idées.

L'entrée de la cour d'honneur est protégée par la porte du milieu en grille rococo flanquée par deux piliers massifs, supportant les statues de géants en lutte, de putti et les vases, oeuvre d'Ignác František Platzer de 1769. A présent, ce sont les copies de Čeněk Vosmík et d'Antonín Procházka qui y sont placées.

■ PAGE 20 ■
L'échappée de vue de la cour d'honneur du Château en direction du palais archiépiscopal, avec le palais Toscan à l'arrière-plan.

■ PAGE 21 ■
La chapelle de la Sainte Croix qui se trouve à la seconde cour du Château avait été dessinée en 1753 par Anselmo Lurago et bâtie dans les années 1756–1764. Pendant l'adaptation néoclassique des années 1852–1856, les niches du fond avaient été ornées de statues de Saint Pierre et Saint Paul, oeuvre d'Emmanuel Max de 1854. Aujourd'hui, on expose dans la chapelle le trésor de la cathédrale Saint-Guy.

■ PAGE 22 ■
La porte Mathias de 1614 avait fait primitivement partie des fortifications derrière le fossé séparant la place Hradčanské du Château. Cette porte, considérée comme le premier monument baroque de Prague (qui accuse des traits du maniérisme) et qui avait très probablement été dessinée par Giovanni Maria Filippi, ouvre l'accès de la seconde cour du Château ou encore des

escaliers aménagés dans l'aile d'entrée. A droite, l'escalier de style de l'époque de Marie-Thérèse mène aux bureaux du président de la république, l'escalier d'Otto Rothmayer de 1948–1956 monte à la salle Espagnole et à la Galerie Rodolphe.

■ PAGE 23 ■

La croix d'or aux camées utilisée pendant le couronnement, qui fait partie du trésor de Saint-Guy, provient du 13e siècle. Ce fut sans doute un cadeau fait à Charles IV par le roi de France. Charles IV en fit faire une croix des reliques. Il fit insérer dans sa partie arrière (que montre notre cliché) les reliques commémorant les souffrances du Christ – deux morceaux de la Sainte-Croix, des clous, de l'éponge, de la corde et deux épines. Dans la partie frontale une partie de la Sainte-Croix et neuf camées (onyx) antiques et byzantins, l'améthyste et le saphir. Les bras de la croix sont ornés de saphirs et de perles qui sont tournés vers l'arrière. Les reliques de la Sainte-Croix sont bordées de saphirs, de rubis et de perles. Le pied de la croix est de style baroque. La croix qui avait été utilisée pendant le couronnement dès les années vingt du 16e siècle, fut gardée jusqu'en 1645 à Karlštejn.

La vitrine abrite également quatre reliquaires gothiques en argent doré, fabriqués pour la plupart dans la seconde moitié du 14e siècle. A droite, avant, le reliquaire portant l'emblème de Parléř, derrière le reliquaire de la Sainte-Catherine. A gauche à l'arrière on voit le reliquaire avec le coffret de cristal de forme cylindrique, et, avant, celui de Saint-Venceslas épousant la forme d'une tourelle.

■ PAGE 24 ■ 25 ■

Le panorama du Château de Prague, de la Ville-Mineure et du pont Charles, vu du quai Smetana.

■ PAGE 24 ■ 25 ■

Vue du Château de Prague du quai Aleš montrant la rive naturelle de la Vltava du côté de la Ville-Mineure où se jette son bras, la Čertovka, dans le cours principal.

■ PAGE 26 ■

Le bureau de l'office des livres fonciers dans le Vieux palais royal est un espace Renaissance dont la voûte est soutenue par le pilier du milieu, et dont les murs et le plafond sont ornés d'emblèmes des magistrats nobles. Ce bureau avait servi dès le renouvellement des livres fonciers après l'incendie du Château en 1541.

■ PAGE 27 ■

La Vieille Chambre avait été créée par Bonifác Wohlmut dans les années 1559–1563. Pendant que par la voûte à réseau de nervures entrelacées courbes, l'architecte renoua avec la salle Vladislav voisine, il conçut la chaire dans le coin de la pièce en pure Renaissance. Le trône royal fut réalisé dans les années trente du 19e siècle. C'est dans cet espace que se tenaient les séances de la Cour suprême du pays et des représentants des états tchèques jusqu'en 1847.

■ PAGE 28 ■

La façade ouest de l'église Saint-Georges du Château de Prague est tournée vers la place Jiřské. La basilique carolingienne originale avait été fondée déjà par le prince Vratislav avant 921. A l'époque de la fondation du plus ancien monastère dans nos pays par le prince Boleslav II et sa soeur Mlada qui devint la première abbesse sous le nom religieux de Marie, on entama après 973 les adaptations nécessaires à la vie des religieuses, l'élargissement du sanctuaire et la construction des tours. A cette époque fut créée la chapelle mortuaire de Sainte-Ludmila. Comme deuxième fondatrice de l'église et du couvent est désignée l'abbesse Berta qui fit reconstruire tout cet ensemble après l'incendie éclaté pendant le siège du Château en 1142. C'est l'abbesse Agnès qui donna l'initiative aux adaptations des environs en 1220. La forme gothique de la chapelle Sainte-Ludmila date du troisième quart du 14e siècle. Francesco Caratti est probablement l'auteur de la façade ouest en premier baroque des années soixante-dix du 17e siècle. La décoration plastique est sans doute l'oeuvre de Jan Jiří Bendl. Dans les années 1719–1722, on ajouta à la façade la chapelle Saint-Jean-Népomucène selon les dessins de František Maxmilián

Kaňka, avec les statues de Ferdinand Maxmilián Brokof. Le portail Renaissance s'ouvrant dans la rue Jiřská provient de l'atelier de Benedikt Ried après 1500. Le relief représentant la figure équestre de Saint-Georges dans le tympan est une copie de 1934. L'original est installé à la Galerie nationale, dans les locaux du couvent. Cette église est l'oeuvre architectonique romane le mieux conservée dans toute Prague.

■ PAGE 29 ■

L'intérieur de l'église Saint-Georges. Le presbytère surélevé au-dessus de la crypte est accessible par un escalier à deux branches protégées par une balustrade de 1731. Dans les absides, on voit les fragments des peintures romanes de l'époque de l'abbesse Agnès. Parmi les nombreuses tombes de la famille princière et des religieux, l'attention est surtout attirée par le tombeau de bois du prince Vratislav, placé dans la nef, qui est orné de peintures représentant des saints, les fondateurs de l'église et la Crucifixion, et aussi par celui de Boleslav II. Dans la chapelle Sainte-Ludmila surplombée par une voûte Renaissance et ornée de peintures murales de la fin du 16e siècle, est placé le tombeau de la sainte de 1380, complété après milieu du 19e siècle. Dans la chapelle Sainte-Vierge il convient de remarquer les peintures murales de la première moitié du 13e siècle.

■ PAGE 30 ■

La Ruelle d'or au Château s'appelait à l'origine rue des Orfèvres de Rodolphe II, qui y habitaient à l'époque de l'empereur parmi les tireurs du Château. Les maisonnettes miniature ne comportant pour la plupart qu'un seul niveau et comme collées à la muraille gothique tardif du Château, naissaient successivement dès le 16e siècle. Dans le premier quart du 20e siècle, la maison no 22 appartenait à Franz Kafka, et, pendant la Seconde Guerre mondiale, à Otakar Štorch-Marien, fondateur de l'Aventinum.

■ PAGE 31 ■

Les toits des palais de la Ville-Mineure (Malá Strana), du Petit palais Fürstenberg no 155/III et du palais Kolovrat no 154/III, vus du jardin Kolovrat. A l'avant-plan, on voit le toit sous forme de cloche de la gloriette, créée ensemble avec d'autres petites oeuvres architectoniques, par Ignazio Giovanni Nepomuceno Palliardi après 1769.

■ PAGE 32 ■
La cathédrale Saint-Guy vue de l'ancien Manège d'été du Château adapté dans les années trente du 20e siècle par Otto Rothmayer. La galerie à arcades pour les spectateurs fut construite dans les années 1696–1699 ensemble avec la Salle d'équitation d'hiver par Jacopo Antonio Canevale selon le projet de Jean Baptiste Mathey.

■ PAGE 32 ■
Les bustes des reliques de Saint-Venceslas et Saint-Adalbert sulptés à Prague après 1486 aux frais de Ladislav Jagellon, proviennent du trésor de la cathédrale Saint-Guy et sont placés dans la chapelle de la Sainte-Croix. Le premier buste est sans doute l'oeuvre de l'orfèvre Václav de Budějovice.

■ PAGE 33 ■
La façade ouest de la cathédrale Saint-Guy. Elle avait été fondée par l'empereur Charles IV en 1344 comme le troisième bâtiment religieux consacré au même saint à cet emplacement, succédant à la rotonde à quatre absides construite par Saint-Venceslas dans les années vingt du 10e siècle et à la basilique de Spytihněv qui comportait deux choeurs et qui provenait des années soixante du 11e siècle. La construction de la cathédrale fut projetée et dirigée par Matyáš d'Arras, et, dès 1356, par Petr Parléř et par ses fils jusqu'au temps des guerres hussites. Le choeur terminé avec une partie du transept fut fermé provisoirement par un mur auquel Bonifác Wohlmut ajouta une tribune d'orgues dans les années 1559–1561. Après plusieurs tentatives échouées entamées au cours des siècles suivants, l'achèvement de la construction fut commencé en 1876 selon le projet de Josef Mocker, remplacé dans la direction de la construction par Kamil Hilbert. En 1929, à l'occasion du millénaire de la prétendue mort de Saint-Venceslas, la nouvelle partie avec les deux tours

ouest fut solennellement consacrée. La cathédrale est aussi le lieu du dernier repos des souverains de Bohême, des dignitaires de l'Eglise et d'autres personnalités éminentes dont trois patrons de la Bohême – Saint-Venceslas, Saint-Adalbert et Saint-Jean-Nepomucène. L'intérieur de cet espace à trois nefs avec des chapelles, une nef transversale, le choeur et les chapelles en couronne est orné de décorations d'une richesse étonnante. Attirons au moins l'attention sur les bustes portraits des Luxembourg et des personnalités ayant trait à la construction au triforium et sur les tombes des Přemyslides créés par l'atelier de Parléř dans les années 1375–1385, ensuite sur la chapelle Saint-Venceslas dominant la tombe de Saint-Venceslas, et ornée de pierres fines et de la statue de Saint-Venceslas de Jindřich Parléř de 1373, et sur l'ensemble des peintures du Maître de l'autel de Litoměřice des années 1506–1509. A l'étage sont déposés les joyaux de couronnement de 1346, sertis par la suite de pierres précieuses. Il ne faut pas manquer de prêter son attention aux fragments des peintures murales du commencement du 15e siècle, à l'oratoire royal très probablement oeuvre de Hans Spiess de 1493, au mausolée royal d'Alexandre Collin des années 1566–1589, au tombeau de Saint-Jean-Nepomucène, dessiné par Josef Emanuel Fischer d'Erlach et exécuté par l'orfèvre Jan Josef Würth d'après le modèle d'Antonio Corradini dans les années 1733–1736, tombeau auquel quelques accessoires furent ajoutés plus tard. Il faut également porter ses regards vers la statue du cardinal Bedřich Schwarzenberk de Josef Václav Myslbek des années 1892–1985 et vers les vitraux de Cyril Bouda, František Kysela, Alfons Mucha, Karel Svolinský et Max Švabinský des années vingt et trente du 20e siècle.
La photographie montre le portail du milieu de la façade dans le tympan de laquelle est placé un relief représentant la Crucifixion, exécuté selon le modèle de Karel Dvořák par Ladislav Pícha. Les reliefs de la porte de bronze décrivant la construction de la cathédrale au cours des siècles ont été coulés par la maison Anýž dans les années 1927–1929

d'après les cartons de Vratislav Hugo Brunner et les modèles d'Otakar Španiel.

■ PAGE 33 ■
La salle Vladislav (Ladislas) du Château, espace gothique tardif le plus somptueux d'Europe centrale, fut construite dans les années 1492–1502 répondant au désir du roi Ladislas II. L'auteur du projet est Benedikt Ried. Pour la construire, il fallut sacrifier les salles et la chapelle du second étage de l'aile principale du Vieux palais. Les nervures cerclées empiétant les unes sur les autres, de cinq étoiles à six branches, partent des demi-piliers des murs, et s'entrelacent et s'entrecroisent. Les fenêtres jumelées, les portails et la conception de la paroi est sont déjà de style Renaissance. Les lustres du milieu du 16e siècle, dont deux copies avaient été offertes en cadeau à Ferdinand Ier par les citoyens de Nuremberg. Par le portail dans l'axe du mur est, provenant de 1592 ou 1598, probablement l'oeuvre de Giovanni Gargiolli, on accède au choeur de l'église capitulaire de Tous-les-Saints. Le portail géminé provenant de l'époque après 1541, aménagé dans le mur nord, ouvre l'accès vers les espaces des livres fonciers et aussi vers l'escalier des cavaliers. Le portail Ried voisin mène à la Vieille Chambre.

■ PAGE 34 ■
Le couvent de Strahov des prémontrés no 132/IV fut fondé en 1140 par le roi Ladislas II sur l'initiative de Jindřich Zdík, évêque d'Olomouc. On commença à le construire à peu près deux ans plus tard. Après l'incendie des années 1258–1263, les édifices furent rénovés. Au 17e siècle on réalisa plusieurs adaptations et reconstructions (avec la participation de Giovanni Domenico Orsi dès 1671), dont la plus importante fut l'élargissement du bâtiment de la prélature selon les plans de Jean Baptiste Mathey de 1682, que montre notre photo. L'architecte en fut Silvestro Carlone, la reconstruction fut terminée en 1697. A la suite de la canonnade dirigée contre Hradčany en 1742, dont on a déjà parlé, il fallut remédier aux dommages, et cela selon le projet d'Anselmo Lurago. Dans les années 1782–1783,

Ignazio Giovanni Nepomuceno Palliardi construisit une nouvelle aile de la bibliothèque. Les deux tours appartiennent à l'église abbatiale de l'Assomption.

La maçonnerie romane du couvent a pour la plupart été conservée jusqu'à la hauteur du premier étage, dans l'aile ouest de l'édifice du couvent a été conservé le vaste espace à deux nefs des cellules et l'escalier dans la muraille. Dans l'aile est est situé le réfectoire d'hiver richement orné de stucs d'environ 1730. La salle capitulaire voisine, le réfectoire d'été dans le coin sud-est du cloître, la salle de la Bibliothèque théologique à l'étage, la salle des cérémonies du deuxième étage, la chapelle abbatiale avec le réfectoire abbatial dans l'édifice de la prélature, de même que quatre chapelles dans l'église furent ornés de peintures exécutées par le religieux de l'ordre Siard Nosecký dans les années 1721–1751. Dans la salle de la Philosophie de la bibliothèque, nous pouvons admirer la fresque traitant le sujet de l'histoire spirituelle de l'humanité, oeuvre tardive d'Anton Franz Maulbertsch.

■ PAGE 34 ■
La rue Nerudova de la Ville-Mineure. A l'avant-plan la maison Aux trois croix rouges no 226/III, qui réunit deux maisons médiévales. Elle subit des adaptations au 16e siècle et vers 1663. Dans la maison voisine no 225/III Aux trois aigles noirs d'origine Renaissance et qui était adaptée par la suite, habitait le poète Jan Neruda dans les années 1841–1845 et puis de 1857 à 1869.

■ PAGE 35 ■
La maison Aux deux soleils no 233/III. Dans la rue Nerudova à Malá Strana (Ville-Mineure) est située une maison Renaissance à la place d'une maison médiévale qui avait été démolie. La maison doit son visage actuel à la reconstruction des années 1673–1690. La plaque commémorative en l'honneur du poète Jan Neruda fut inaugurée déjà en 1895.

■ PAGE 36 ■
La maison Aux trois violons no 210/III est d'origine médiévale. Elle fut recons-truite au 17e siècle et à nouveau vers 1780. Au cours des années 1667–1748, elle fut la propriété successive de trois familles de luthiers, où se distingua surtout Tomáš Edlinger. L'auberge située au rez-de-chaussée fut fréquentée au 19e siècle par les poètes Jan Neruda, Karel Hynek Mácha, Václav Hanka et autres.

■ PAGE 36 ■
L'intérieur de l'église Saint-Nicolas de Malá Strana, l'espace avec les chapelles latérales, témoigne d'un mariage heureux de l'architecture, de la peinture, de la sculpture et de l'artisanat d'art. Les peintures du plafond furent créées par Jan Lukáš Kracker, František Xaver Platzer, Richard, Jiří et Petr Prachner, les tableaux de l'autel par Karel Škréta, Ignác Raab, Francesco Solimena, Josef Kramolín, Ludvík Kohl, le marbre artificiel est l'oeuvre de Jan Vilém Hennevogel et de beaucoup d'autres.

■ PAGE 37 ■
Le palais Thun-Hohenstein no 214/III. Il fut construit dans la rue Nerudova par Norbert Vincenc Libsteinský de Kolovraty dans les années 1718–1726 selon le projet de Jan Blažej Santini-Aichl à l'emplacement de six maisons en tant que partie du no 193/III, palais des seigneurs de Hradec. La construction était dirigée par Antonio Giovanni Lurago et Bartolomeo Scotti. A l'exception de deux figures, la décoration plastique de la façade est l'oeuvre de l'atelier de Matyáš Bernard Braun. L'escalier du palais fut construit vers 1870 selon les plans de Josef Zítek, créateur du Théâtre national et du Rudolfinum. Il fut décoré par les peintures de František Ženíšek, Josef Scheiwl et Josef Tulka. Les Thun héritè-rent l'édifice en 1768. Cette oeuvre architectonique de style baroque à son apogée d'une rare valeur abrite à présent le siège de l'Ambassade d'Italie.

■ PAGE 38 ■
Du côté nord de la place Malostranské, la photographie montre à gauche le palais des seigneurs Smiřický no 6/III, bâtiment Renaissance à l'origine, dont la moitié inférieure fut construite par Jaroslav de Smiřice avant 1572. Après la reconstruction, Albrecht Václav de Smiřice rattacha une autre maison en 1612 pour en faire un tout. Etant la propriété des Montage dès 1763, le palais fut reconstruit selon le projet d'Ignazio Giovanni Nepomucène Palliardi pour revêtir son visage actuel. En 1618, le palais fut le théâtre des conseils des chefs de l'insurrection des états tchèques.

■ PAGE 38 ■
La Chambre des députés no 176/III. Dans la rue Sněmovní à Malá Strana, elle avait été construite en tant que palais du comte Thun dans les années 1695–1720 occupant l'emplacement de cinq maisons. Le nom de l'auteur du projet n'est toujours pas connu. La construction fut dirigée par Jakub Antonín Achtzinger, les travaux de taille de la pierre furent exécutés par Jakub František Santini-Aichl. Dès 1779, l'édifice servait de théâtre pour la compagnie de Pasquale Bondini qui exécutait les opéras de Mozart. Après l'incendie, il fut acheté par les états tchèques qui le firent reconstruire selon le projet d'Ignazio Luigi Palliardi en 1801 en Chambre des députés. La salle des séances fut aménagée vers 1870. Aujourd'hui, c'est le siège du Conseil national tchèque.

■ PAGE 39 ■
L'église Saint-Nicolas des jésuites à Malá Strana remplaça l'église paroissiale gothique de la seconde moitié du 13e siècle. La nef avec sa façade de style romain radical que nous voyons sur la photo, fut construite par Kryštof Dientzenhofer dans les années 1704–1711. Son fils Kilián Ignác créa en 1737–1752 le presbytère avec la coupole. Or, le clocher qui appartenait à la commune, est l'oeuvre d'Anselmo Lurago des années 1751–1756. C'est la plus belle dominante baroque de Prague.

■ PAGE 40 ■
Le palais Thun no 180 sous le Château de Prague, Renaissance à l'origine, fut la propriété des comtes Leslie. En 1659, il fut acheté par l'archevêque de Salzburg Quidobald Thun qui réalisa en principe son étendue actuelle avec la tour polygonale. Le palais doit sa forme baroque culminant à la reconstruction des années 1716–1727, dirigée par Gio-

vanni Antonio Lurago. Encore dans les années 1785–1793, la réparation du palais fut étudiée par Ignazio Giovanni Nepomuceno Palliardi. La porte d'entrée néo-gothique (sur notre photo) avec l'aile de la cour avait été dessinée par Bernhard Grueber et construite en 1850 par Kašpar Předák. Un jardin en terrasses appartient au palais, créé dans la seconde moitié du 17e siècle et adapté au 19e siècle.

Pendant sa première visite de Prague, Wolfgang Amadeus Mozart habita le palais avec sa femme et son beau-frère. Il y arriva à l'invitation du comte Johann Josef Thun en janvier 1787. Aujourd'hui, c'est l'édifice de l'ambassade de la Grande-Bretagne.

■ PAGE 40 ■

La maison Au cerf d'or no 26/III. Elle se trouve dans la rue Tomášská à Malá Strana. De style Renaissance à l'origine, elle fut reconstruite par Kilián Ignác Dientzenhofer dans les années 1725–1726 et ornée à la même époque de la statue de Saint-Hubert avec le cerf, oeuvre de Ferdinand Maxmilián Brokof.

■ PAGE 41 ■

Le palais Valdštejn no 17/III, vaste ensemble d'édifices, de cours, comprenant un jardin et une maison d'équitation, de style baroque primitif. Albrecht de Valdštejn (Wallenstein), généralissime impérial, le fit construire dans les années 1623–1630, ayant démoli auparavant sans hésiter vingt-trois ou même vingt-six maisons, dont la maison Renaissance des Trček de Lípa. Jusqu'en 1628, Andrea Spezza fut l'auteur du projet et maître d'oeuvre. Une certaine part y fut aussi apportée par les architectes Vincenzo Boccacci et Niccolo Sebregendi. L'idée du projet provient de Giovanni Pieroni. C'est Baccio del Bianco qui créa les peintures des plafonds dans les intérieurs importants du palais, dans la salle principale où l'on voit Albrecht de Wallenstein en dieu Mars sur son chariot de guerre, dans la chapelle Saint-Venceslas, dans l'étude du coin et dans le Couloir astronomique. Parmi les nombreux stucateurs dont certains sont restés inconnus jusqu'à présent, il y avait Domenico Canevalle et Santino Galli.

■ PAGE 41 ■

Le palais Auersperk no 16/III sur la place Valdštejnské fut construit en 1628 de la vie de Jan Marek Jiří Clary-Aldringen à la place de deux maisons d'origine médiévale. František Václav Jan Clary-Aldringen fit reconstruire le palais en 1751 dans sa forme actuelle. En 1843, le palais devint la propriété de la famille Auersperk. Pendant l'élargissement de l'édifice de la Diète en 1844, il fut un peu réduit et adapté par l'architecte Jan Ripota. Ludwig van Beethoven entretenait des relations de sincère amitié avec cette famille et il écrivit plusieurs compositions pour mandoline à l'intention de la comtesse Josefina Clary-Aldringen.

■ PAGE 42 ■

On n'a pas encore pu établir avec certitude l'auteur du projet de l'église centrale Saint-Joseph à Malá Strana dont la façade apporte dans Prague baroque le style des Pays-Bas unique dans cette ville. On estime à présent que les carmélites de Prague avaient commandé le plan chez leur confrère de l'ordre Fra Ignatio à Jésu de Louvain, de son propre nom Johann Raas du Tirol. L'église fut bâtie dans les années 1687–1692, l'ornementation sculpturale de la façade fut exécutée par Matěj Václav Jäckel en 1691. Vingt ans plus tôt avait été établi un couvent repris en 1872 par les Dames Anglaises. A ce couvent appartenait un jardin agrémenté par de menues oeuvres architectoniques – aujourd'hui c'est le parc Vojanovy sady.

■ PAGE 42 ■

Le palais Oettingen no 34/III dans la rue Josefská à Malá Strana, au voisinage de l'église Saint-Thomas, fut construit après 1548 par Ladislav Popel de Lobkovice. Ayant été endommagé par l'incendie, il fut construit à nouveau probablement d'après les plans de František Maxmilián Kaňka. La famille princière des Oettingen-Wallerstein acquit le palais en 1841. Pour des raisons de communication, le rez-de-chaussée du palais fut changé en partie en passage pour piétons et voitures.

■ PAGE 43 ■

Le palais Kolovraty no 154/III dans la

rue Valdštejnská appartenait depuis l'année 1603 à Vilém Popel de Lobkovice, membre du gouvernement (Directoire) en 1618 qui réunit deux maisons en une seule. Comme propriété de la comtesse Marie Barbora Černínová, il fut reconstruit selon le projet d'Ignazio Palliardi dans les années 1784–1788. Zdeněk de Kolovraty qui acheta le palais en 1886, était un littéraire. Il possédait une riche bibliothèque, une galerie de tableaux et une collection numismatique. Aujourd'hui, le palais sert de siège au ministère de la Culture.

■ PAGE 44 ■

Le jardin Valdštejn naissait au fur et à mesure que s'élevait le palais. Il est dominé par une sala terrena monumentale, ornée de peintures de Baccio del Bianco et de riches stucs. Les chemins sont bordés de copies des statues d'Adriaen de Vries (les originaux des années 1626–1627 furent emportés par les Suédois pendant la guerre de Trente Ans en 1648), on y trouve la grotte aux stalactites, des fontaines, une volière, un jardinet Renaissance des allées de charmes taillés en forme et la nappe d'eau tranquille d'un grand bassin.

■ PAGE 44 ■

Au milieu du bassin carré du jardin Valdštejn est installée une île artificielle où se trouvent les copies des statues de bronze – Héraclès luttant contre l'Hydre et quatre Naïades – d'Adriaen de Vries, qui faisaient à l'origine partie de la fontaine de marbre. A l'arrière-plan il y a les arcades de la façade de l'aile nordouest du palais avec une niche de style maniériste.

■ PAGE 45 ■

L'intérieur de l'église Saint-Thomas à Malá Strana. L'église basilicale avec le couvent des ermites de saint Augustin fut fondée en 1285 par le roi Václav II (Venceslas II) auprès d'une vieille église. Le presbytère fut consacré en 1315, l'ensemble du bâtiment en 1379. Après l'incendie de la Ville-Mineure en 1541, l'église était rénovée assez lentement (jusqu'en 1592), sous la direction de Bernardo Dealberto. A l'époque y travaillait également Ulrico Aosali qui fut enterré dans l'église en 1597. En

1726, la reconstruction fut confiée à Kilián Ignác Dientzenhofer qui la termina en 1731. Au-dessus du portail ouest et sud, il plaça les figures anciennes de saint Augustin et de saint Thomas, oeuvre de Jeroným Kohl. L'attention est surtout attirée par la chapelle premier gothique au nord du choeur et par la sacristie ornée de peintures murales des années 1353–1354 et portant une voûte à nervures supportée par le pilier central du milieu du 15e siècle. Le prévôt Jan Svitavský de Bochov commanda les tableaux pour l'autel principal chez le peintre flamand Pierre Paul Rubens. Ils furent livrés en 1637. A leur place, il y a actuellement des copies, les originaux ayant été installés à la Galerie nationale. Dans les années 1728–1730, Václav Vavřinec Reiner orna la nef centrale de fresques illustrant les scènes de la vie de saint Augustin (sur notre photo), et le presbytère et la coupole de l'église de celles représentant la vie de saint Thomas. Parmi les autres artistes ayant participé à la décoration des intérieurs, mentionnons au moins les peintres Bartoloměj Spranger, Karel Škréta, Jan Jiří Heinsch, Antonín Stavens de Steinfels, František Xaver Palk, les sculpteurs Jan Antonín Quittainer et Ferdinand Maxmilián Brokof. En 1612, on enterra dans le cloître la poétesse Alžběta Johanna Vestonie, et beaucoup d'autres personnalités importantes de la cour de Rodolphe II y ont leurs tombes.

■ PAGE 46 ■
La maison d'équitation Valdštejnská jízdárna dont nous voyons la façade donnant dans le jardin derrière la figure d'Héraclès, fut adaptée dans les années 1952–1954 en salle d'exposition de la Galerie nationale par Julie Pecánková et Miloš Vincík.

■ PAGE 46 ■
A l'emplacement de l'ancienne cour d'équitation du palais Valdštejn avait été créée avant 1978 une sorte de compromis entre un jardin et une cour pavée près de la station de métro Malostranská de la ligne A à Klárov. Otakar Kuča fut l'auteur du projet. Près de la façade donnant dans la cour sont placées les figures de dieux antiques, copies des statues baroques de l'atelier d'Antonín Braun. Les portes grillagées des portails furent créées par Jaromír Bruthans, Zbyněk Runzik et Jan Smrž.

■ PAGE 47 ■
Pendant la construction du palais du Grand prévôt no 485/III, on utilisa la maçonnerie de l'ancien hôpital du 12e siècle et de la résidence du prévôt du tournant du 16e et 17e siècle. Dès 1725, le propriétaire fut le grand prévôt le comte Karel Leopold Herberstein et puis son successeur Gundakar Poppo de Dietrichstein. Bartolomeo Scotti fut l'auteur du projet. La décoration plastique fut exécutée par l'atelier de Matyáš Bernard Braun. A la commanderie des Johannites appartenait aussi l'édifice du couvent no 287/III, le futur petit palais Buquyoy no 484/III et le moulin no 488/III et 489/III. Depuis leur installation à Malte en 1530, les Johannites s'appellent aussi l'ordre de Malte ou chevaliers de Malte.

■ PAGE 47 ■
Le palais Nostic sur la place Maltézské no 471/III, bâtiment pentagonal encerclant une cour intérieure, fut construit par Jan Hartvig Nostic à l'emplacement de quatre maisons après 1662. L'auteur présumé en est peut-être Francesco Caratti. Des adaptations furent exécutées vers 1760 et 1780. En 1720, Ferdinand Maxmilián Brokof remit les statues pour la façade. Le comte František Antonín Nostic acheta dans les années soixante du 18e siècle la maison Hollweylov voisine no 468/III et la fit adapter en maison d'équitation. Chez les Nostic, il y avait comme instituteurs et éducateurs au 18e siècle Josef Dobrovský, théologien et critique littéraire, František Martin Pelcl, historien, et Josef Jaroslav Schaller, topographe. De nos jour, c'est le siège du ministère de la Culture et de l'Ambassade des Pays-Bas.

■ PAGE 48 ■
L'église de la Vierge-Marie-à-la-Chaîne à Malá Strana fut bâtie, ensemble avec l'hôpital des Johannites, dans les années 1158–1182 à la base du pont de la reine Judith et c'est pourquoi elle était tout d'abord appelée de la Vierge Marie – fin du pont. L'église romane et la commanderie furent fondées par le chancelier Gervasius et son neveu Martin, sous-chancelier, avec l'aide du roi Ladislas Ier. Vers l'année 1280 prit naissance un long presbytère premier gothique, en 1376 fut entamée la construction de trois nefs, dont on termina seulement le vaisseau latéral nord et un peu plus tard les deux tours ouest avec le vestibule (sur notre photo), où travaillèrent les architectes Pešek et Jan Lutka. Au cours de la première moitié du 17e siècle, les travaux de construction dans l'église ne cessaient point, dès 1638 ils se poursuivaient probablement selon le projet de Carlo Lurago. Dans l'intérieur richement orné de stucs baroque primitif, l'ambiance met en pleine valeur les tableaux de Karel Škréta – La Bataille de Lépante avec l'Adoration de la Vierge Marie sur l'autel principal et la Décapitation de la sainte Barbe sur l'autel latéral, du milieu du 17e siècle.

■ PAGE 49 ■
Le pont Charles fut fondé par Charles IV en 1357. A la suite de l'inondation qui avait détruit en 1342 le pont roman des années soixante-dix du 12e siècle appelé pont Judith d'après l'épouse du roi Ladislav Ier, il fallut assurer une communication sûre entre les deux rives de la Vltava. Le nouveau pont appelé pendant des siècles pont de Prague ou de Pierre avait été bâti selon le projet de Petr Parléř en pierres de taille de grès reposant sur seize arches. L'oeuvre plastique la plus vieille fut la croix du 14e siècle, rénovée dans la seconde moitié du 17e siècle, et la statue du roi Georges qui n'a pas été conservée. Après la figure de saint Jean-Népomucène de 1683, tous les piliers du pont furent ornés de statues – groupes de saints, au cours du 18e et à nouveau au 19e siècle. La plus récente est la statue de saint Cyrille et Méthode de 1928. A cause de l'environnement de plus en plus néfaste, beaucoup d'originaux ont déjà été remplacés par des copies. Et ce n'est que dès 1870 que le pont reçut le nom pont Charles.

■ PAGE 49 ■
Les édifices du couvent des croisés à l'étoile rouge et l'église Saint-François séraphique dans la Vieille-Ville.

■ **PAGE 50** ■

L'église Saint-Sauveur dans la Vieille-Ville fait partie de l'ancien collège jésuite important no 1040/I et 190/I. On peut qualifier de prédécesseur de l'église actuelle, fondée en 1578, l'église Saint-Clément qui appartenait aux dominicains dès 1232. Marco Fontana fut l'auteur du projet de la basilique à trois nefs avec les tours au chevet, et au début, il dirigeait aussi les travaux. Devant la façade terminée en 1601, on ajouta après 1653 un portique dessiné probablement par Carlo Lurago qui travaillait à la construction de l'église déjà dès 1638. Les stucs sont l'oeuvre de Giovanni Bartolomeo Cometa, les figures du Sauveur, de l'Immaculata, des évangélistes, des pères spirituels et des saints des jésuites celle de Jan Jiří Bendl des années 1659–1660. L'adaptation des tours fut faite par František Maxmilián Kaňka en 1714. L'intérieur est décoré par les ornements en stucs de style baroque primitif. Jan Karel Kovář peignit en 1748 la voûte du presbytère, trois artistes – Häring, Heinsch et Bendl qui s'appelaient tous les trois de leur prénom Jan Jiří, créèrent les tableaux de l'autel et des murs et les statues des apôtres sur les confessionnaux.

■ **PAGE 50** ■

L'église Saint-François séraphique fut bâtie dans les années 1679–1688 sur l'ordre de Jan Bedřich de Valdštejn, grand maître de l'ordre des croisés à l'étoile rouge et archevêque pragois, sur les fragments du sanctuaire gothique primitif Saint-Esprit. Le projet du bâtiment de plan centré baroque romain fut élaboré par Jean Baptiste Mathey, les travaux furent dirigés par Gaudenzio Casanova. Les figures des patrons de la Bohême dans les niches sur la façade furent fournies probablement par Ondřej Filip Quittainer dans les années 1723–1724, les copies des anges de l'atelier de Matěj Václav Jäckel de 1722 sont placées à l'attique. Sur les socles se trouvent les statues de la Vierge Marie et de saint Jean-Nepomucène de Richard Prachner de 1758, à l'angle fut transportée la colonne accolée de vigne de Jan Jiří Bendl de 1676. A l'ornementation élaborée de l'espace intérieur participèrent avant tout les peintres Jan Jiří Heinsch, Michael Leopold Willmann, Jan Kryštof Liška, Václav Vavřinec Reiner et les sculpteurs Jeremiáš et Maxmilián Konrád Süssner et Matěj Václav Jäckel. A l'avant-plan de la photographie, nous voyons toute une série de figures des pères spirituels sur la terrasse du portique de l'église Saint-Sauveur.

■ **PAGE 51** ■

Les touristes sur le pont Charles.

■ **PAGE 52** ■

Les bâtiments des moulins de la Vieille-Ville nos 198/I, 200/I, 202/I, et 976/I, furent fondés à l'origine dans les années 1432–1436. Leurs façades furent plusieurs fois adaptées avant de revêtir leur visage final, pour la plupart néo-Renaissance. A gauche le musée Smetana no 201/I de style Renaissance tchèque de 1883 selon le projet de Antonín Wiehl. Les cartons pour les sgraffites figuratifs furent peints par František Ženíšek, Mikoláš Aleš et Jan Koula. Le château d'eau de la Vieille-Ville fut bâti en 1489. Ravagé par de nombreux incendies, il doit sa forme actuelle à l'adaptation de 1885.

■ **PAGE 52** ■

Le deuxième plus grand espace religieux du Clémentinum qui donna son nom au collège jésuite, est l'église Saint-Clément. Elle fut érigée dans les années 1711–1715 à la place d'un sanctuaire assez récent consacré au même saint, adapté par les dominicains de l'ancienne salle capitulaire pour remplacer l'église gothique primitif endommagée par les hussites. On ne connaît pas encore l'auteur de la construction baroque à nef unique, les travaux étaient dirigés par Giovanni Antonio Lurago. Le portique d'entrée fut dessiné en 1715 par František Maxmilián Kaňka. Le magnifique intérieur fut orné par les peintures du plafond de Jan Hiebel, représentant les scènes de la légende sur saint Clément, par les statues nombreuses de Matyáš Bernard Braun et de son atelier des années 1715–1721, par les tableaux de l'autel de Petr Brandl et Ignác Raab et par l'autel principal en trompe-l'oeil de 1770, œuvre de Josef Kramolín. L'église sert à l'Eglise catholique grecque.

■ **PAGE 53** ■

La tour du pont de la Vieille-Ville, la plus belle porte gothique d'Europe, se dresse sur le premier pilier du pont Charles. Le projet avait été élaboré également par Petr Parléř qui était en partie aussi l'auteur de la décoration plastique dans les années quatre-vingts du 14e siècle où la tour fut presque terminée. Un programme iconographique compliqué divise la tour en trois sphères horizontales – terrestre, monarchique et céleste. Dans le tiers le plus bas se trouve la rangée des emblèmes des pays de Charles IV, les originaux des statues de saint Guy (patron du pont); de Charles IV sur le trône et de Venceslas IV dans la zone moyenne, et les figures de saint Adalbert et de Sigismond dans la zone supérieure qui furent remplacées par les copies. L'ornementation de la façade ouest fut détruite par les Suédois en 1648. La voûte réticulée du passage date d'après 1373.

Le monument de l'empereur Charles IV fut créé par Ernest Julius Hähnel en 1848 sur la commande de l'Université de Prague à l'occasion du 500e anniversaire de sa fondation.

■ **PAGE 54** ■

La maison Au puits d'or no 175/I au coin de la rue Karlova et Seminářská, est l'une des plus charmantes maisons de la vieille Prague. Il s'agit d'une construction Renaissance dressée en partie à l'emplacement d'une maison romane et des maisons gothiques. Au commencement du 18e siècle, Jan Oldřich Mayer crée les figures en relief de stuc de saint Venceslas et de saint Jean-Nepomucène, encadrant le Palladium du pays de la Bohême et les saints protégeant contre la peste de même que les saints jésuites.

■ **PAGE 55** ■

La tour astronomique du Clémentinum où l'on enregistre même aujourd'hui la température de l'air, fut terminée en 1722 reconstruite par Anselmo Lurago en 1751, année de la fondation de l'observatoire astronomique dans le bâtiment. Sur la flèche de la coupole de la tour est placée la statue de plomb de l'Atlante portant le globe terrestre, datant de 1727, peut-être oeuvre issue de l'atelier de Matyáš Bernard Braun. Le même artiste créa la statue de saint Ignace dans le fronton de la façade est.

■ PAGE 56 ■ 57 ■

La Ville-Mineure vue du pont Charles. A l'avant-plan à gauche, la copie de la statue de saint Adalbert de Michal Jan Josef Brokof de 1709, en face la seule statue en marbre de saint Philippe, oeuvre de Michael Bernard Mandl de 1714, à l'arrière-plan, les deux tours du pont de Malá Strana.

■ PAGE 56 ■ 57 ■

La Vieille-Ville vue du pont Charles. A gauche la statue de saint Antoine de Padoue de Jan Oldřich Mayer de 1708. Au fond la tour du pont de la Vieille-Ville et la coupole de l'église des croisiers Saint-François.

■ PAGE 58 ■

Le vaste complexe de bâtiments du collège jésuite - le Clémentinum - occupe tout un pâté de maisons avec cinq cours avec de nombreuses ailes de diverses orientations, avec deux églises et plusieurs chapelles. Il était construit dès 1654 selon le projet et sous la direction de Carlo Lurago. La photo montre la façade est no 190/I, donnant sur la place Mariánské, et née après 1715 selon le projet d'un architecte dont le nom n'est pas encore connu. La décoration plastique de Matyáš Bernard Braun est d'époque. Le Clémentinum abrite la Bibliothèque nationale et la Bibliothèque nationale technique.

■ PAGE 58 ■

Le code enluminé Commentarius in Aristotelis de caelo et mundo, dont l'auteur, saint Thomas d'Aquin, est représenté dans l'initiale « S ». Le manuscrit de provenance italienne du dernier quart du 15e siècle appartenait au roi de Hongrie Mathias Corvin. Aujourd'hui, il est déposé à la Bibliothèque nationale au Clémentinum.

■ PAGE 59 ■

L'illustration occupant toute la page montrant la scène de l'Annonciation et la donatrice agenouillée. Bréviaire de Beneš de Valdštejn.

■ PAGE 60 ■

Le bréviaire de Beneš de Valdštejn est richement orné de menues enluminures, sur notre photo de la scène de la Cène. Il provient de l'époque après 1400 et il est déposé à la Bibliothèque nationale du Clémentinum.

■ PAGE 60 ■

L'un des plus précieux édifices de la Prague baroque est le palais Clam-Gallas no 158/I, bâti sur l'emplacement d'une résidence romane et du palais gothique de Jan Jindřich de Luxembourg, margrave morave, et de plusieurs autres maisons dans les années 1713–1729 par Jan Václav Gallas, vice-roi de Naples. La construction selon le projet de Johann Bernhardt Fischer d'Erlach était exécutée par Tomáš Haffenecker, probablement avec Giovanni Domenico Canevale fils. Les deux Hercules flanquant les deux portails, les reliefs des socles, les putti avec les vases, les figures des dieux antiques sur l'attique (ajourd'hui des copies), le Triton sur la fontaine de la première cour et les phosphores avec les vases du magnifique escalier sont l'oeuvre de Matyáš Bernard Braun et de son atelier dès 1714. Le fresquiste Carlo Innocenzo Carlone exécuta dans les années 1727–1730, dans l'escalier, le triomphe d'Apollon et aussi les peintures d'autres salles du deuxième étage. Les ornements en stuc sont l'oeuvre de Santino Bussi, Giovanni Girolamo Fiumberti et Rocco Bolla. En 1796 et 1798, Ludwig van Beethoven donna plusieurs concerts dans ce palais.

■ PAGE 61 ■

L'une des deux horloges à armoire astronomiques dont les mécanismes avaient été fabriqués dans les années 1751–1752 par le jésuite, père Jan Klein, administrateur du musée des mathématiques. Elle est installée dans la salle des mathématiques du Clémentinum. Père Klein créa en 1738 une horloge géologique qui fut emportée à Dresde.

■ PAGE 62 ■

L'édifice du Nouvel Hôtel de ville occupant tout le bloc, fut bâti dans les années 1908–1911 selon le projet d'Osvald Polívka. Les statues allégoriques sur le balcon et sur l'attique et les reliefs entourant l'entrée principale furent créés par Stanislav Sucharda et Josef Mařatka. Les figures des légendes pragoises – rabbi Löwi et l'Homme de fer – dans les niches profondes aux angles, sont l'oeuvre de Ladislav Šaloun. A cette place avait été jadis une commune romane avec l'église Saint-Léonard, qui fut démolie en 1798. La photographie nous montre aussi la façade latérale du palais Clam-Gallas, et, au fond à droite, la tour de l'église dominicaine Saint-Gilles.

■ PAGE 62 ■

Dans le mur de clôture du petit jardin du palais Clam-Gallas est placée une niche avec la fontaine et la copie de la statue allégorique de la Vltava de Václav Prachner de 1812. L'original de la statue est déposé à la Galerie nationale à Zbraslav. Le peuple donna à cette charmante figure le nom de Terezka. Jusqu'en 1791, l'église médiévale Notre-Dame-dans-la-Flaque avait existé à cette place. La fontaine est accompagnée d'une légende de l'époque du Biedermaier, qui raconte qu'un vieux garçon tomba amoureux de cette Terezka de pierre, qu'il lui rendait visite tous les jours et qu'il lui légua sa fortune. Mais ce testament ne fut pas reconnu.

■ PAGE 63 ■

La salle baroque de la bibliothèque du Clémentinum fut décorée de peintures en 1724 par Jan Hiebel. Il y illustra l'importance prédominante de la connaissance des choses de Dieu sur la science et les arts. L'intérieur est complété par les armoires originales à marqueteries, par la balustrade de fer épousant exactement la forme des corniches de la galerie longeant la salle tout autour, et par les globes.

■ PAGE 64 ■

La vue de l'église Saint-Nicolas sur la place de la Vieille-Ville (Staroměstské), qui se dresse au-dessus des toits des maisons nos 12/I et 13/I.

■ PAGE 65 ■

La place Malé náměstí vue du fronton de la maison A la couronne no 457/I. La partie est de la place est formée par les maisons nos 1/I–12/I qui communiquent par une galerie d'arcades. A gauche à l'ombre est située la maison Chez Rott no 142/I, romane à l'origine, reconstruite en style néo-Renaissance en 1890. La façade est ornée de peintures selon les cartons de Mikoláš Aleš. Au fond il y a la coupole avec deux tours de l'église Saint-Nicolas dans la Vieille-Ville.

■ PAGE 65 ■
Deux pierres tombales du Vieux cimetière juif à Josefov - celle qui se trouve à droite date du commencement du 17e siècle, celle de gauche avec le symbole de la grappe de vigne provient du 18e siècle.

■ PAGE 66 ■
Le Vieux cimetière juif de Josefov est l'un des vestiges du passé les plus mémorables se trouvant à Prague. Il prit naissance dans la première moitié du 15e siècle, la plaque tombale la plus ancienne connue est de 1439. En 1787, on cessa d'y enterrer les morts. Les plaques tombales du 14e siècle encastrées dans le mur de la synagogue Klaus y avait été apportées du cimetière juif qui avait existé à la place de la rue Vladislavova actuelle. Après la fondation de la Nouvelle-Ville au 15e siècle, ce cimetière fut supprimé. Il y a quelque vingt milliers de pierres tombales les unes sur les autres, formant des amas bizarres. Le plan irrégulier du cimetière était élargi plusieurs fois au cours des siècles 16e--18e. Il fut partiellement entouré d'un mur en 1911 selon le projet de Bohumil Hypšman.

■ PAGE 67 ■
L'Hôtel de ville juif no 250/V fut bâti aux conditions similaires à celles de la Haute synagogue: l'année, l'entrepreneur et l'architecte furent les mêmes. La reconstruction baroque tardif fut exécutée en 1763 par Josef Schlesinger, l'élargissement en 1908 par Matěj Blecha. Aujourd'hui, c'est le siège de la Commune juive à Prague. La Ville juive – le ghetto – devint le cinquième quartier de Prague en 1850 et reçut le nom de Josefov pour commémorer les concessions accordées par l'empereur Joseph II.

■ PAGE 67 ■
La tour de l'Hôtel de ville juif avec la galerie et l'horloge. Dans la lucarne du toit mansardé est placé le cadran avec chiffres hébraïques.

■ PAGE 68 ■
Le bâtiment de la morgue néo-roman no 143/V au Vieux cimetière juif fut construit en 1906 par F. Gerstl. La salle des cérémonies funèbres de la Confrérie funèbre de Prague et les autres espaces servent de salles d'exposition.

■ PAGE 69 ■
L'intérieur de la Haute synagogue no 101/V est surplombé par une voûte Renaissance avec volutes, dont le profilage en stuc doit rappeler les nervures. Aron ha-kodesh – étui à la torah, le Pentateuque – provient de 1691. Dans cet espace sont aujourd'hui exposés les objets textiles et les instruments nécessaires à la cérémonie. La Haute synagogue fut construite en 1568 par Pankrác Roder aux frais du richissime notable de la ville juive Mordekhai Maisel, qui prêtait de l'argent à l'empereur Rodolphe II. Cette synagogue servait aux échevins et aux magistrats de la commune juive dans l'Hôtel de ville avec lequel elle communiquait. L'entrée actuelle de la rue Červená ulička ne fut aménagée qu'en 1935.

■ PAGE 70 ■
La synagogue Vieille-Neuve, la plus ancienne d'Europe de nos jours, est sans aucun doute le monument le plus renommé de Prague sur la rive droite de la Vltava. Elle fut bâtie à la fin du 13e siècle par l'école cistercienne de la Bohême du Sud comme un espace à deux nefs avec cinq travées de voûtes à cinq quartiers avec une multitude de détails taillés dans la pierre. L'extérieur de la synagogue avec les annexes sont ornés de frontons de briques avec panneautage des deux côtés d'un toit à deux versants à pente extrêmement raide.

■ PAGE 70 ■
Pour entrer dans la synagogue Vieille-Neuve du vestibule sud qui est peut-être le plus ancien espace de l'édifice, on passe par le portail premier gothique angulaire de la fin du 13e siècle. Dans son tympan composé de douze racines symbolisant les douze tribus israélites, se déplie un cep de vigne avec ses spirales de branches portant les grappes de raisin.

■ PAGE 71 ■
L'aire du couvent Saint-Agnès dans la Vieille-Ville est un monument pragois d'importance primordiale. Il avait été fondé sur l'initiative de sainte Agnès de la famille des Přemyslides, par son frère, le roi Venceslas Ier en 1233 comme premier couvent des clarisses au nord des Alpes. Peu à peu, suivant un plan grandiose d'Agnès, le plus vieux sanctuaire Saint-François (qui est à la fois la construction gothique la plus ancienne de Prague) fut entouré d'un ensemble d'édifices – l'aile du couvent avec la salle capitulaire, le réfectoire, la porte bâtarde et le dortoire à l'étage. Après l'annexion du petit couvent des frères mineurs fut ajouté le presbytère de l'église Saint-François (à gauche sur la photo), la chapelle de la Vierge Marie, le cloître, la cuisine, une autre aile du couvent, l'oratoire d'Agnès et la chapelle funèbre des clarisses consacrée à sainte Barbe. Toutes ses constructions révèlent les éléments du style cistercien-bourgignon à la différence du gothique classique de la France du Nord du mausolée des Přemyslides, bâti dès 1261 – église Saint-Sauveur (à droite sur la photo) avec une ornementation remarquable des chapiteaux, avec les visages des rois, des reines et de saint Agnès. La sainte fut enterrée en 1282 dans la chapelle de la Vierge Marie où l'on avait érigé dèjà avant une niche funèbre au-dessus de son tombeau. Comme la rivière en crue causait de fréquentes inondations, la dépouille mortelle d'Agnès était souvent déplacée à d'autres lieux et elle est introuvable depuis que les hussites et leurs fidèles eurent pillé le couvent. Au cours des guerres hussites en 1420, les clarisses se sont enfuies à Sainte-Anne à Prague et puis à Panenský Týnec où elles restèrent – à l'exception d'une interruption assez longue aux 15e et 16e siècles - jusqu'en 1627. Le couvent des hommes se maintint jusqu'au premier quart du 16e siècle. Dans les années 1556–1626 c'étaient les dominicains qui y exécutèrent diverses adaptations de la construction et divers compléments. L'abolition du couvent par

Joseph II en 1782 eut pour suite un délabrement complet des édifices et leur démolition partielle. En 1892 fut fondée l'Union pour le renouvellement du couvent Agnès la bienheureuse, mais presque quatre-vingt-dix ans devaient s'écouler avant que cet ensemble d'édifices partiellement rénové ne pût abriter l'exposition des arts tchèques du 19e siècle de la Galerie nationale. En 1989, Agnès de Bohême fut canonisée à Rome.

■ **PAGE 72** ■ **73** ■

La partie est de la place de la Vieille-Ville, ou, comme on disait autrefois de la Grande place (Velký rynek), est formée de monuments architectoniques magnifiques. Le plus important est l'église gothique Notre-Dame-du-Týn dont la construction s'enorgueillit d'une très riche histoire, allant depuis une petite église romane du 11e siècle jusqu'à la basilique actuelle en passant par une église à trois nefs premier gothique. Cette imposante construction basilicale avec ses chevets polygonaux de toutes les nefs et ses deux tours à l'ouest fut entamée après milieu du 14e siècle. Dans sa forme générale, elle fut achevée vers 1420 et les travaux de parachèvement continuaient avec des intervalles, jusqu'au commencement du 16e siècle. L'intérieur de l'église a conservé une quantité extraordinaire d'éléments d'ornementation. L'école Parléř de Prague laissa sa trace dans les niches-coussièges dans les chevets latéraux, datant des années soixante-dix et quatre-vingts du 14e siècle, et, à l'extérieur, le relief du tympan du portail nord d'environ 1400. Le groupe Crucifixion et la statue de la Vierge à l'enfant sur le trône de l'époque après 1410, donnèrent le nom à leur créateur – Maître du calvaire du Týn. Les fonts baptismaux de 1414, le dais au-dessus de la tombe de l'évêque Lucián de Mirandola de Matěj Rejsek de 1493, le triptyque Renaissance Saint-Jean-Baptiste de Maître IP du commencement du 16e siècle et les tableaux d'autel de Karel Škréta, autant d'éléments complétant l'ambiance de l'intérieur. Christoph Willibald Gluck et Ferdinand Seger faisaient résonner l'orgue unique de Hans Heinrich Mundt des années 1670-1673. Au 14e siècle, les

prédicateurs Konrád Waldhauser et Jan Milíč de Kroměříž y prononçaient leurs sermons, et, dans les années 1415-1419, Jakoubek de Stříbro. Jusqu'en 1620, l'église du Týn fut la principale église des calixtins et le siège de l'archevêque hussite élu Jan Rokycana. Dans les années 1710-1735, le poste de prêtre y était occupé par l'historiographe pragois Jan Florián Hammerschmied. Un vif intérêt est provoqué par le tombeau de l'astronome danois Tycho Brahe.

Le palais Kinský no 606/I fut bâti à la place de trois maisons médiévales à l'origine, selon le projet d'Anselmo Lurago pour Jan Arnošt Goltz. Dès 1786, il fut acheté par la famille Kinský. Sur la façade, il y a aujourd'hui les copies des figures allégoriques d'Ignác František Platzer des années 1760-1765, les stucs furent probablement créés par Carlo Giuseppe Bussi. L'arrangement des intérieurs et la reconstruction des ailes de la cour, selon le projet de Josef Ondřej Kranner, furent exécutés dans les années 1836-1839. Franz Kafka habita le palais et, en plus, il y fréquenta le lycée allemand dans les anées 1893-1901. De nos jours, il abrite la collection des arts graphiques de la Galerie nationale.

L'édifice de l'école du Týn no 604/I fut créé au 15e siècle avec deux maisons du dernier tiers du 13e siècle et du deuxième quart du 14e siècle, dates auxquelles correspondent également les voûtes différentes des arcades. Dans le passage, nous trouvons des nervures taillées de la voûte et des niches-coussièges, sur la façade, le crépi couvrit les fragments des chambranles de feillure des fenêtres. Les frontons vénitiens des années 1560-1570 et les sgraffites de vingt ans plus anciens dans la cour rappellent la reconstruction Renaissance. Sur la façade il y a le tableau baroque peint représentant l'Assomption. Après l'abolition de l'école, l'édifice fut adapté dans la première moitié du 19e siècle. Vers la fin du 15e siècle, l'architecte Matěj Rejsek y travaillait comme instituteur.

La maison Trčkovský dům no 603/I fut formée en réunissant une maison romane d'environ 1200 avec deux maisons gothiques du deuxième quart du 14e siècle, qui ont été conservées dans la maçonnerie des souterrains et des

étages. Les voûtes des arcades témoignent de deux périodes de construction dans le deuxième quart du 14e siècle. Sous le crépi ont été conservés des fragments des fenêtres gothique tardif. La façade actuelle possède les frontons reconstruits par l'adaptation néo-classique des années 1770-1773. Dans cette maison naquit Josefina Hampacherová-Dušková, hôtesse de Wolfgang Amadeus Mozart pendant ses séjours à Prague.

■ **PAGE 74** ■

Le réfectoire au milieu du bâtiment du couvent est une vaste pièce à plafond plat divisée obliquement par deux doubleaux en plein-cintre entrant en contact sur le pilier du milieu. Les murs sont en maçonnerie de brique apparente. Il fut construit en 1234.

■ **PAGE 74** ■

La Cour du paradis (Rajský dvůr) au couvent Sainte-Agnès fut créée dans les années 1238-1245 par la construction du cloître. Au-dessus de l'aile est, les dominicains bâtirent dans les années soixante-dix du 16e siècle un couloir à arcades Renaissance.

■ **PAGE 75** ■

Aujourd'hui, l'église Saint-Nicolas fait partie de la place de la Vieille-Ville ce qui trouble sensiblement l'intimité du but urbanistique poursuivi par son créateur – Kilián Ignác Dientzenhofer. La façade sud principale donnait à l'origine sur la petite place formée par les maisons du bloc de l'Hôtel de ville et la maison de Krenn qui fut démolie en 1901 pour permettre de construire la rue Pařížská, originairement rue Mikulášská (Nicolas). C'est l'abbé bénédictin Anselm Vlach qui fit construire dans les années 1732-1735 ce bâtiment de plan centré avec sa coupole sur le tambour et deux tours, sur l'emplacement de l'église gothique primitif de la première moitié du 13e siècle. Au 14e siècle, ce fut l'église paroissiale la plus importante de la Vieille-Ville, les utraquistes s'y maintinrent depuis les guerres hussites jusqu'en 1621. Parmi les prédicateurs renommés qui y prononçaient leurs sermons il convient de citer Jan Milíč de Kroměříž et Matěj de Janov. L'église subit plusieurs reconstructions, la dernière étant exécutée par les bénédictins d'Emaüs en style baroque primitif après le milieu de 17e siècle. Pour la nouvelle construction de Dientzenhofer, Antonín Braun créa les allégories du Vieux et du Nouveau Testament au-dessus du portail sud et les figures des saints tchèques et bénédictins aussi à l'intérieur de l'église. Dans les années 1735–1736, Cosmas Damian Asam décora de fresques représentant les scènes de la vie de saint Nicolas et saint Benoît, l'intérieur de l'église. Ces fresques furent malheureusement très endommagées par l'eau qui s'y infiltrait. Son frère Egid Quirin Asam compléta l'intérieur par les ornements en stuc. En 1787 où fut aboli le couvent, l'église fut désacralisée et l'édifice désaffecté était utilisé comme entrepôt, et, dès 1865, comme salle de concert militaire. En 1871, elle fut rendue à son objectif spirituel comme espace sacré de l'Eglise orthodoxe où Zdeněk Fibich faisait office de chef de choeur, et, dès 1921, elle servait d'église principale à l'Eglise hussite tchécoslovaque. Après la démolition des bâtiments de la prélature et du couvent et après la construction du no 24/I, Rudolf Křiženecký adapta en 1904 la façade ouest, deux and plus tard, la niche de la partie extérieure du presbytère reçut la statue de saint Nicolas de Bedřich Šimanovský et l'on plaça à proximité la fontaine néo-classique aux dauphins adaptée par Jan Štursa.

■ PAGE 76 ■

La maison A la cloche de pierre no 605/I constitue une rareté dans son entourage. La reconstruction des années 1325–1330 fit de l'édifice originaire de la fin du 13e siècle un palais somptueux en forme de tour dont la façade de conception architectonique riche en idées était ornée de figures plastiques dans les niches et de fenêtres avec réseaux et gâbles. L'intérieur coûteux de la maison avec deux chapelles ornées de peintures murales dont l'espace plus vaste du rez-de-chaussée avait été aménagé déjà vers 1310, les moulures polychromes et dorées, laissent deviner que le propriétaire en appartenait directement à la famille des souverains. Une hypothèse existe disant que le palais fut

construit par la reine Elisabeth des Přemyslides. Après 1685, le caractère gothique de la maison fut supprimé sans ménagement, les éléments d'ornementation furent enlevés au ciseau, brisés et utilisés pour la maçonnerie premier baroque. Après une reconstruction vague après le milieu du 19e siècle, le bâtiment revêtit en 1899 son visage néo-baroque. Une reconstruction compliquée de la maison fut terminée en 1987 et depuis cette année, la Galerie de la ville de Prague y organise des expositions, des concerts et des conférences.

■ PAGE 76 ■

La salle du deuxième étage du coin de la tour de la maison A la cloche de pierre. Les copies des réseaux des fenêtres furent reconstruits selon les fragments trouvés.

■ PAGE 77 ■

Le monument Jan Hus au milieu de la place de la Vieille-Ville ne fut inauguré que le 6 juillet 1915 à l'occasion du 500e anniversaire de la mort sur le bûcher de Maître Jan Hus à Constance. Les auteurs de cette oeuvre, le sculpteur Ladislav Šaloun et l'architecte Antonín Pfeifer, remportèrent le concours du monument en 1900, mais ils modifièrent encore leur projet. La pierre fondamentale fut posée en 1903. Sur le socle de pierre repose la haute statue de bronze du prédicateur entouré de groupes de hussites, d'exilés d'après la bataille de la Montagne Blanche et de l'allégorie de la renaissance nationale, représentée par une mère allaitante avec ses enfants. A gauche du monument, nous voyons la façade de l'édifice du couvent de l'ordre de Saint-Paul no 930/I qui appartenait à l'église Saint-Sauveur dans la rue Salvátorská, originairement celle des luthériens allemands. Le bâtiment fut construit à l'emplacement de trois maisons du premier moyen-âge après 1689, probablement selon les plans de Pavel Ignác Bayer. Les statues de la façade furent fournies en 1696 par Matěj Václav Jäckel. Lorsque Joseph II eut supprimé le couvent, il fut utilisé comme Hôtel de la monnaie. C'est le seul bâtiment original conservé de la partie nord de la place de la Vieille-Ville, qui n'est cependant qu'un fragment de l'aire primitive du couvent.

■ PAGE 77 ■

La maison de Storch no 552/I sur la place de la Vieille-Ville fut bâtie à la place d'une maison médiévale précieuse en 1897 pour le libraire et éditeur Alexandr Storch. Les plans du nouvel édifice avec une copie libre de l'échauguette originale exceptionnelle du premier quart du 15e siècle, furent élaborés pan Bedřich Ohmann et Rudolf Krieghammer, la construction fut exécutée par František Tichna. La décoration en peintures de la façade fut exécutée par Ladislav Novák selon les cartons de Mikoláš Aleš, les statues néo-gothiques de Jan Kastner furent taillées par Čeněk Vosmík. La surface de la façade étroite est dominée par la figure de saint Venceslas assis sur son cheval blanc, patron de la nation tchèque, ce qui est représenté par des symboles compliqués sous forme d'un arbre. La scène centrale est complétée par les figures des Rois mages entre les fenêtres du quatrième étage, le paysage de la Bohême du Sud avec les cygnes dans le fronton et par les figures de l'imprimeur près de sa presse et du religieux dans le scriptorium au rez-de-chaussée. Pendant la révolution de mai de 1945, la maison fut détruite par l'incendie et reconstruite en 1948.

■ PAGE 78 ■ 79 ■

L'échappée de vue par la rue Železná vers la place de la Vielle-Ville avec l'église Saint-Nicolas et les maisons des environs. Au milieu se dresse la coupole verte de l'église Saint-Sauveur dans la rue Salvátorská, appartenant à l'église évangélique dès 1863. La photographie fut prise de la maison no 494/I dans la rue Železná.

■ PAGE 78 ■ 79 ■

La partie ouest de la place de la Vieille-Ville attend de trouver sa forme finale. A la suite de l'union de la Vieille – et de la Nouvelle – Ville, de la Ville-Mineure et de Hradčany en 1784, l'Hôtel de Ville de la Vieille-Ville no 1/I devint le siège de la municipalité, et ses édifices ne pouvaient plus remplir toutes les nouvelles fonctions. L'édifice avec la vaste pièce d'entrée de la place était élargi et adapté et on y annexa trois autres maisons de cette partie de la place. En 1839, on démolit toutes ces maisons pour pouvoir construire un nouveau bâtiment de l'Hôtel de Ville. Le projet de Peter Nobile ne comptait point au début de conserver la tour et la chapelle à échauguette. En 1838 fut entamée la construction qui se heurta à une opposition si forte de la part du grand public que l'empereur Ferdinand la fit arrêter. Dans les années 1844–1848, il fut achevé selon le nouveau projet de Paul Sprenger, mais il provoquait malgré tout le mécontentement. L'Hôtel de Ville fut ravagé par l'incendie le 8 mai 1945. A l'exception d'un entreaxe des fenêtres tout près de l'échauguette, la ruine fut démolie et l'emplacement fut provisoirement aménagé en parc. Dès la fin du 19e siècle, jusque dans les années quatre-vingts du 20e siècle, beaucoup de concours ont été ouverts concernant un nouvel édifice de l'Hôtel de Ville, mais aucun projet n'a encore été réalisé. Heureusement, la partie sud de l'Hôtel de Ville fut conservée. C'est là son noyau, la maison du coin des Volflin de la Pierre, achetée avec l'autorisation du roi Jean de Luxembourg en 1338. On ne tarda pas à construire la tour. Encore au cours du même siècle, on ajouta la maison du marchand Kříž, on érigea la chapelle et la salle du Conseil. Après l'élargissement et après la construction de l'échauguette, la chapelle fut consacrée en 1381. Après 1399, on construisit une nouvelle salle. En 1458 fut achetée la maison du fourreur Mikš et l'Hôtel de Ville fut reconstruit en style gothique tardif. Le portail principal avec la fenêtre voisine de l'école de Matěj Rejsek et la salle d'entrée datent d'environ 1490. La fenêtre tripartite Renaissance fut ajoutée vers 1525. Ce n'est que dans les années trente du 19e siècle que fut achetée la maison Au coq avec ses arcades gothiques de la fin du 14e siècle, longeant aussi la maison de Mikš voisine. Dans l'Hôtel de Ville de la Vieille-Ville, Georges de Poděbrady fut élu roi de Bohême le 2 mars 1458. Les croix dans la mosaïque du trottoir rappellent l'exécution de vingt-sept participants tchèques à la résistance contre les Habsbourg, le 21 juin 1621.

■ PAGE 80 ■
La première des maisons de l'Hôtel de ville de la Vieille-Ville de Prague – la maison de Volfin de la Pierre avec son portail gothique tardif, l'horloge et la chapelle.

■ PAGE 81 ■
La vue du haut de la tour de l'Hôtel de Ville de la Vieille-Ville du groupe de maisons avec arcades vis à vis des façades sud de l'Hôtel de ville:
Les maisons Chez les Čáp et Au cheval d'or nos 482 et 481/I, deux maisons médiévales reconstruites en style baroque et classique, réunies après les adaptations à l'intérieur en 1952.
La maison Au renard rouge no 480/I, romane à l'origine, du 12e siècle, subit sa plus importante reconstruction à la fin du 17e siècle probablement par Jean Baptiste Mathey, ce dont témoigne le belvédère du toit typique. Après 1700, l'intérieur fut enrichi de plafonds ornés de stucs et de scènes mythologiques peintes.
La maison Chez les Bindr no 479/I. Son noyau avait aussi été roman. De la reconstruction dans les années 1546–1571 fut conservée la salle du rez-de-chaussée et le troisième étage ajouté. La façade fut adaptée à l'époque du premier baroque et encore du premier classicisme.
La maison du coin Štěpánovský no 478/I avec sa façade arrondie et deux frontons repose sur les caves en deux niveaux et sur la maçonnerie provenant de plusieurs étapes des constructions gothiques. Après une reconstruction Renaissance, elle subit une rénovation baroque vers 1700 à laquelle elle doit son aspect actuel et les peintures du plafond à l'intérieur.
Une autre maison du coin Au boeuf no 462/I est d'origine gothique. Le portail du commencement du 15e siècle a été conservé. Les frontons remarquables témoignent des reconstructions du 17e et du 18e siècle. A l'angle est mise en valeur la copie de la statue de saint Joseph de Lazar Widman de la seconde moitié du 18e siècle. L'original fut détruit en mai 1945. Elle est liée par un arc d'étrésillonnement. Ensemble avec la maison voisine Vilímkovský no 461/I, elle appartenait au couvent des servites de la Vieille-Ville, avec l'église Saint-Michel abolie par Joseph II en 1786.

■ PAGE 81 ■
La maison Chez les Schönpflug no 592/I dans la rue Celetná fut bâtie au 14e siècle et après la reconstruction Renaissance, elle fut rénovée à fond avant 1725, probablement selon le projet de Jan Blažej Santini. La façade de haute qualité forme un ensemble harmonieux avec la statue de pierre de la Vierge avec l'enfant en mouvement tourbillonnant, souriant à ses admirateurs. C'est très probablement l'oeuvre d'Antonín Braun d'environ 1735.

■ PAGE 82 ■
La vue de la Tour Poudrière par la rue Celetná. A l'avant-plan à gauche se trouve la maison Au cerf d'or no 598/I dont le souterrain a gardé une partie du rez-de-chaussée d'une maison du 13e siècle avec sa voûte d'arêtes gothique primitif. La façade frontale et les deux façades donnant dans la rue Štupartská, ornées de reliefs, proviennent du deuxième quart du 18e siècle.

■ PAGE 83 ■
Le Carolinum no 541/I est un ensemble d'édifices regroupés autour de la maison du maître monnayeur Jan Rotlev, qu'obtint en 1383 le roi Venceslas IV. C'est là que déménagea le Collège Charles établi en 1366 par Charles IV et qui était installé dans la maison de Lazar le Juif dans la Ville Juive près de la place de la Vieille-Ville. C'était le plus vieux des collèges naissant après la fondation de la première université d'Europe centrale le 7 avril 1348 par Charles IV. La maison était élargie et reconstruite par étapes, on créa tout de suite une grande salle et la chapelle universitaire Saint-Côme-et-Damien avec une magnifique échauguette terminée avant 1390 (sur notre photo). Les siècles suivants apportèrent plusieurs reconstructions dont l'adaptation de František Maxmilián Kaňka des années 1715–1718 détermina l'aspect de la façade donnant dans la rue Železná. La reconstruction de Jaroslav Fragner faite en deux étapes (la première ayant été terminée à l'occasion du 600e anniversaire de la fondation de l'université et la seconde du 550e anniversaire de la publication du Décret de Kutná Hora par Venceslas IV) prêta à l'ensemble son as-

pect actuel et créa avant 1968 une nouvelle aile de rectorat avec la cour d'honneur de la place Ovocný trh. L'intérieur riche en fragments gothiques englobe avant tout les espaces nervurés fermés par une voûte de la maison Rotlev avec arcades, les couloirs près de la cour, la grande et la petite salle de même que la salle de la Société royale tchèque des sciences, la salle appelée „des réceptions" et autres. Dans le bâtiment du Carolinum se trouve le siège du recteur de l'université, on y tient les promotions solennelles et d'autres assemblées importantes. Au Carolinum appartiennent aussi les maisons nos 559, 560, 561, 562, 563 et 564/I, formant le bloc entre la rue Celetná et la place Ovocný trh.

■ PAGE 85 ■

La Tour Poudrière avait été fondée dans le fossé du château fort comme partie représentative de la Cour royale de la Vieille-Ville en 1475, aux frais de la Vieille-Ville de Prague. La construction était dirigée par le maître Václav de Žlutice, dès 1478 par Matěj Rejsek qui y avait déjà travaillé comme tailleur de pierre depuis deux ans. A l'époque, la porte était appelée Nouvelle tour. Bien que sa construction ne fût achevée qu'après le déménagement du roi Ladislas Jagellon en 1484 au Château de Prague, elle était richement ornée d'éléments figuratifs et d'ornements et avait été peut-être à l'origine divisée en trois zones avec les sculptures des souverains et des saints selon le modèle de la Tour du pont de la Vieille-Ville. Au rez-de-chaussée furent mises en valeur des scènes de genre. A la fin du 17e siècle, elle servait d'entrepôt de poudre et c'est pourquoi on l'appela Poudrière. En 1757, elle fut sévèrement endommagée par les canons des Prussiens, de sorte qu'il était ensuite nécessaire d'enlever les décorations de pierre branlantes. Dans les années 1876–1892, la tour subit une reconstruction par une équipe des sculpteurs conduits par Josef Mocker. La Porte est reliée à la Maison municipale par un petit pont couvert. La Tour est à la fois la porte d'entrée de la Voie royale qui menait par la rue Celetná, à travers la place de la Vieille-Ville et la place Petite, par la rue Karlova, le long du pont Charles, par la rue

Mostecká, la place Malostranské et la rue Nerudova, formant ainsi un lien entre la Cour royale et le Château de Prague.

■ PAGE 86 ■

Un détail de l'ornementation plastique de la Tour Poudrière, à laquelle participèrent à la fin du 19e siècle les sculpteurs Jindřich Čapek père, Bernard Seeling, Josef Strahovský, Ludvík Šimek et Antonín Wildt.

■ PAGE 86 ■

Le palais Rococo, à l'origine palais Piccolomini, no 852/II dans la rue Na příkopě dans la Nouvelle-Ville, fut construit sur l'initiative du prince Ottaviano Eneo Piccolomini sur un terrain en profondeur, sur les fragments de maçonnerie gothique d'environ quatre maisons. Le projet de l'édifice comprenant deux cours et des fontaines, fut élaboré par Kilián Ignác Dientzenhofer. Il fut réalisé dans les années 1744–1752, donc aussi pendant la maladie et le décès de son grand créateur. La construction fut achevée par Anselmo Lurago. La décoration plastique de la façade frontale et de l'intérieur est l'oeuvre d'Ignác František Platzer, les stucs ornant avant tout l'escalier somptueux sont sans doute celle de Carlo Giuseppe Bussi. Le plafond de l'escalier est dominé par la fresque de Václav Bernard Ambrož, où le quadrige d'Hélios est entouré d'autres personnages allégoriques. A la fin du 18e siècle, où les propriétaires furent les Nostic, une salle d'équitation d'hiver et un manège d'été furent aménagés près du jardin. En 1885, le palais devint la propriété par mariage du comte Arnošt Sylva-Taroucca qui prêta certains espaces aux collections du Musée ethnographique.

■ PAGE 87 ■

La place Venceslas (Václavské náměstí), l'ancien Marché aux chevaux (Koňský trh) dans la Nouvelle-Ville, est l'une des artères les plus animées de Prague. Ce boulevard commence à la „Croix d'or" (Zlatý kříž) à Můstek (Na můstku) et monte jusqu'à l'édifice du Musée national. La place reçut son nom en 1848 d'après la statue équestre de saint Venceslas baroque primitif de Jan Jiří Bendl des années 1678–1680, dont la copie est

aujourd'hui installée à Vyšehrad. A l'avant-plan à gauche est la façade blanche du palais Koruna no 846/II des années 1911–1914 dont le projet fut élaboré par Antonín Pfeiffer. Il est orné de sculptures de Stanislav Sucharda et de Jan Štursa.

■ PAGE 88 ■ 89 ■

Le quai Novotného lávka et les édifices du quai Smetana, cette fois vus de la Kampa à Malá Strana.

■ PAGE 88 ■ 89 ■

La vue des tours de la Vieille-Ville avec les édifices du Clémentinum au premier plan, contemplés du haut de la porte du pont de la Vieille-Ville.

■ PAGE 90 ■

Vue du côté du Musée national, la place Venceslas accuse un caractère hétéroclite depuis les quelques maisons qui nous donnent une idée de son aspect au 18e et 19e siècle, jusqu'aux nouvelles constructions de toutes les périodes de styles du 20e siècle. A l'avant-plan se trouve le monument de bronze de saint Venceslas, chef d'oeuvre de Josef Václav Myslbek, qui reflète toute son évolution artistique. Il y travailla dès 1887 et créa pour plusieurs concours beaucoup de variantes non seulement de statues équestres, mais aussi des autres patrons de la Bohême, dont on choisit à la fin les figures de saint Adalbert, Procope, Ludmila et Agnès jadis encore la bienheureuse. La statue de saint Venceslas fut terminée en 1903, trois autres statues avant 1912 où l'on commença à installer le monument. La statue de saint Adalbert fut la dernière à être fournie, et cela en 1924. Alois Dryák fut chargé de donner au monument sa forme architectonique, l'ornementation fut confiée à Celda Klouček. Dans le passé, la place Venceslas était aussi le théâtre de divers événements politiques dont les plus grandes furent les assemblées de dizaines de milliers de personnes en novembre et décembre 1989, où le monument de saint Venceslas fut un lieu de piété aussi bien que stratégique.

■ PAGE 90 ■

Le musée national no 1700/II, fut bâti dans les années 1885–1890, dix ans après qu'eut été démolie la Koňská brána (Porte cavalière) néo-classique de Peter Nobile des années 1831–1832. Josef Schulz qui remporta le concours, est l'auteur du projet de l'édifice monumental à quatre ailes avec la masse des escaliers entre deux cours, avec les tourelles des angles et la coupole centrale du Panthéon. Les figures allégoriques de la façade frontale furent créées par Josef Mauder, Antonín Popp, Bohuslav Schnirch, Antonín Wagner et par d'autres sculpteurs encore. Des dizaines d'artistes travaillèrent à la décoration de l'intérieur où l'espace le plus important est celui du Panthéon consacré à la mémoire des plus grandes personnalités de la nation, éternisées sous forme de statues entières ou de bustes. Les peintures murales représentant des scènes historiques y furent exécutées par František Ženíšek, Václav Brožík et Vojtěch Hynais. Devant le musée s'étend la rampe avec une fontaine ornée de figures allégoriques représentant des pays de la Couronne tchèque et des grands fleuves et rivières, oeuvre d'Antonín Wagner des années 1891–1894.

■ PAGE 91 ■

La synagogue de Jérusalem ou du Jubilé no 1310/II dans la rue Jeruzalémská, bâtie dans les années 1905–1906, avait été dessinée à l'origine à l'occasion du cinquantenaire du gouvernement de Franz Joseph à la place des synagogues démolies pendant l'assainissement de la Ville Juive. Après deux projets rejetés – d'Alois Richter de 1899 et de Josef Linhart de 1901 pour des raisons urbanistiques, le projet fut confié à Wilhelm Stiassny. La construction en style pseudo-mauresque fut exécutée par Alois Richter.

■ PAGE 92 ■

La maison de Vendelín Mottl no 761/II qui, intercalée dans les années 1906–1907 entre la place Jungmannovo et la rue du 28 octobre, ferme l'avenue Nationale, fut dessinée et construite par Karel Mottl. Ses trois façades offrent des détails intéressants dont le plus marquant est le portail d'entrée de la place Jungmannovo.

■ PAGE 92 ■

Au coin de la rue Karoliny Světlé et Konviktská, nous trouvons l'église de la Sainte-Croix, rotonde romane de la première moitié du 12e siècle, qui avait été l'église seigneuriale auprès de la résidence. Après la désaffectation par Joseph II en 1784, elle dut être démolie en 1860, mais finit par être conservée, et, dans les années 1864–1865, elle fut restaurée par Vojtěch Ingnác Ullmann. A l'intérieur il y a des fragments de peintures gothiques du 14e siècle. La palissade de fonte entourant la rotonde et qui provient de 1865, fut dessinée par Josef Mánes. Aujourd'hui, elle sert à l'Eglise vieille-catholique.

■ PAGE 93 ■

A la place des maisons néoclassiques Chour ou Kaur de 1849 qui furent démolies en 1959 et du bâtiment d'administration de Vladimír Wallenfels de 1928 qu'on fit sauter à l'explosif en 1977, de nouvelles constructions surgirent après plusieurs concours échoués. D'après le projet de Pavel Kupka, on réalisa deux des trois édifices auxiliaires avec communication souterraine les reliant au Théâtre National. A la suite du changement de la conception, Karel Prager transforma la troisième aile en Nouvelle scène revêtue d'éléments en verre soufflé fabriqués dans la verrerie Kavalier à Sázava. L'ensemble fut achevé en 1983. A l'avant-plan il y a la sculpture de la Renaissance par Josef Malejovský.

■ PAGE 93 ■

Le Théâtre National no 223/II, oeuvre architectonique remarquable du 19e siècle, bâtie grâce à une collecte à l'échelle nationale, revêt une importance toute particulière du point de vue de la culture. L'édifice sur plan trapézoïdal irrégulier imposé par l'emplacement, est l'oeuvre néo-Renaissance de Josef Zítek qui remporta le concours respectif. Il fut bâti dans les années 1868–1881. Jadis, ce lieu avait été occupé par le bâtiment de la gabelle et plus tard par le Prozatimní divadlo (théâtre provisoire) d'Ignác Ullmann, de 1862. Faute d'attention de la part des ouvriers, le théâtre qui venait d'être terminé fut ravagé par l'incendie, il fut re-

construit et agrandi grâce à la possibilité d'empiéter sur l'espace du Prozatímní divadlo et d'ajouter la „maison Schulz", appelée ainsi à la mémoire de l'auteur de l'achèvement de la construction, Josef Schulz. L'inauguration définitive du théâtre eut lieu le 18 novembre 1883. Les meilleurs artistes se chargèrent de la décoration des extérieurs et intérieurs; ils sont désignés comme la génération du Théâtre National. Bohuslav Schnirch créa les statues d'Apollon et des Muses dans l'attique et il dessina les triges célèbres qui furent remaniés et installés seulement dans les années 1910–1911. Les autres figures allégoriques furent créées par Antonín Wagner et Josef Václav Myslbek. Les peintures du plafond de la salle furent décorés de peintures de František Ženíšek, l'avant-scène fut ornée par Bohuslav Schnirch, le rideau est l'oeuvre de Vojtěch Hynais, dans le foyer nous trouvons dans les lunettes les tableaux de Mikoláš Aleš et les compositions murales et du plafond furent créées par František Ženíšek qui y collaborait partiellement avec Mikoláš Aleš. Dans la loge royale, aujourd'hui présidentielle, firent valoir leur art Vojtěch Hynais, Julius Mařák et Václav Brožík, le mobilier fut dessiné par Emilián Skramlík. Dans divers espaces du théâtre sont placés de nombreux bustes de personnalités importantes ayant travaillé au théâtre. Une reconstruction d'une grande envergure des années 1977–1983 fut réalisée à l'occasion du centième anniversaire de l'inauguration du Théâtre National, englobant la modernisation et la construction des édifices annexes et de la Nouvelle scène.

■ PAGE 94 ■

Le château d'eau Šítkovská près des moulins Šítkovské fut construit en 1495 et dut par la suite être plusieurs fois reconstruit à cause des catastrophes telles que l'incendie, l'inondation ou la canonnade. Il doit son aspect actuel à l'année 1651, au 18e siècle on ajouta une coupole à bulbe. En 1928 on démolit les moulins qu'on remplaça deux ans plus tard par l'édifice de Mánes no 250 /II d'Otakar Novotný, relevant du constructivisme.

La chapelle de plan circulaire premier baroque consacrée à la sainte Marie-Madeleine fut construite en 1635 sous Letná sur l'initiative du prévôt du couvent des cyriaques aujourd'hui disparu, par Jan Zlatoústý Trembský. En 1648, la chapelle servait d'abri aux Suédois assiégeant la Vieille-Ville. Pendant l'adaptation de la tête du pont Čechův most, la chapelle fut un peu déplacée en 1955. Aujourd'hui, elle est utilisée par l'Eglise vieille-catholique.

Pendant que les travaux de construction des nouveaux édifices tu Théâtre National se poursuivaient, on aménagea également le jardin des soeurs ursulines, dessiné par Pavel Kupka et Otakar Kuča. Le groupe de statues Dialogue est l'oeuvre de Stanislav Hanzík.
Les façades baroques simples du couvent des ursulines no 139/II font partie d'un ensemble assez vaste qui fut fondé en 1672. Les travaux de construction furen exécutés dans les années 1647–1678 et 1721–1722. L'église Sainte-Ursule dans la rue Národní, bâtie dans les années 1699–1704 avait été dessinée par Marcantonio Canevale.

Le plus ancien monastère dans les pays Tchèques fut fondé en 993 à Břevnov près de Prague grâce aux efforts conjugés de l'évêque de Prague saint Adalbert et du prince Boleslav II. L'église primitive était consacrée au fondateur de l'ordre local, saint Benoît et aussi à saint Boniface et Alexis. Vers l'année 1045, le prince Břetislav y construisit l'église Saint-Adalbert qui était peut-être une basilique à trois nefs. Seule la crypte a survécu à la marche des siècles. Dans la seconde moitié du 13e siècle commença la reconstruction gothique. La dalle funéraire de l'ermite bénédictin Vintíř le bienheureux provient du commencement du 14e siècle. En 1420, le monastère fut incendié et dévasté par les hussites et les Pragois, ce dont il garda les traces pendant très longtemps. Pendant le règne de Rodolphe II, il fut partiellement rénové et consacré à sainte Marguerite, dont les reliques avaient été offerts au couvent par le roi

de Hongrie Béla II déjà en 1262. La plupart des bâtiments du monastère étaient tombés en ruines. Après la bataille de la Montagne Blanche, le couvent fut entièrement ravagé par les armées impériales. Ce ne fut que de la vie de l'abbé Tomáš Sartorius qu'on réussit à en faire un couvent florissant et cela en dépit d'un incendie dévastateur de 1678. Or, le plus grand mérite au nouvel essor de l'abbaye de Břevonov revint aux abbés Otmar Zinke et Benno Löbl qui invitèrent les meilleurs artistes de l'époque à sa construction. Kryštof Dientzenhofer y travailla de 1709 à 1722, et son église Sainte-Marguerite sur plan d'ovales s'entrecroisant, compte parmi les meilleures constructions baroques tchèques. Encore de la vie de son père, Kilián Ignác Dientzenhofer surveillait dès 1716 les travaux. Parmi les sculpteurs il y avait Karel Josef Hiernle, Matěj Václav Jäckel, Richard Prachner, Jan Antonín Quittainer et autres. Les tableaux des autels en trompe-l'oeil furent fournis dans les années 1716–1717 par Petr Brandl. Jan Jakub Steinfels décora dans les années 1710–1721 la voûte de l'église par ses fresques, la scène du Miracle de Vintíř le bienheureux fut peinte dans la salle Tereziánský du bâtiment de la prélature par Kosmas Damian Asam, et son frère Egid Quirin y ajouta un cadre de stuc en 1727. Les peintures des autres espaces du couvent et de la prélature, murales et du plafond, sont l'oeuvre de Josef Hager, Karel Kovář, František Lichtenreiter, Jiří Vilém Neunherz et Antonín Tuvora. A cet ensemble appartiennent ou appartenaient des édifices d'exploitation agricole, le jardin avec le pavillon Vojtěška, la gloriette Josefka et l'orangerie, et aussi le cimetière avec la chapelle Saint-Lazare.

Dans la Nouvelle réserve, fondé en 1534 par Ferdinand Ier dans la forêt Malejovský les à Horní Liboc, son fils archiduc Ferdinand du Tyrol fit construire dans les années 1555–1556, selon son propre projet, un pavillon de plaisance appelé d'après son plan à six branches – l'Etoile. Les peintures du plafond de la seconde moitié du 16e et du 17e siècle n'ont pas été conservées. Le toit changea de forme à deux reprises au cours

du 17e et 18e siècle. Le pavillon fut endommagé par les Suédois au cours de la guerre de Trente ans, ensuite en 1742 par les Français, et 1757 par les Prussiens et, à la fin Joseph II y installa l'entrepôt de poudre. En 1949, le pavillon fut reconstruit par Pavel Janák et on y installa par étapes le musée d'Alois Jirásek et de Mikoláš Aleš. Dans la réserve entourant le pavillon a été conservé l'édifice du jeu de la paume dessiné par Bonifác Wohlmut qui fut terminé en deux ans, en 1558.

Les voûtes de l'intérieur de l'Etoile sont ornées de stucs uniques de plusieurs artistes italiens inconnus. L'un d'eux fut probablement Giovanni Antonio Brocco. On s'inspirait des modèles romains du 1er et 2e siècle ap. J.C. en établissant un plan d'idées devant éterniser les sujets de la mythologie antique ou de l'histoire romaine, soulignant le dévouement héroïque, la bienveillance et la grandeur d'âme et l'on y ajoutait d'innombrables figures mi-homme, mi-animal et des ornements. Au milieu de la voûte de l'espace polygonal du rez-de-chaussée est peinte la scène représentant l'amour filial sur l'exemple d'Enée qui emporte son père Anchise de Troie en feu (sur notre photo).

La vue de la pente boisée de Troja, de l'île Císařský sur la Vltava et des maisons de la banlieue de Dejvice, du haut de la ruine de la vieille presse à raisin à Baba.

Le propriétaire de l'exploitation vinicole originaire située à Dejvice, Hans Paul Hippmann, la fit reconstruire après 1733 en un pavillon (no 15) de plaisance de style baroque à son apogée, avec aussi un jardin en terrasses. En 1912 on y installa le musée archéologique avec les collections privées de Josef Antonín Jíra, qui fait aujourd'hui partie du Musée de la ville de Prague. Dans les années trente du 20e siècle, les bâtiments de l'exploitation proprement dite furent démolis.

■ **PAGE 99** ■
Le château d'eau de Letná à Bubeneč fut construit en 1888 en style néo-Renaissance par la maison Hübschmann et Schlaffer, selon le projet de Jindřich Fialka.

■ **PAGE 99** ■
Le pavillon de plaisance du gouverneur no 56 à Bubeneč, au-dessus du parc Královská obora avait été fondé à l'origine comme château de chasse par Ladislav Jagellon en 1495. Seule la sculpture dans l'escalier témoigne de cette époque-là. Rodolphe II confia en 1578 à Ulrik Aostalli la tâche importante de reconstruire à fond le petit château en un pavillon à arcades avec une tour d'angle en forme de prisme. L'édifice doit son aspect actuel à la reconstruction romantique dans le goût gothique de Jiří Fischer des années 1805–1811. Les sculptures sont l'oeuvre d'Ignác Michal Platzer et de Josef Kranner, les peintures dans les chambres celle de l'atelier de Josef Navrátil. La porte proche menant à Královská obora de 1814 s'harmonise bien avec l'édifice quant au style.

■ **PAGE 100** ■
Pour l'Exposition anniversaire du pays de 1891, l'architecte Meiser dessina le pavillon des fonderies Komárovské slévárny, dont les détails furent exécutés par le modeleur Zdeněk Emanuel Fiala selon les dessins de l'architecte Hercík. La carcasse de fonte de cette construction néo-baroque exceptionnelle fut coulée dans les fonderies de Komárov, les travaux furent dirigés par K. Šlejf. En 1898, le pavillon appelé Hanavský d'après le propriétaire des fonderies, le prince Vilém Hanavský, fut démonté et transféré dans le parc de Letná. Après la reconstruction des années 1967–1971, un restaurant y fut réinstallé.

■ **PAGE 101** ■
Les tours de la Vieille-Ville vues de Letná. A l'avant-plan la masse des bâtiments de la Faculté de droit de l'Université Charles, bâtie d'après les plans de Jan Kotěra de 1914 seulement dans les années 1924–1927, de l'Institut de la physique nucléaire bâti à l'origine pour la Faculté de philosophie de l'Universi-té Charles dans les années 1922–1923, de Josef Sakař, ensuite du Conservatoire national de musique de 1902 avec sa forme d'angle en coupole, ayant servi originairement comme lycée académique, et à la fin du Rudolfinum.

■ **PAGE 101** ■
Les ponts de la Vltava et les maisons sur la rive de la Vieille-Ville, vus de Letná.

■ **PAGE 102** ■
Un détail de la décoration de l'escalier montre une cariatide soutenant un palier surplombant un creux - un gouffre dans lequel avaient été jetés deux autres géants. Cette figure est signée Georg Heermann, son pendant porte la date de 1685.

■ **PAGE 103** ■
La peinture du plafond de la salle impériale à Troja fut terminée par Abraham Godyn en 1693. Il y représenta le triomphe de la foi chrétienne sur l'islam après la bataille victorieuse de Vienne en 1683, en y peignant d'innombrables figures allégoriques et historiques. Les autres scènes sur les murs concernent uniquement les célébrations de divers événements de la famille des Habsbourg, complétés par une galerie des personnalités les plus importantes.

■ **PAGE 104** ■ 105 ■
Le vaste ensemble du petit château de plaisance de Troja est conçu en une symétrie parfaite dont l'axe principal est dirigé vers le sud en direction de la cathédrale Saint-Guy. Le château et les bâtiments annexes sont situées sur une sorte de terrasse ornée de vases et de deux fontaines. Sous la terrasse s'étend un parterre décoratif avec une fontaine reconstruite et avec les copies des sculptures originales, terminé par une organgerie. En direction de l'est se trouve un verger au plan trapéziforme traversé par les sentiers formant une étoile et par des allées en perspective de stuc. Un tunnel sous le chemin creux primitif ouvrait l'accès de la partie ouest du jardin avec la salla terena. Au sommet de la colline dominant le château, où l'on cultive toujours la vigne, fut construite la chapelle Sainte-Claire. L'ensemble était encore complété par les édifices des di-verses exploitations – ferme, brasserie, moulin et auberge.

■ **PAGE 105** ■
Le château de Troja constitue un ensemble rare, qui n'a presque pas subi d'altération par les reconstructions ultérieures. Il avait été bâti comme villa de banlieue de type italien à l'intention du haut fonctionnaire Václav Vojtěch de Šternberk. Il est vrai qu'à l'origine, avant 1678, le projet de la construction provenait de Domenico Orsi, mais peu après, après sa mort, Jean Baptiste Mathey imposa un nouveau projet qui fut réalisé par Silvestro Carlone. Le bâtiment brut était achevé en 1685, le magnifique escalier donnant dans le jardin avant 1689. Georg et Paul Hermann installèrent dans cet escalier les figures de dieux olympiques luttant contre les géants. Les dernières statues furent installées en 1703. Avant 1708, des bustes furent placés sur la ballustrade extérieure, provenant très probablement de l'atelier des Brokof. Depuis l'année 1689, les peintures du plafond de la salle furent exécutées par Francesco Marchetti et par son fils Giovanni Francesco, mais la décoration de la salle impériale fut confiée par le propriétaire aux frères Abraham et Isaak Godyn qui la terminèrent au bout de six ans d'efforts. Abraham Godyn peignit sans doute aussi l'écurie d'un luxe hors du commun avec cheminées, mangeoires de marbre, grilles à foin en forme de ramures entrelacées.

■ **PAGE 106** ■
L'église Saint-Coeur-de-notre-Seigneur place Jiří z Poděbrad à Vinohrady se distingue parmi le petit nombre de bâtiments religieux de 20e siècle, et cela non seulement à Prague. L'auteur du projet Josip Plečnik abandonna la tradition dans sa conception de l'intérieur sans presbytère, et aussi de la tour occupant toute la largeur de l'édifice. La construction se fit dans les années 1928–1932. Les sculptures de la façade sont l'oeuvre de Bedřich Stefan, celles de l'intérieur de Damián Pešan.

■ **PAGE 106** ■
L'église Sainte-Ludmila sur la place de la Paix (náměstí Míru) à Vinohrady fut

construite comme peudo-basilique en briques avec la nef transversale et la façade frontale à deux tours en style néo-gothique, dans les années 1888-1893 selon le projet de Josef Mocker. La construction fut dirigée par Antonín Turek. Le relief du Christ avec saint Venceslas et sainte Ludmila dans le tympan du portail ouest est l'oeuvre de Josef Václav Myslbek. A la décoration de l'intérieur participèrent Ludvík Šimek, František Hergesel, František Sequens, František Ženíšek, Adolf Liebscher, Jan Kastner et autres.

A gauche de l'église, le cliché montre le théâtre Na Vinohradech, bâtiment art nouveau des années 1904-1907 d'Alois Jan Čenský. Les groupes de statues sur les pylônes sont l'oeuvre de Milan Havlíček de 1906.

■ PAGE 107 ■

Au-dessus des maisons de la vallée de Nusle s'étend la masse solide du Palais de la culture, dont les auteurs du projet furent Josef Karlík, Jaroslav Mayer, Vladimír Ustohal et Antonín Vaněk. L'édifice terminé en 1981 et doté d'installations les plus modernes, décoré par les artistes de tous les domaines, comprend la salle des conférences, la petite salle, le salon présidentiel, le restaurant et beaucoup d'autres espaces encore. Comme projeteur principal de l'hôtel Forum fut nommé Jaroslav Trávníček. L'hôtel fut inauguré en 1988.

■ PAGE 107 ■

Le pont de Nusle fut construit dans les années 1967-1974 selon le projet de Stanislav Hubička, Svatopluk Kober et Vojtěch Michálek. Il relie l'autoroute menant à Brno et à Bratislava avec la grande voie Nord-Sud et assure toutes les sortes de transports y compris le métro. Au fond, nous voyons se dresser le haut bâtiment de l'hôtel Forum et la silhouette en horizontale du Palais de la culture, vus de Karlov.

■ PAGE 108 ■

La rotonde romane Saint-Martin à Vyšehrad est la plus vieille de celles qui ont été conservées à Prague. Elle fut construite pendant le règne de Vratislav II dans le dernier tiers du 11e siècle. Aux 17e et 18e siècles, elle servait de dé-

pôt de poudre, au 19e siècle comme entrepôt. En 1878 elle fut restaurée et complétée par certains détails.

■ PAGE 108 ■

Vyšehrad fut habité déjà au paléolithique au 4e millénaire av. J.C. La commune suivante qu'on a trouvée provenait de la première moitié du 3e millénaire. Après, la roche de Vyšehrad ne fut habitée que dans la première moitié du 10e siècle par les Slaves. Ils y bâtirent un ensemble d'habitations fortifié, les premiers bâtiments religieux – l'un de consécration inconnue de style précédant l'époque romane, et la chapelle Saint-Jean-Evangéliste – et l'hôtel de la monnaie. Après 1067, le prince Vratislav II qui devint roi en 1085, y transféra son siège du Château de Prague. Il le fit reconstruire pour lui prêter l'aspect digne de son importance et il y fonda plusieurs églises et le chapitre auprès de l'église Saint-Pierre-et-Saint-Paul. Cette basilique à trois nefs fut rénovée en 1129 par le prince Soběslav Ier qui fit aussi reconstruire d'autres églises. Ses successeurs retournèrent au Château de Prague. Une autre reconstruction importante de l'église Saint-Pierre-et-Saint-Paul fut réalisée après l'incendie de la seconde moitié du 13e siècle et ensuite dans la première moitié du 14e siècle. Charles IV dota Vyšehrad d'une novelle fonction spirituelle l'ayant désigné comme point de départ du cérémonial de couronnement d'où, après avoir rendu honneur à la tradition přemyslide, le défilé solennel se mit en marche pour traverser Prague jusqu'au Château où se tint la cérémonie religieuse. Enfin, Vyšehrad fut rénové à grands frais, nouvellement fortifié et, à la suite de la fondation de la Nouvelle-Ville, ajouté au groupe de villes de Prague. En 1420, Vyšehrad fut pillé par les Pragois et l'on ne réussit plus à lui faire reprendre sa position historique primitive. Après la bataille de la Montagne Blanche, on commença à renouveler les fortifications de Vyšehrad. Cependant, la guerre de Trente ans les détruisit ensemble avec d'autres édifices. Dans la seconde moitié du 17e siècle, Vyšehrad fut transformé en forteresse baroque qui ne fut abolie qu'en 1911. L'église Saint-Pierre-et-Saint-Paul subit une adaptation Re-

naissance dans les années 1575-1576, dirigée par Ulrico Aostalli et le maître Benedikt. L'adaptation baroque de l'église eut lieu dans les années 1711-1728 tout d'abord sous la direction de František Maxmilián Kaňka auquel succéda Carlo Antonio Canevale. Les plans originaux de Jan Blažej Santini, adaptés par les deux architectes, servirent peut-être à cette reconstruction. L'église doit son aspect néogothique actuel avec les deux tours, à Josef Mocker qui réalisa cette adaptation dans les années 1885-1887. A côté des édifices déjà mentionnés, le bâtiment du décanat, les deux prévôtés, les maisons canonicales et d'autres édifices, il y a à Vyšehrad un cimetière où sont enterrées des dizaines de personnalités éminentes de la nation.

La porte Léopold d'avant 1670 reçut son nom d'après le souverain de cette époque, Léopold Ier. Elle défendait l'accès de la forteresse du côté de Pankrác. Son projet en deux variantes est l'oeuvre de Carlo Lurago, la décoration plastique est celle de Giovanni Battista Allio.

■ PAGE 109 ■

Le fort de Chodov fut bâti probablement déjà à la fin du 13e siècle sur un plan circulaire avec une tour permettant le passage, une petite aile de palais, et une large douve. Dans la seconde moitié du 16e siècle furent exécutées certaines adaptations, mais ce ne fut que vers l'année 1700, où les bénédictins étaient propriétaires du couvent Saint-Nicolas, que le fort dévasté subit une reconstruction à fond le transformant en château avec cour à arcades. Aujourd'hui, ce monument restauré ravive l'atmosphère grise de la cité résidentielle de la Ville-Sud, en servant à la fois de centre culturel.

■ PAGE 109 ■

La vue du port des voiliers sur la Vltava à Podolí, du haut de Vyšehrad. Les édifices monumentaux du service des eaux urbain et du nouveau service des eaux furent esquissés par Antonín Engel dans les années 1929-1931 et 1959-1962.

■ PAGE 110 ■

La Bertramka à Smíchov no 169 de la

fin du 17e siècle et reconstruite en style néo-classique dans la seconde moitié du 18e siècle, est connue avant tout par le séjour de Wolfgang Amadeus Mozart. Il était l'invité des époux Dušek – le compositeur et pianiste František Xaver et sa femme Josefína, cantatrice d'opéra, en 1787 où il vint à Prague pour diriger la première de son opéra Don Giovanni à l'ancien théâtre comtal – théâtre Nostic. Mozart séjourna probablemet à nouveau à Bertramka quand les Dušek l'invitèrent à l'occasion de la première de son opéra de couronnement La clemenza di Tito pour l'empereur Léopold II. A l'intérieur de l'édifice ont été conservées les pièces aux plafonds peints et les peintures dans la sala terrena qui servait de salle de concert. Dans le jardin est installé le buste de Mozart de Tomáš Seiden de 1876. La villa est ouverte au public comme monument des époux Dušek et de Mozart.

■ PAGE 110 ■

Le couvent des cisterciens à Zbraslav fut fondé par le roi Venceslas II en 1292 près du château de chasse, bâti après 1268 par Přemysl Otakar II. La construction entamée en 1297 traîna jusqu'au milieu du 14e siècle. Le couvent reçut le nom d'Aula regia – Salle royale – en témoignage des relations extraordinaires des derniers Přemyslides qui établirent leur mausolée dans l'église abbatiale de bel aspect consacrée à la Vierge Marie. C'est là que naquit dans la première moitié du 14e siècle la Chronique de Zbraslav écrite par les abbés Otto et Petr Žitavský. En 1420, le couvent fut réduit en cendres par les hussites et ayant été rénové, il fut à nouveau dévasté pendant la guerre de Trente ans. Les abbés Wolfgang Loechner et ensuite Tomáš Budetius eurent le grand mérite d'encourager une nouvelle construction des édifices en style baroque qui se fit dans les années 1709–1939. Joseph II supprima le couvent en 1785 et libéra de la sorte la voie à une nouvelle utilisation des bâtiments comme raffineries du sucre et usine chimique. En 1913, l'ensemble des édifices endommagé fut acheté par Cyril Bartoň de Bobenín qui le transforma dans les années 1924–1925 en château.

L'édifice à trois ailes du couvent avec sa cour d'honneur fut bâti dans les années 1709–1732 selon les plans de Jan Blažej Santini, avec qui renoua, à quelques changements près, František Maxmilián Kaňka dès 1724.

■ PAGE 111 ■

L'église Saint-Jacques, paroissiale à l'origine, qui reprit la fonction de l'église abbatiale après que celle-ci eut été détruite, et où furent transportées aussi les reliques des Přemyslides, subit dans les années 1650–1654 une reconstruction en style baroque primitif. A l'intérieur, nous trouvons en premier lieu la copie de la Madona de Zbraslav dont l'original précieux de 1350 est exposé à la Galerie nationale, les tableaux de Karel Škréta, Petr Brandl et Giovanni Battista Piazzetta. A l'est du presbytère se trouve l'édifice de l'ancienne prélature, reconstruit avant 1739 par František Maxmilián Kaňka et orné de fresques de Václav Vavřinec Reiner et František Xaver Balko, ayant aussi pour sujet les scènes de l'histoire du couvent. Dans les années 1911–1912, Dušan Jurkovič l'adapta en château.

■ PAGE 112 ■

Dans la salle royale du couvent de Zbraslav, la fresque représentant la Bénédiction de la pierre fondamentale de l'église de Zbraslav fut peinte par Václav Vavřinec Reiner en 1728. Les autres scènes peintes sur les murs se rapportent également à l'histoire de la fondation du couvent par Venceslas II. Le stucateur Tomasso Soldati avec son fils Martin y créèrent leur chef-d'oeuvre. František Xaver Balko créa la fresque dans le réfectoire représentant la parabole de l'homme venu aux noces sans habit de gala. Déjà le dernier propriétaire décida en 1941 que l'édifice du couvent devrait abriter les collections de la Galerie nationale, qui y installa l'exposition de la sculpture tchèque depuis le baroque jusqu'au présent.

I numeri romani, affiancati ai numeri d'irdine (n.o. – su tabelle rosse, a differenza di quelle blue che indicano i numeri civici), si riferiscono ai quartieri del distretto di Praga 1:

I – Città Vecchia

II – Città Nuova

III – Malá Strana

IV – Hradčany

V – Josefov

■ 1A DI COPERTINA ■

La casa U minuty (Al Minuto), n.o. 3/I, fu costruita sul luogo di una stretta viuzza già all'inizio del XV sec. Probabilmente soltanto durante la ricostruzione rinascimentale, efettuatasi negli anni Ottanta del XVI sec., la casa venne prolungata all, attuale profondità, fu elevata, munita di un cornicione a lunetta e tutta coperta, in due fasi, da graffiti (prima del 1601 e prima del 1615). Nella seconda metà del XVIII sec. la casa fu ricostruita in stile classicista, i graffiti furono coperti da intonaco e sulla colonna d'angolo, più tardi distrutta, fu situala l'insegna della casa raffigurante un leone tenente fra le zampe il cartoccio araldico secondo il nome più antico della casa che era U bílého lva (Al Leone Bianco). I graffiti, raffiguranti, secondo i modelli grafici, scene bibliche dell'Antico e del Nuovo Testamento, scene mitologiche, temi dalla storia romana e dal Talmud ebraico, figure allegoriche e numerosi re francesi, furono riscoperti e restaurati nel 1919. Nell'interno della casa si sono conservati frammenti medievali, soffitti a travi e l'armatura del tetto rinascimentali e volte dipinte in stile barocco, risalenti al periodo antecedente al 1712.

Seguono le facciate parzialmente coperte del lato meridionale del Municipio della Città Vecchia: la casa U kohouta (Al Gallo) e quella del pellicciaio Mikeš, collegate da portici, la casa del mercante Kříž con una finestra rinascimentale tripartita, risalente al 1525, e con la sequenza degli stemmi degli scabini, situati sottto il cornicione, e la casa di Volflin da Kamen con un portale tardo gotico e una finestra del 1490 circa. In fondo vediamo il lato orientale della Piazza della Città Vecchia (Staroměstské náměstí) con la Chiesa al Týn.

■ LA FOTO SUL RETRO ■

L'angolo Nord-ovest della Piazza della Città Vecchia con la Chiesa di S. Nicola, visto dalla Chiesa al Týn e dalla Scuola al Týn (n. o. 604/I).

■ PAGINA 3 ■

Le Torri del Ponte dalla parte di Malá Strana chiudono il ponte Carlo sulla riva sinistra della Moldava. La torre più bassa è romanica; fu costruita insieme al ponte di Giuditta attorno al 1158. Nel 1591 fu restaurata in stile rinascimentale. Nella torre si è conservato un prezioso rilievo del 1170 circa, raffigurante probabilmente l'elezione a re di Vladislao II, che originariamente faceva parte della decorazione esterna. La porta che sostituì quella romanica originaria fu costruita dopo il 1411. La torre più alta del ponte fu fondata dal re Giorgio di Poděbrady nel 1464, anch'essa probabilmente nel luogo in cui sorgeva una costruzione romanica. La decorazione scultorea monumentale non fu però più realizzata.

■ PAGINA 4 ■

La Piazza della Città Vecchia con il monumento a Jan Hus, vista dalla casa U kamenného zvonu (Alla Campana di Pietra), n.o. 605/I, attraverso il tetto a mansarda del Palazzo Kinských (Kinski), n.o. 606/I. In fondo, presso la Chiesa di S. Nicola, notiamo le case del complesso municipale dei n.o. 22, 21, 20 e 19/I.

■ PAGINA 5 ■

L'orologio astronomico di Praga, avvolto nella leggenda secondo cui il maestro orologiaio Hanuš sarebbe stato acciecato dagli scabini per non poter mai più creare altrove un'opera simile, si annovera fra i posti più frequentati di Praga. In realtà però l'orologio situato nella torre del Municipio della Città Vecchia, fu costruito nel 1410 da Mikuláš di Kadaň, cioè più esattamente il quadrante astronomico e il meccanismo corrispondente, e soltanto attorno al 1490 il maestro Hanuš detto anche Jan Růže con il suo coadiutore Jakub Čech aggiunsero il calendario. Praticamente ogni secolo l'orologio ha subito dei restauri, a volte è rimasto fermo per lunghi anni, è stato perfezionato e decorato, in ambedue i periodi del gotico, da statue in pietra, nel XVII sec. da figure in legno di statue allegoriche situate ai lati del quadrante e nel 1865 da un nuovo calendario dipinto da Josef Mánes e dalla sfilata degli apostoli di Eduard Veselý. Sembra però che gli altri apostoli sfilassero nell'orologio già nel XVIII sec. Il gallo che canta fu aggiunto soltanto nel 1882. Durante la rivoluzione del maggio 1945 la maggior parte delle figurine dell'orologio andò bruciata da un incendio e la copia del disco del calendario di Mánes fu distrutta dal calore. Le nuove figurine furono intagliate da Vojtěch Sucharda, il disco del calendario fu dipinto da Bohumír Číla e l'orologio restaurato fu messo in funzione nel 1948. Oggi vi sono soltanto le copie, mentre gli originali delle figure di Sucharda e del disco di Mánes sono esposti nel Museo di Praga, capitale.

■ PAGINA 6 ■

Per la costruzione della Casa Obecní o Reprezentační (Municipale o di Rappresentanza), al n.o. 1090/I a Praga, fu indetto nel 1903 un concorso, vinto da Antonín Balšánek e Osvald Polívka. La costruzione pentagonale in stile Liberty fu realizzata negli anni dal 1905 al 1911. Sotto la cupola, in una nicchia situata sopra il portico della facciata, è collocato il mosaico raffigurante „L'Omaggio a Praga", realizzato secondo il cartone di Karel Špillar. I gruppi di sculture simboliche dell'Umiliazione e della Risurrezione nazionale, situati ai lati dell'arco, sono dovuti a Ladislav Šaloun, le statue di luciferi e gli elementi ornamentali sono opera di Karel Novák. Le altre statue e i rilievi delle faciate laterali sono opera di Antonín Mára, Josef Mařatka, Josef Pekárek, Eduard Pickardt, František Rous, Antonín Štrunc, František Úprka e Gustav Zoula. Molto interessanti sono anche gli spazi interni della Casa Municipale: il vestibolo, il Ristorante francese, il caffè, la sala da biliardo, il bar, la Sala del Sindaco, la Sala Rieger, la Sala Sladkovský, il Salone Palacký, la pasticceria e soprattuto la Sala Smetana in cui si tengono i concerti ma che serve a volte anche a scopi pubblici. Fra gli artisti che parteciparono alla decorazione degli spazi sopraccitati bisogna mezionare, oltre a quelli già nominati, Mikoláš Aleš, František Hergesel, Josef Kalvoda, Alfons Mucha, Josef Václav Myslbek, Max Švabinský e František Ženíšek. Sul luogo dell'attuale Casa Municipale, sede dell'Orchestra Sinfonica di Praga capitale, si trovava, negli anni che vanno dal 1380 al 1483, la Corte reale. Andata in rovina, fu restaurata dopo il 1631 e adibita a seminario arcivescovile. Nella Casa Municipale ebbero luogo numerose importanti riunioni politiche, di cui la più importante fu la proclamazione dell'indipendenza della Cecoslovacchia e l'emanazione della prima legge il 28 ottobre 1918.

■ PAGINA 7 ■

La via Pařížská con rappresentative case in stile eclettico e liberty viene veramente apprezzata a partire dagli anni Settanta del XX secolo. Le case adiacenti al palazzo n.o. 934/I, all'angolo della Piazza della Città Vecchia, risalgono agli ultimi anni del XIX sec. La maggior parte di esse fu costruita nel 1901–1906 su progetti degli architetti Matěj Blecha, Richard Klenka di Vlasti-

mily, Jan Koula, Čeněk Křička, Antonín Makovec, Jan Vejrych, František Weyer e di altri.

■ PAGINA 8 ■

Il Palazzo Šternberk al n.o. 7/III in piazza Malostranské sorse dopo il 1684 quando Adolf Vratislav di Šternberk asquisì due case rinascimentali, di cui la casa Na baště (Al Bastione) è ancor oggi visibile per la sua facciata nascosta dall'altezza del primo piano. Nel periodo anteriore al 1720 si effettuò un nuovo restauro nello stile del barocco maturo, probabilmente per opera di Giovanni Battista Alliprandi. Fra le finestre del primo piano è situato un affresco raffigurante la Madonna col Bambino. I soffitti a stucco di Giovanni Bartolomeo Cometa furono creati, insieme alle pitture, da artisti ignoti all'inizio del XVIII sec.

Agli Šternberk apparteneva anche la vicina casa d'angolo al n.o. 518/III, costruita in stile rinascimentale attorno al 1585. Nel 1670 la casa fu restaurata nello stile del primo barocco. Durante il restauro effettuatosi nel 1899 la facciata fu decorata da nuovi graffiti, opera di Celda Klouček.

Sullo sfondo notiamo la torre e il tamburo della Chiesa di S. Tommaso.

■ PAGINA 9 ■

La facciata settentrionale del Palazzo Černín che dà sul giardino e che è decorata da due logge, costruite tra gli anni 1669 e 1692, è opera di Francesco Caratti. La statua raffigurante Ercole che vince l'idra fu creata nel 1746 da Ignác František Platzer. Il giardino francese, progettato nel 1718 da František Maxmilián Kaňka, fu realizzato dal giardiniere Matěj Ivan Lebsche. Una nuova aranciera fu costruita da Anselmo Lurago. Negli anni che vanno dal 1934 al 1935 il giardino fu restaurato da Pavel Janák e da Otakar Fierlinger.

■ PAGINA 9 ■

Il Palazzo Černín, n.o. 101/IV, fu fondato, dopo la demolizione di alcune case, da Humprecht Černín di Chudenice, ambasciatore imperiale a Venezia, nel 1669. Progettista e direttore della costruzione, influenzata dalle forme palladiane, fu Francesco Caratti, aiutato da

Giovanni Decapauli e Abraham Leuthner. I lavori di scalpello furono realizzati da Giovanni Battista Pozzo, Domenico Semprici e dai loro aiutanti. A partire dal 1676 la costruzione fu diretta da Giovanni Battista Maderna, attivo qui anche come stuccatore, e da Giovanni Bartholomeo Cometa e Francesco Perri, a partire dal 1692 da Domenico Egidio Rossi, dal 1696 da Giovanni Battista Alliprandi e infine da Martino e Giovanni Alli. Dal 1718 František Maxmilián Kaňka durante la costruzione del palazzo e nei progetti per la soluzione degli interni raggiunse il culmine dello stile barocco. Alla decorazione interna parteciparono gli stuccatori Tommaso Soldati e più tardi Bernardo Spinetti, il marmorario Domenico Antonio Rappa e l'affreschista Václav Vavřinec Reiner, quest'ultimo soprattutto con la sua raffigurazione della lotta tra Dei e Giganti realizzata nel 1718 e che adorna la scalinata. Le opere scultoree praticamente non si sono conservate. Nel 1851 il palazzo, che era andato pian piano in rovina, fu venduto e adibito a caserma. Negli anni che vanno dal 1928 al 1934 fu restaurato per essere adibito a sede del Ministero degli Esteri secondo il progetto di Pavel Janák. È il più monumentale palazzo di Praga.

■ PAGINA 10 ■

Il convento (n.o. 99/IV) con la Chiesa della Vergine Maria dell'Angelo in piazza Loretánské fu costruito negli anni che vanno dal 1600 al 1602 e rappresenta la più antica casa monacale dei Cappuccini in Boemia. Il presepio, allestito permanentemente in una cappella laterale, fu realizzato nel 1780 da due monaci napoletani. Diciotto figurine a grandezza inferiore al naturale, fatte di legno, paglia e gesso, indossano i vestiti dell'epoca, induriti con una soluzione di acqua e colla. Il convento è collegato, attraverso un ponticello coperto, al Loreto, la cui balaustrata, in primo piano nella foto, è decorata dalle figure di ventotto angioletti recanti scudi con scene mariane a rilievo, opera della bottega di Ondřej Filip Quittainer del 1725. Gli originali sono però stati sostituiti da copie.

Serie delle case dei canonici nella piazza Hradčanské. La casa U labutí (Ai Cigni), n.o. 61/IV, edificio di origine rinascimentale, ricostruito nella metà del XVIII sec. come palazzo minore in stile tardo barocco e ampliato nel 1842 dall'architetto Johann Maxmilián Heger.

A sinistra la casa Sasko-lauenburský (Sassone-Lauenburg), n.o. 62/IV, originariamente gotica, in cui visse negli anni che vanno dal 1372 al 1399 Petr Parléř, construttore della Cattedrale di S. Vito, ricostruita attorno al 1596 in stile rinascimentale, e la casa Kolovratský (Kolovrat), n.o. 63/IV, fondata nel XIV sec. dai signori di Rožmberk e ricostruita da loro stessi nel 1541. Ambedue le case furono barocchizzate in modo unitario nel 1737 secondo il progetto di Antonín Václav Spannbrucker.

Il Loreto (n.o. 100/IV) è meta di pellegrinaggi. Fu costruito attorno alla Casa Santa, copia esatta della casa della Vergine Maria a Nazareth, transportata dagli angeli nel 1295 a Loreto presso Ancona. Il santuario fu fatto costruire a partire dal 1626 da Benigna Kateřina di Lobkovic. Il costruttore Giovanni Battista Orsi progettò nel 1634 anche i chiostri originariamente situati soltanto al pianterreno. Dopo la morte dell'Orsi proseguirono i lavori della costruzione delle cappelle situate nei chiostri, i quali lavori, diretti da Andrea Alli Silvestro Carlone, Jan Jiří Mayer, Kryštof Dientzenhofer e suo figlio Kilián Ignác si protrassero fino agli anni Venti del XVIII sec.

La facciata che rappresenta uno dei vertici del barocco fu costruita negli anni che vanno dal 1721 al 1723 secondo il progetto dei due architetti Dientzenhofer. Nella costruzione fu incorporata una torre più vecchia con un soave carillon, opera dell'orologiaio Petr Neumann, realizzata nel 1694. Ormai le 27 campane suonano la sola canzone mariana „Mille volte salutiamo te". Alla decorazione scultorea della facciata partecipò Jan Bedřich Kohl. Qui è collocato anche il famoso tesoro di Loreto.

La Casa Santa di Loreto di Praga fu consacrata nel 1631. Originariamente le sue pareti esterne furono dipinte soltanto in chiaroscuro, mentre dal 1664 Jacopo Agosto, Giovanni Battista Colombo e, il più abile tra loro, Giovanni Bartolomeo Cometa, realizzarono le figure a stucco dei profeti e delle Sibille, nonchè i rilievi con scene dalla vita della Vergine Maria. Nell'interno, sopra l'altare, è situata in una nicchia la statua della Madonna Nera di Loreto, risalente alla fine del XVII sec. Le pareti imitano il loro modello in tutti i particolari nei frammenti degli affreschi e della muratura grezza di mattoni con una fenditura.

La Chiesa della Natività, situata sul lato destro, sorse sul luogo della cappella del chiostro del 1661, ampliata due volte da Kryštof Dientzenhofer e poi prolungata dal suo figliastro Jan Jiří Aichbauer negli anni che vanno dal 1733 al 1735. L'affresco del soffitto nel presbiterio fu dipinto da Václav Vavřinec Reiner nel 1736, quello della navata da Jan Adam Schöpf nel 1742; la stuccatura è opera di Tommaso Soldati e fu realizzata negli anni che vanno dal 1735 al 1737.

In primo piano la fontana, decorata da un gruppo di sculture, raffiguranti l'Assunzione della Vergine Maria, opera di Jan Michal Brüderle del 1739, oggi copia di Vojtěch Sucharda.

Il Convento dei Cappuccini con la Chiesa della Vergine Maria dell'Angelo e il santuario di Loreto, visti dai tetti delle case di Nový svět (Nuovo mondo).

Probabilmente per decisione dell'architetto Michal Osvald Thun-Hohenstein, per la costruzione del suo palazzo al n.o. 182/IV nel quartiere di Hradčany, realizzata negli anni che vanno dal 1689 al 1691, fu utilizzata la muratura delle case, che si trovavano precisamente su quell'area, fino all'altezza del secondo piano. Autore dei progetti è considerato, per lo stile del barocco romano che lo caratterizza, Jean Baptiste Mathey, mentre il costruttore fu Giacomo Antonio Canevalle. Dal 1718 il palazzo viene

chiamato Toscano. Sull'attico fra le due altane del tetto sono collocate le figure allegoriche delle Sette arti liberali, opera di Jan Brokof del 1695 circa. All'angolo che dà su via Loretánská, Ottavio Mosto creò, nel 1700 circa, la figura dell'arcangelo Michele.

Sul luogo dove sorge la residenza del capitolo, al n.o. 65/IV, che si vede a sinistra nella foto, si trovava in origine un cortile con una torre, del 1414, appartenente al canonico e costruttore della Cattedrale di S. Vito, Václav di Radeč. Nel 1486 fu unito dal prevosto Hanuš di Kolovrat alla casa adiacente, acquistata nel 1365 dal canonico e primo direttore della costruzione Leonhard Bušek di Vilhartice e dai suoi fratelli. L'attuale aspetto della casa è il risultato delle ricostruzioni effettuatesi nel 1685 e nel 1734.

Il Palazzo Martinický (Palazzo Martinic), n.o. 67/IV, in stile rinascimentale, sorse sull'area prima occupata da tre case dopo la metà del XVI sec.; fu costruito per Ondřej Teyfl di Kinsdorf. Attorno al 1620 fu ingrandito dal luogotenente Jaroslav Bořita di Martinice, uno dei defenestrati del 1618. I graffiti sulla facciata e nel cortile risalgono al 1580 circa a raffigurano scene dell'Antico Testamento, rappresentanti la vita di Giuseppe d'Egitto e di Sansone, nonchè scene mitologiche del 1634. Negli interni è stata restaurata una grande sala con il soffitto dipinto a cassettoni e con una cappella, il cui ingresso è decorato dalle figure di Adamo ed Eva.

Rampa del Castello con vista di Praga. In primo piano dominano le cupole della Chiesa di S. Nicola a Malá Strana.

Il Palazzo Arcivescovile, n.o. 56/IV, si trova sul luogo della casa rinascimentale di Florián Griespek che nel 1562 fu venduta all'arcivescovo Antonín Brus di Mohelnice e subito dopo restaurata. Un altro restauro importante, effettuatosi secondo i progetti di Jean Baptiste Mathey sotto l'arcivescovo Jan Bedřich di Valdštejn negli anni che vanno dal 1675 al 1679, fu coperto, ad eccezione del portale e dell'altana del tetto, da una nuova ricostruzione classicista con alcuni elementi in stile rococò, realizzata da Jan Josef Wirch negli anni che vanno dal 1764 al 1765. L'arcivescovo Antonín Příchovský affidò la decorazione scultorea a Ignác František Platzer e negli anni Ottanta del XIX sec. essa fu completata da Tomáš Seidan. Daniel Alexius di Květná è autore dell'affrescatura del soffitto in stile tardo rinascimentale raffigurante la vita e l'opera di S. Giovanni Battista nella cappella del palazzo. Fra le opere d'arte del Palazzo Arcivescovile ricordiamo le collezioni di quadri, porcellane, cristalli, ritratti degli arcivescovi di Praga nel corso di quattro secoli, reliquiari e arazzi di gran valore con temi della Nuova India prodotti a Parigi secondo i cartoni di Alexander Desportes risalenti agli anni 1754-65.

Percorrendo una strada ripida, attraverso una galleria a sinistra del pianterreno, si accede al Palazzo Šternberk che ospita la Galleria Nazionale.

■ PAGINA 17 ■
Rampa del Castello con vista della collina di Petřín e della torre del belvedere, costruita nel 1891.

■ PAGINA 17 ■
Il Castello visto dal giardino di Strahov. Gli alberi da frutta in fiore creano una cornice ai palazzi del quartiere di Hradčany e alle case in via Loretánská e a Úvoz.

■ PAGINA 18 ■
Le aiuole del Giardino Reale. A destra è situata la villa presidenziale, sorta in base al restauro di una serra barocca, risalente agli anni dal 1730 al 1732, per opera di Kilián Ignác Dientzenhofer e ampliata negli anni dal 1937 al 1938 da Pavel Janák. Il Giardino Reale fu creato per volere di Ferdinando I nel 1535 probabilmente dall'architetto Giovanni Spazio e dal giardiniere Francesco, dal nome proprio Francysko Skoryna, proveniente dalla Bielorussia. Una costruzione superba situata nel Giardino è l'edificio della Grande Pallacorda, costruito da Bonifác Wohlmut negli anni che vanno dal 1567 al 1569; davanti ad esso si trova la statua della Notte di Antonín Brauner, del 1734. La statua raffi-

gurante „Ercole in lotta con l'Idra" che orna la fontana che chiude il viale, è opera di Jan Jiří Bendl, del 1670.

■ PAGINA 18 ■
La Residenza Estiva Reale, situata all'estremità orientale del Giardino Reale, fu costruita negli anni che vanno dal 1538 al 1562 secondo i progetti di un architetto ignoto, sotto la direzione di Paolo della Stella, quindi di Hans Tirol che ebbe l'idea di innalzarvi un primo piano e infine di Bonifác Wohlmut che realizzò quest'idea. I rilievi furono scolpiti da Paolo della Stella e dai suoi collaboratori. E la più pura architettura rinascimentale a Nord delle Alpi.

Al centro del giardinetto si trova, a partire dal 1573, la Fontana Cantante, la cui vasca di bronzo risuona misteriosamente allo scrosciare dell'acqua. Alla creazione della fontana parteciparono numerosi artisti: Francesco Terzio la progettò nel 1562, Hans Peissner creò la lingottiera, Tomáš Jaroš e Vavřinec Krička di Bitýška realizzarono la fusione negli anni che vanno dal 1564 al 1568, Antoni Brocco cesellò la parte superiore e, nel 1571, Wolf Hofprucker costruì la fontana.

■ PAGINA 19 ■
Il nome di Klárov nel quartiere di Malá Strana deriva dall'Istituto per i ciechi di Klárov, al n. o. 131/III, edificio classicista con una piccola torre bassa a sinistra nella foto, scattata dai Giardini di Chotek.

■ PAGINA 20 ■
Il cortile d'onore del Castello di Praga. Il Castello sorse negli anni Ottanta del IX secolo e divenne sede dei principi dello Stato Ceco della stirpe dei Přemyslidi. Presto furono costruiti, all'interno del sistema di fortificazione originariamente in legno, alcuni edifici religiosi. Nel 937 fu fondato il vescovato presso la Chiesa di S. Vito e il monastero delle Benedettine presso la Chiesa di S. Giorgio. Tutti i restauri, le nuove costruzioni, l'ampliamento e il perfezionamento del sistema di fortificazione del Castello ebbero come obiettivo quello di far crescere la sua importanza come residenza dei sovrani e di garantire la sua sicurezza. Il Castello visse il periodo di mag-

giore prosperità durante il regno di Carlo IV (1346-1378), di Vladislao Jagellone (1471-1516) e di suo figlio Ludovico (1516-1526) e sotto i primi Asburgo, cioè Ferdinando I (1526-1564), Massimiliano II (1564-1576) e Rodolfo II (1576-1611). Dopo la Battaglia della Montagna Bianca il Castello svolse soltanto un ruolo secondario. L'ultimo grande restauro del Castello, documentato nella nostra foto, si effettuò durante il regno di Maria Teresa negli anni che vanno dal 1755 al 1775 secondo il progetto di Niccolo Paccassi; i lavori furono diretti da Anselmo Lurago, Antonín Gunz e Antonín Haffenecker, i quali vi applicarono anche le proprie idee.

Al cortile d'onore si accede attraverso la cancellata centrale in stile rococò incorniciata da imponenti pilastri decorati da gruppi di giganti in lotta, da putti e da vasi, opere di Ignác František Platzer del 1769, oggi copie di Čeněk Vosmík e Antonín Procházka.

■ PAGINA 20 ■
Vista dal cortile d'onore del Castello verso il Palazzo Arcivescovile; in fondo il Palazzo Toscano.

■ PAGINA 21 ■
La Cappella della S. Croce, situata nel secondo cortile del Castello, fu progettata nel 1753 da Anselmo Lurago e costruita negli anni che vanno dal 1756 al 1764. Durante il restauro in stile classicista, effettuatosi negli anni che vanno dal 1852 al 1856, furono collocate nelle nicchie dello sfondo della cappella le statue dei SS. Pietro e Paolo, opera di Emanuel Max del 1854. Oggi nella cappella è esposto il tesoro della Cattedrale di S. Vito.

■ PAGINA 22 ■
La Porta Mattia del 1614 originariamente faceva parte del sistema di fortificazione al di là del fossato che divideva la piazza Hradčanské dal Castello. Attraverso questa porta, considerata la prima costruzione barocca di Praga (con elementi manieristici), progettata probabilmente da Giovanni Maria Filippi, si accede al secondo cortile del Castello oppure agli scaloni dell'ala d'ingresso. Salendo lo scalone teresiano a destra, si

entra negli uffici del Presidente della Repubblica, mentre lo scalone costruito da Otta Rothmayer negli anni che vanno dal 1948 al 1956 conduce alla Sala Spagnola e alla Galleria Rudolfina.

■ PAGINA 23 ■

La croce d'oro adorna di cammei che veniva usata durante le cerimonie dell'incoronazione risale al XIII sec. e fa parte del Tesoro della Cattedrale di S. Vito. È probabilmente dono del re di Francia all'imperatore Carlo IV, il quale la fece adibire, nel 1354, a croce reliquiaria. Nella parte posteriore (nella foto) fece collocare le reliquie della Passione di Cristo, vale a dire due frammenti della Santa Croce, di un chiodo, della spugna, della corda e due spine, mentre nella parte anteriore un frammento della Santa Croce e nove cammei bizantini antichi di onici, di ametista e di zaffiro. I bracci della croce sono adorni di zaffiri e perle, rivolti dalla parte posteriore, mentre le reliquie della Santa Croce sono orlati di zaffiri, rubini e perle. Il supporto della croce è barocco. La croce, che dagli anni Venti del XVI sec. veniva usata durante le incoronazioni, fu custodita, fino al 1645, nel castello di Karlštejn.
Nella vetrina si trovano inoltre quattro reliquiari gotici d'argento dorato, della seconda metà del XIV sec.: a destra, in primo piano, il reliquiario con il marchio della bottega di Parléř e, in fondo, il reliquiario di S. Caterina, mentre in fondo a sinistra il reliquiario con lo scrigno cilindrico di cristallo e in primo piano il reliquiario a forma di torre di S. Venceslao.

■ PAGINA 24 ■ 25 ■

Panorama del Castello di Praga con il quartiere di Malá Strana (Piccola Parte, ex Città Minore) e il Ponte Carlo, visti dal lungofiume Smetana.

■ PAGINA 24 ■ 25 ■

Il Castello e la riva ornata di giardini della Moldava da parte di Malá Strana, presso lo sbocco del suo braccio, la Čertovka, visti dal lungofiume Aleš.

■ PAGINA 26 ■

La Cancelleria dell'ufficio delle Tavole del Paese nell'Antico Palazzo Reale rappresenta uno spazio rinascimentale, coperto a volta che poggia sul pilastro centrale; le pareti e il soffitto sono decorati dagli stemmi di nobili impiegati. La Cancelleria svolse la sua funzione a partire dal rinnovamento delle Tavole del Paese dopo l'incendio del Castello nel 1541.

■ PAGINA 27 ■

La Sala della Dieta fu progettata da Bonifác Wohlmut negli anni che vanno dal 1559 al 1563. Coprendola con la volta a rete arcuata, l'architetto coscientemente unificò il suo aspetto con la adiacente Sala Vladislao, mentre la cattedra, situata nell'angolo, fu concepita in stile puramente rinascimentale. Il trono reale fu realizzato negli anni Trenta del XIX sec. La sala serviva alle sedute del Tribunale Superiore del Paese e dei rappresentanti degli „Stati" boemi fino al 1847.

■ PAGINA 28 ■

La facciata occidentale della Chiesa di S. Giorgio al Castello di Praga dà sulla piazza s. Giorgio (Jiřské náměstí). L'originaria basilica carolina fu fondata già dal principe Vratislao nel periodo anteriore al 921. Al momento della fondazione della più vecchia casa monastica nei nostri paesi da parte del principe Boleslao II e di sua sorella Mlada che, sotto il nome monacale di Maria, divenne la prima madre superiora, furono iniziati, dopo il 973, i lavori di restauro a favore del monacato: fu ingrandito il santuario e furono costruite le torri. A quel tempo risale anche la cappella mortuaria di S. Ludmila. La seconda fondatrice della chiesa e del monastero viene considerata la badessa Berta che fece restaurare tutto il complesso dopo l'incendio scoppiato durante l'assedio del Castello nel 1142. L'impulso per la realizzazione dei restauri attorno al 1220 fu dato dalla badessa Agnese. L'aspetto gotico della Cappella di S. Ludmila risale alla seconda metà del XIV sec. Francesco Caratti probabilmente è l'autore della facciata occidentale nello stile del primo barocco degli anni Settanta del XVII sec. La decorazione è molto probabilmente opera di Jan Jiří Bendl. Ancora negli anni che vanno dal 1718 al 1722 fu aggiunta alla facciata la Cappella di S. Giovanni Nepomuceno, costruita secondo i progetti di František Maxmilián Kaňka e decorata da statue di Ferdinand Maxmilián Brokof. Il portale laterale in stile rinascimentale che dà sulla via Jiřská (via San Giorgio), risale al periodo posteriore al 1500 e proviene dalla bottega di Benedikt Ried. Il rilievo di S. Giorgio a cavallo, raffigurato nel timpano, è una copia del 1934, mentre l'originale è collocato nella Galleria Nazionale, allestita nell'ex monastero. La chiesa rappresenta il monumento meglio conservato dell'architettura romanica a Praga.

■ PAGINA 29 ■

Interno della Chiesa di S. Giorgio. Il presbiterio elevato che si innalza sopra la cripta è accessibile attraverso una scalinata a due rampe con la balaustrata, del 1731. Nelle absidi si notano frammenti di affreschi romanici, risalenti all'epoca della badessa Agnese. Di numerosi sepolcri dei membri della famiglia principesca e della comunità monacale, situati nella navata, attirano l'attenzione la tomba in legno del principe Vratislao, decorata da dipinti che rappresentano santi, fondatori della chiesa e la Crocifissione, e la tomba di Boleslao II. Nella Cappella di S. Ludmila con la volta rinascimentale e le pareti decorate da affreschi, risalenti alla fine del XVI sec., è situato il sepolcro della Santa, del 1380, completato dopo la prima metà del XIX sec. Nella Cappella della Vergine Maria si notano gli affreschi romanici risalenti alla prima metà del XIII sec.

■ PAGINA 30 ■

Il Vicolo d'Oro al Castello originariamente era chiamata Degli orefici, poichè appunto questi artigiani vi abitavano insieme ai tiratori del Castello durante il regno dell'imperatore Rodolfo II. Le casette in miniatura, per la maggior parte terrene, attaccate ai muri tardo gotici del Castello, sorsero gradualmente a partire dal XVI sec. La casetta n. 22 appartenne, nel primo quarto del XX sec., a Franz Kafka, mentre durante la seconda guerra mondiale ad Otakar Štorch-Marien, fondatore dell'Aventinum.

■ PAGINA 31 ■

I tetti di due palazzi di Malá Strana, del Malý Fürstenberský palác (Piccolo Palazzo Fürstenberg), n.o. 155/III, e di quello Kolovratský (Palazzo Kolovrat), n.o. 154/III, visti dal giardino Kolovrat. In primo piano si nota il piccolo tetto a forma di campana della gloriette del giardino che, insieme alle altre piccole architetture, fu creata dopo il 1769 da Ignazio Giovanni Nepomuceno Palliardi.

■ PAGINA 32 ■

La Cattedrale di S. Vito vista dall'ex Maneggio Estivo del Castello, restaurato negli anni Trenta del XX sec. da Otto Rothmayer. La galleria ad arcate destinata agli spettatori fu costruita, insieme al Maneggio Invernale, negli anni che vanno dal 1696 al 1699 da Jacopo Antonio Canevale secondo il progetto di Jean Baptiste Mathey.

■ PAGINA 32 ■

I busti reliquiari di S. Venceslao e di S. Adalberto, fabbricati a Praga dopo il 1486 a spese di Vladislao Jagellone dal Tesoro della Cattedrale di S. Vito e collocati nella Cappella della S. Croce. Autore del primo busto è probabilmente l'orefice Václav di Budějovice.

■ PAGINA 33 ■

La facciata occidentale della Cattedrale di S. Vito. Fu fondata dall'imperatore Carlo IV nel 1344 come la terza costruzione religiosa della stessa consacrazione in questo luogo dopo la rotonda a quattro absidi, costruita da S. Venceslao negli anni Venti del X sec., e dopo la basilica a due cori di Spytihněv, degli anni Sessanta dell'XI sec. La costruzione della Cattedrale fu progettata e diretta da Mathieu de Arras e, a partire dal 1356, fino alle guerre ussite, da Petr Parléř e dai suoi figli. Il coro già compiuto, insieme ad una parte della navata trasversale, fu chiuso provvisoriamente da una parete alla quale Bonifác Wohlmut, negli anni che vanno dal 1559 al 1561, accostò l'abside. Dopo alcuni tentativi senza successo, compiuti nei secoli successivi, nel 1876 iniziarono i lavori finali, effettuatisi secondo il progetto di Josef Mocker, sostituito poi nella direzione della costruzione da Kamil Hilbert.

In occasione del millenario della morte di S. Venceslao, nel 1929, fu solennemente consacrata la nuova parte con le due torri occidentali. La Cattedrale è anche luogo di sepoltura dei re boemi, degli alti funzionari ecclesiastici e di altre importanti personalità, fra le quali anche i tre patroni della Boemia – S. Venceslao, S. Adalberto e S. Giovanni Nepomuceno.

Gli interni di questo spazio a tre navate con le cappelle, la navata trasversale, il coro e la corona delle cappelle vantano una decorazione particolarmente ricca. Da notare almeno i busti dei Lussemburgo e delle personalità legate alla costruzione del duomo, situati nel triforio, e le tombe dei Přemyslidi, create nella bottega di Parléř negli anni che vanno dal 1375 al 1385, la Cappella di S. Venceslao sorta sopra il sepolcro del Santo la cui statua, opera di Jindřich Parléř del 1373, si trova dentro la Cappella. Nelle pareti della Cappella sono incastonate pietre dure ed esse sono inoltre decorate dal ciclo di pitture del Maestro dell'altare di Litoměřice, risalenti agli anni che vanno dal 1506 al 1509; qui sono custoditi i gioielli della corona del 1346, decorati più tardi da pietre dure. Inoltre notiamo nella Cattedrale alcuni frammenti degli affreschi dell'inizio del XV sec., l'oratorio reale, molto probabilmente opera di Hans Spiess, realizzata nel 1493, il mausoleo reale di Alexandr Collin degli anni che vanno dal 1566 al 1589, il sepolcro di S. Giovanni Nepomuceno, progettato da Josef Emanuel Fischer di Erlach e realizzato dall'orefice Jan Josef Würth secondo il modello di Antonio Corradini negli anni dal 1733 al 1736, più tardi ancora completato da alcuni elementi. Degni di nota sono anche la statua del cardinale Bedřich Schwarzenberg, opera di Josef Václav Myslbek degli anni dal 1892 al 1895, e le vetrate realizzate negli anni Venti – Trenta del XX sec. da Cyril Bouda, František Kysela, Alfons Mucha, Karel Svolinský e Max Švabinský. La foto mostra il portale centrale della facciata, nel cui timpano è collocato il rilievo raffigurante la Crocifissione, scolpito da Ladislav Pícha secondo il modello di Karel Dvořák. I rilievi sulle porte bronzee con la tematica della costruzione della Cattedrale, realizzata nel

corso di vari secoli, furono fusi dalla ditta Anýž secondo i cartoni di Vratislav Hugo Brunner e secondo i modelli di Otakar Španiel negli anni che vanno dal 1927 al 1929.

■ PAGINA 33 ■

La Sala Vladislao al Castello, il più grandioso spazio in stile tardo gotico nell'Europa centrale, fu costruita negli anni che vanno dal 1492 al 1502 per volere del re Vladislao II secondo il progetto di Benedikt Ried. Alla sua costruzione dovettero cedere il posto i locali e la cappella situati al secondo piano dell'ala centrale dell'Antico Palazzo. Le costole arcuate, reciprocamente penetranti, che formano cinque stelle a sei lobi, partono da semipilastri intersecantisi, accostati alle pareti. Le finestre combinate, i portali e la soluzione della parete orientale sono già rinascimentali. I lampadari risalenti alla metà del XVI sec., due dei quali sono copie, furono donati a Ferdinando I dai cittadini di Norimberga. Attraverso il portale risalente al 1592 oppure al 1598, dovuto probabilmente a Giovanni Gargiolli, situato nell'asse della parete orientale, si accede al coro della Chiesa capitolare di Tutti i Santi. Il doppio portale, del 1541 circa, incorporato nella parete settentrionale, conduce alla Sala delle Tavole del Paese nonchè alla Scalinata dei Cavalieri, mentre il vicino Portale di Ried conduce alla Sala della Dieta.

■ PAGINA 34 ■

Il Monastero dei premonstratensi a Strahov, n.o. 132/IV, fu fondato nel 1140 dal re Vladislao II per iniziativa del vescovo di Olomouc Jindřich Zdík. La costruzione iniziò circa due anni più tardi. Dopo gli incendi scoppiati negli anni che vanno dal 1258 al 1263, l'edificio fu restaurato. Nel XVII sec. si effettuarono ancora alcuni altri restauri (a partire dal 1671 con la partecipazione di Giovanni Domenico Orsi), di cui il più importante fu l'ampliamento della prelatura secondo i progetti di Jean Baptiste Mathey del 1682, visibile nella foto. Il restauro fu realizzato dall'architetto Silvestro Carlone e portato a termine nel 1697. Dopo il già menzionato bombardamento di Hradčany nel 1742, era necessario procedere al nuovo restauro dei danni secondo il progetto di Anselmo Lurago. Ancora negli anni dal 1782 al 1783 Ignazio Giovanni Nepomuceno Palliardi costruì una nuova ala della biblioteca. Le due torri appartengono alla chiesa abbaziale dell'Assunzione della Vergine Maria.

La muratura romanica del monastero in gran parte si conservò fino all'altezza del primo piano. Nell'ala occidentale dell'edificio conventuale si conservò un'ampio spazio a due navate del cellaio e la scalinata di uno spessore del muro. Nell'ala orientale è situato il refettorio invernale con ricca stuccatura risalente al 1730 circa. L'annessa Sala Capitolare, il Refettorio Estivo situato nell'angolo sud-orientale del chiostro, la Sala Teologica della biblioteca, situata al primo piano, la Sala Solenne al secondo piano, la Cappella Abbaziale insieme alla Sala da Pranzo abbaziale che si trova nell'edificio della Prelatura e ancora quatro cappelle situate nella chiesa, furono dipinti da Siard Nosecký, membro locale dell'ordine, negli anni dal 1721 al 1751. Nella Sala Filosofica della biblioteca possiamo invece ammirare l'affresco raffigurante scene dalla storia spirituale dell'umanità, tarda opera di Anton Franz Maulbertsch.

■ PAGINA 34 ■

Via Nerudova a Malá Strana. In primo piano la casa U tří červených křížků (Alle Tre Crocette Rosse), n.o. 226/III, composta da due case medievali e restaurata nel XVI sec. e attorno al 1663. Nella vicina casa al n.o. 225/III, detta U tří černých orlů (Alle Tre Aquile Nere), originariamente rinascimentale e restaurata nelle epoche successive, visse il poeta Jan Neruda negli anni dal 1841 al 1845 e, successivamente, dal 1857 al 1869.

■ PAGINA 35 ■

Casa U dvou sluncu (Ai Due Soli), n.o. 233/III. Questa nuova costruzione rinascimentale si trova in via Nerudova sul luogo dove sorgeva una casa medievale poi abbattuta. L'attuale aspetto risale al periodo del restauro, effettuato negli anni dal 1673 al 1690. La lapide commemorativa del poeta Jan Neruda fu posta nel 1895.

■ PAGINA 36 ■

La casa U tří houslíček (Ai Tre Violini), n.o. 210/III, d'origine medievale, fu restaurata nel XVII sec. e poi ancora attorno al 1780. Negli anni dal 1667 al 1748 la casa appartenne successivamente a tre famiglie di liutai, fra cui eccelse Tomáš Edlinger. La trattoria situata al pianterreno era frequentata nel XIX sec. dai poeti Jan Neruda, Karel Hynek Mácha, Václav Hanka ed altri.

■ PAGINA 36 ■

L'interno della Chiesa di S. Nicola a Malá Strana, formato da uno spazio largo con cappelle laterali, testimonia il collegamento fra architettura, pittura, scultura e artigianato. Gli affreschi sul soffitto sono opera di Jan Lukáš Kracker, František Xaver Palko e Josef Hager, le sculture sono di Ignác František Platzer e di Richard, Jiří e Petr Prachner, le tele sono opera di Karel Škréta, Ignác Raab, Francesco Solimena, Josef Kramolín e Ludvík Kohl, il marmo artificiale fu lavorato da Jan Vilém Hennevogel e inoltre parteciparono alla decorazione della chiesa molti altri artisti.

■ PAGINA 37 ■

Il Palazzo Thun-Hohenstein, n.o. 214/III, in via Nerudova, fu costruito da Norbert Vincenc Libstein di Kolovrat secondo il progetto di Jan Blažej Santini-Aichl negli anni dal 1718 al 1726 al posto di sei case, come parte del Palazzo dei Signori di Hradec al n.o. 193/III. La costruzione fu diretta da Antonio Giovanni Lurago e Bartolomeo Scotti. La decorazione della facciata, eccetto due statue, fu creata nella bottega di Matyáš Bernard Braun. La scalinata del palazzo fu creata attorno al 1870 secondo i progetti di Josef Zítek, architetto del Teatro Nazionale e del Palazzo Rudolfinum, e decorata da pitture di František Ženíšek, Josef Schiwl e Josef Tulek. I Thun ereditarono l'edificio nel 1768. Bellissima architettura del tardo barocco; il palazzo è sede dell'Ambasciata d'Italia.

■ PAGINA 38 ■

Sul lato Nord della piazza Malostranské la foto sulla sinistra mostra il Palazzo dei Signori di Smiřice, al n.o. 6/III, edificio originariamente rinascimentale, la cui parte inferiore fu costruita da Jaroslav di Smiřice nel periodo anteriore al 1572. Nel 1612 Albrecht Václav di Smiřice vi unì un'altra casa restaurata in un unico complesso. Proprietà dei Montag a partire dal 1763, il palazzo fu restaurato secondo il progetto di Ignazio Giovanni Nepomuceno Palliardi, assumendo così l'attuale aspetto. Nel 1618 nel palazzo ebbero luogo le riunioni dei capi dell'insurrezione degli „Stati" boemi.

■ PAGINA 38 ■

La Camera dei Deputati, al n.o. 176/III, in via Sněmovní a Malá Strana, originariamente era un palazzo, costruito per il conte Maxmilián Thun sul luogo dove sorgevano cinque case negli anni che vanno dal 1695 al 1720. L'autore del progetto finora non è noto. La costruzione fu diretta da Jakub Antonín Achtzinger, i lavori di scalpello furono realizzati da Jakub František Santini-Aichl. A partire dal 1779 l'edificio fungeva da teatro per la compagnia di Pasquale Bondini che vi rappresentava le opere di Mozart. Dopo l'incendio lo comprarono gli „Stati" boemi adibendolo, nel 1801, in base al progetto di Ignazio Luigi Palliardi, a Camera dei Deputati. Attorno al 1870 essa fu restaurata. Oggi il palazzo ospita il Consiglio Nazionale Ceco.

■ PAGINA 39 ■

La Chiesa gesuita di S. Nicola a Malá Strana sostituì la chiesa parrocchiale gotica della seconda metà del XIII sec. La navata della chiesa con la facciata di un radicale stile romano, come vediamo nella foto, fu costruita da Kryštof Dientzenhofer negli anni dal 1704 al 1711. Suo figlio Kilián Ignác realizzò invece il presbiterio con la cupola negli anni dal 1737 al 1752. Il campanile, che invece apparteneva al comune, è opera di Anselmo Lurago degli anni che vanno dal 1751 al 1756. È la più bella dominante barocca di Praga.

■ PAGINA 40 ■

Il Palazzo Thun, al n.o. 180, situato ai piedi del Castello, originariamente rinascimentale, appartenne ai conti Leslie. Nel 1659 lo acquistò l'arcivescovo di Salisburgo Quidobald Thun; questi diede al palazzo le sue attuali dimensioni e fece costruire la torre poligonale. Negli anni dal 1716 al 1727, sotto la direzione di Giovanni Antonio Lurago, il Palazzo fu restaurato nello stile del barocco maturo. Negli anni che vanno dal 1785 al 1793, il palazzo fu restaurato ancora da Ignizio Giovanni Nepomuceno Palliardi. La porta d'ingresso in stile neogotico (nella foto) con l'ala interna fu progettata da Bernhard Grueber e costruita nel 1850 da Kašpar Předák. Al palazzo è annesso il giardino a terrazze, creato nella seconda metà del XVII sec. e risistemato nel XIX sec.

Qui abitò durante la sua prima visita a Praga Wolfgang Amadeus Mozart con sua moglie e suo cognato, invitato dal conte Josef Thun nel gennaio 1787. Oggi l'edificio è sede dell'Ambasciata britannica.

■ PAGINA 40 ■

La casa U zlatého jelena (Al Cervo d'Oro), n.o. 26/III, in via Tomášská a Malá Strana, originariamente rinascimentale, fu restaurata da Kilián Ignác Dientzenhofer negli anni dal 1725 al 1726 e abbellita nello stesso periodo dal gruppo scultoreo raffigurante S. Umberto con il cervo, opera di Ferdinand Maxmilián Brokof.

■ PAGINA 41 ■

Il Palazzo Valdštejn, n.o. 17/III, un grande complesso di edifici, cortili, giardino e maneggio del primo barocco, fu costruito negli anni dal 1623 al 1630 per volere del generalissimo imperiale Albrecht di Valdštejn, il quale prima fece abbattere, senza farsi scrupoli, ventitré o addirittura ventisei case, fra le quali la casa rinascimentale dei signori Trček di Lípa. Progettista e direttore della costruzione fu, fino al 1628, Andrea Spezza. Meno evidente fu la partecipazione degli architetti Vincenzo Boccacci e Niccolò Sebregendi. Il progetto di base era di Giovanni Pieroni. Gli affreschi dei soffitti nei notevoli ambienti del palazzo, nella sala principale, in cui Albrecht di Valdštejn è raffigurato come il Dio Marte sul carro trionfale, nella Cappella di S. Venceslao, nel gabinetto angolare e nel Corridoio astronomico, furono realizzati da Baccio del Bianco. Fra i numerosi stuccatori, spesso finora non

identificati, lavorarono qui Domenico Canevalle e Santino Galli.

■ PAGINA 41 ■

Il Palazzo Auersperg, n.o. 16/III, in piazza Valdštejnské, fu costruito nel 1628 come proprietà di Jan Marek Jiří Clary-Aldringen, al posto di due case medievali. František Václav Jan Clary-Aldringen fece restaurare il palazzo nel 1751, definendo il suo attuale aspetto. Nel 1843 il palazzo divenne proprietà della famiglia Auersperg. Durante i lavori di ampliamento dell'edificio della Dieta, effettuatisi nel 1844, il palazzo fu parzialmente ridimensionato e restaurato dall'architetto Jan Ripota. Con la famiglia Auersperg fu in rapporti straordinariamente amichevoli Ludwig van Beethoven, il quale dedicò alla contessa Josefina Clary-Aldringen alcune composizioni per mandolino.

■ PAGINA 42 ■

Il progettista della Chiesa di S. Giuseppe a Malá Strana, la cui facciata eccezionalmente riporta nella Praga barocca lo stile olandese, finora non è stato identificato con sicurezza. Le più recenti indagini dimostrano che le carmelitane praghesi commissionarono il progetto al loro confratello dell'ordine Fra Ignatio à Jesu a Lovanio; il suo vero nome era Johann Raas di Tirolo. La chiesa fu costruita negli anni che vanno dal 1687 al 1692, autore della decorazione della facciata, realizzata nel 1691, è Matěj Václav Jäckel. Vent'anni prima fu costruito il convento di cui presero possesso nel 1782 le vergini inglesi. Faceva parte del convento il giardino con piccole architetture, chiamato oggi Vojanovy sady (Giardini pubblici Vojan).

■ PAGINA 42 ■

Il Palazzo Oettingen, n.o. 34/III, in via Josefská a Malá Strana, adiacente alla Chiesa di S. Tommaso, fu costruito nel periodo posteriore al 1548 da Ladislav Popel di Lobkovic. Distrutto da un incendio, fu ricostruito negli anni che vanno dal 1723 al 1725, probabilmente secondo i progetti di František Maxmilián Kaňka. La proprietà del palazzo passò alla famiglia dei principi Oettingen-Wallerstein nel 1841. Il pianterreno fu in parte adibito, per motivi di traffico

stradale, a passaggio pedonale e automobilistico.

■ PAGINA 43 ■

Il Palazzo Kolovrat, n.o. 154/III, in via Valdštejnská, appartenne, dal 1603, a Vilém Senior Popel di Lobkovic, membro del direttorio nel 1618, il quale fece unire due case in una sola. Divenuto proprietà della contessa Marie Barbora Černín, il palazzo fu restaurato secondo il progetto di Ignazio Palliardi negli anni che vanno dal 1784 al 1788. Zdeněk di Kolovraty, che acquistò il palazzo nel 1886, fu attivo in campo letterario, ebbe una grande biblioteca, una pinacoteca e una collezione numismatica. Oggi il palazzo è sede del Ministero della Cultura.

■ PAGINA 44 ■

Il giardino Valdštejnská (Valdštejn) sorse contemporaneamente al palazzo. La sua dominante è la monumentale sala terrena con pitture di Baccio del Bianco e con ricca decorazione a stucco. I sentieri sono costeggiati da copie delle statue di Adriaen de Vries (gli originali degli anni dal 1626 al 1627 furono trafugati dagli Svedesi durante la guerra dei Trent'anni nel 1648). Inoltre ci sono una grotta stalattitica, delle fontane, una voliera, un giardinetto, spalliere tagliate di carpini e l'acqua calma di una grande vasca.

■ PAGINA 44 ■

Al centro della vasca quadrata, nel giardino Valdštejn, è situata un'isola artificiale sulla quale sono collocate copie di statue in bronzo raffiguranti Ercole in lotta con l'Idra e quattro Naiadi, opera di Adriaen de Vries, che originariamente fecero parte della fontana di marmo. In fondo ci sono le arcate della facciata dell'ala nordoccidentale del palazzo che dà sul giardino, con una nicchia in stile manierista.

■ PAGINA 45 ■

L'interno della Chiesa di S. Tommaso a Malá Strana. La chiesa basilicale con il monastero dell'ordine degli Agostiniani-eremiti fu fondata nel 1285 dal re Venceslao II presso una vecchia chiesetta. Il presbiterio fu consacrato nel 1315, mentre tutta la chiesa nel 1379. Dopo l'incendio che colpì Malá Strana (ex Città Minore) nel 1541, la chiesa fu gradualmente restaurata, sotto la direzione di Berbard Dealbert, fino al 1592. In quel periodo fu qui attivo anche Ulrico Aostali che nel 1597 fu sepolto in questa chiesa. Nel 1726 il restauro della chiesa fu affidato a Kilián Ignác Dientzenhofer (e portato a termine nel 1731), il quale collocò sopra i portali occidentale e meridionale le statue già esistenti di S. Agostino e di S. Tommaso, opera di Jeroným Kohl. Degna d'attenzione è la cappella in stile primo gotico, situata a Nord del coro e la sagrestia con affreschi risalenti agli anni dal 1353 al 1354, coperta dalla volta a costole della metà del XV sec. che poggia sul pilastro centrale. Il priore Jan Svitavský di Bochov commissionò le tele per l'altare maggiore al pittore fiammingo Petrus Paulus Rubens che le consegnò nel 1637. Oggi vi sono solo le copie, mentre gli originali sono collocati nella Galleria Nazionale. Gli affreschi con scene dalla vita di S. Agostino nella navata centrale (nella foto) e di S. Tommaso nel presbiterio e nella cupola della chiesa sono opera di Václav Vavřinec Reiner degli anni dal 1728 al 1730. Fra gli altri artisti che parteciparono alla decorazione degli interni nominiamo almeno i pittori Bartoloměj Spranger, Karel Škréta, Jan Jiří Heinsch, Antonín Stevens di Steinfels, František Xaver Palko, gli scultori Jan Antonín Quittainer e Ferdinand Maxmilián Brokof. Nel 1612 fu sepolta nel chiostro la poetessa Alžběta Johanna Vestonie insieme a molte altre importanti personalità della corte rudolfina.

■ PAGINA 46 ■

L'ex Scuola di Equitazione del Palazzo Valdštejn, la facciata del cui giardino si nota nella foto dietro la statua di Ercole, fu adibita negli anni dal 1952 al 1954 a sala di esposizioni per la Galleria Nazionale su progetto di Julie Pecánková e Miloš Vincík.

■ PAGINA 46 ■

Nell'area dell'ex cortile della Scuola d'Equitazione del Palazzo Valdštejn fu realizzata, nel 1978, secondo il progetto di Otakar Kuča, una specie di compromesso fra il giardino e il cortile lastricato nei pressi della stazione della metro-

politana Malostranská della linea A, a Klárov. Lungo la facciata dell'ex Scuola d'Equitazione, che dà sul cortile, sono collocare copie di statue barocche raffiguranti antichi dei, opera della bottega di Antonín Braun. L'inferriata dei portali fu creata da Joramír Bruthans Zbyněk Runczik e Jan Smrž.

■ PAGINA 47 ■

Durante la costruzione del Palazzo Velkopřevorský (Del Grande Priore), n.o. 485/III, fu utilizzata la muratura dell'ex ospedale del XII sec. e della residenza del grande priore risalente agli anni a cavallo del XVI e XVII sec. A partire dal 1725 costruttore fu il grande priore, conte Karel Leopold Herberstein, poi il suo successore Gundakar Poppo di Dietrichstein; autore del progetto fu Bartolomeo Scotti. Le statue provengono dalla bottega di Matyáš Bernard Braun. Della commenda giovannita fece parte anche l'edificio del convento, n.o. 287/III, più tardi Piccolo Palazzo Buquoy, n.o. 484/III, e il mulino ai n.o. 488/III e 489/III. I giovanniti, a partire dal loro trasferimento a Malta, nel 1530, vengono chiamati anche Ordine di Malta oppure Cavalieri di Malta.

■ PAGINA 47 ■

Il Palazzo Nostic in piazza Maltézské (piazza di Malta), al n.o. 471/III, edificio pentagonale che circonda il cortile interno, fu costruito dopo il 1662 da Jan Hartvig Nostic sul luogo dove sorgevano quattro case. Architetto fu probabilmente Francesco Caratti. I restauri si effettuarono attorno al 1760 e 1780. Nel 1720 Ferdinand Maxmilián Brokof creò le statue collocate poi sulla facciata. Il conte František Antonín Nostic rilevò negli anni Sessanta del XVIII sec. l'annessa casa Hollweyl, al n.o. 468/III, e la fece adibire a maneggio. Nel XVIII sec. lavorarono dai Nostic come insegnanti e precettori il teologo e critico letterario Josef Dobrovský, lo storico František Martin Pelcl e il topografo Josef Jaroslav Schaller. Oggi vi è la sede del Ministero della Cultura Cecoslovacca e dell'Ambasciata Olandese.

■ PAGINA 48 ■

La Chiesa della Vergine Maria sotto la Catena (Panny Marie pod řetězem)

a Malá Strana fu costruita, insieme all'ospedale dei giovanniti, negli anni che vanno dal 1158 al 1182 a piè del ponte della regina Giuditta, che venne edificato contemporaneamente. Perciò all'inizio fu chiamata della Vergine Maria – "fine del ponte". La chiesa romanica e la commenda furono fondate dal cancelliere Gervasius e da suo nipote, vicecancelliere Martin, con l'aiuto del re Vladislao I. Attorno al 1280 fu costruito il lungo presbiterio in stile primo gotico, nel 1376 iniziò la costruzione delle tre navate, di cui fu portata a termine soltanto la navata laterale settentrionale e due torri occidentali, un pò più recenti, con l'antisala (nella foto), alla cui costruzione parteciparono gli architetti Pešek e Jan Lutka. Nel corso della prima metà del XVII sec. furono realizzate nella chiesa numerose costruzioni, a partire dal 1638 probabilmente secondo il progetto di Carlo Lurago. Nell'interno riccamente decorato da stucchi del primo barocco, spiccano le tele della Battaglia di Lepanto con Adorazione della Vergine Maria, sull'altare maggiore, e della Decapitazione di S. Barbara, sull'altare laterale, opere di Karel Škréta della metà del XVII sec.

■ PAGINA 49 ■

Il Ponte Carlo fu fondato de Carlo IV nel 1357 per la necessità di rinnovare una sicura via di comunicazione fra le due rive della Moldava dopo che una piena aveva distrutto, nel 1342, il ponte romanico, costruito negli anni settanta del XII sec. che si chiamava „di Giuditta", dalla sposa del re Vladislao I. Il nuovo ponte, per secoli chiamato „di Praga" o „di Pietra", progettato da Petr Parléř, fu costruito con blocchi scolpiti di pietra arenaria su sedici piloni. Le più antiche decorazioni furono la croce, collocata sul ponte già nel XIV sec. e restaurata nella seconda metà del XVII sec., e la statua raffigurante re Giorgio che però non si è conservata. Dopo la statua di S. Giovanni Nepomuceno del 1683, nel corso del XVIII sec. e poi di nuovo nel XIX sec. tutti i piloni del ponte furono decorati da gruppi di santi. A causa del sempre maggiore inquinamento dell'ambiente, numerosi originali sono stati sostituiti da copie. Soltanto a partire dal 1870 il ponte viene chiamato Karlův, cioè Ponte Carlo.

■ **PAGINA 49** ■

Gli edifici dell'ex Monastero dei Crociati con la Stella Rossa e la Chiesa di S. Francesco Serafino nella Città Vecchia.

■ **PAGINA 50** ■

La Chiesa del S. Salvatore nella Città Vecchia fa parte dell'ex grande collegio gesuita ai n.o. 1040/I e 190/I. Anteriore in parte all'attuale chiesa, fondata nel 1578, fu la Chiesa di S. Clemente, appartenente dal 1232 ai domenicani. La costruzione della basilica a tre navate con torri in fondo fu progettata e all'inizio anche diretta da Marco Fontana. Davanti alla facciata, compiuta nel 1601, fu costruito dopo il 1653 il portico, progettato probabilmente da Carlo Lurago, il quale aveva già partecipato alla costruzione della chiesa a partire dal 1638. Gli stucchi sono opera di Giovanni Bartolomeo Cometa, le statue del Salvatore, Immacolata, evangengelici, padri ecclesiastici e santi gesuiti furono realizzate negli anni dal 1659 al 1660 da Jan Jiří Bendl. Il restauro delle torri è opera de František Maxmilián Kaňka, del 1714. L'interno è decorato da stucchi del primo barocco. Jan Karel Kovář realizzò, nel 1748, gli affreschi della volta del presbiterio, mentre tre artisti dai nomi di Jan Jiří-Häring, Heinsch e Bendl sono autori delle tele sull'altare e alle pareti, nonchè delle statue degli apostoli che ornano i confessionari.

■ **PAGINA 50** ■

La Chiesa di S. Francesco Serafino, voluta dal grande maestro dell'Ordine dei Crociati con la Stella Rossa e arcivescovo di Praga Jan Bedřich di Valdštejn, fu costruita negli anni che vanno dal 1679 al 1688 sui resti del santuario dello Spirito Santo in stile primo gotico. Il progetto della costruzione centrale in barocco romano fu elaborato da Jean Baptiste Mathey, la costruzione fu diretta da Gaudenzio Casanova. Le statue dei patroni boemi, situate nelle nicchie della facciata, sono probabilmente opera di Ondřej Filip Quittainer, degli anni dal 1723 al 1724, mentre le copie degli angeli collocati sull'attico sono opera della bottega di Matěj Václav Jäckel, del

1722. Sui piedistalli sono situate le statue della Vergine Maria e di S. Giovanni Nepomuceno di Richard Prachner, del 1758. Sull'angolo fu trasferita la cosidetta colonna della vite, opera di Jiří Bendl, del 1676. Alla sfarzosa decorazione dello spazio interno parteciparono soprattutto i pittori Jan Jiří Heinsch, Michael Leopold Willmann, Jan Kryštof Liška, Václav Vavřinec Reiner e gli scultori Jeremiáš e Maxmilián Konrád Süssner e Matěj Václav Jäckel. In primo piano nella foto si nota una serie di statue di padri della Chiesa, situate sul terrazzo del portico della Chiesa del S. Salvatore.

■ **PAGINA 51** ■

Il movimento turistico al Ponte Carlo.

■ **PAGINA 52** ■

Gli edifici dei mulini della Città Vecchia, ai n.o. 198/I, 200/I 202/I e 976/I, furono fondati negli anni che vanno dal 1432 al 1436 e le loro facciate cambiarono molte volte il loro aspetto prima del definitivo restauro neorinascimentale. A sinistra l'edificio del Museo Smetana, al n.o. 201/I, nello stile del Rinascimento ceco, costruito nel 1883 in base al progetto di Antonín Wiehl. I cartoni per i graffiti figurativi furono dipinti da František Ženíšek, Mikoláš Aleš e Jan Koula. La torre della ex centrale idraulica della Città Vecchia fu costruita nel 1489. Il suo attuale aspetto, dopo una serie di incendi che la colpirono, risale al 1885.

■ **PAGINA 52** ■

Il secondo maggiore spazio sacro nell'area del Klementinum, dal quale deriva il nome del collegio gesuita, è la Chiesa di S. Clemente. Sorse negli anni che vanno dal 1711 al 1715 sul luogo di un più recente santuario della stessa consacrazione, ex sala capitolare, restaurata dai domenicani in sostituzione di una chiesa del primo gotico, distrutta dagli ussiti. L'autore della costruzione barocca a forma di sala finora non è noto, i lavori furono diretti da Giovanni Antonio Lurago. Il portico d'ingresso fu progettato nel 1715 da František Maxmilián Kaňka. Alla decorazione dello splendido interno parteciparono Jan Hiebel, autore degli affreschi del soffit-

to raffiguranti scene della leggenda di S. Clemente, Matyáš Bernard Braun con la sua bottega, autore delle statue, create negli anni dal 1715 al 1721, Petr Brandl e Ignác Raab che dipinsero le tele dell'altare e Josef Kramolín che realizzò l'altare maggiore utilizzando la tecnica del „trompe-l'oeil", nel 1770. La chiesa serve al rito greco-ortodosso.

■ **PAGINA 53** ■

La Torre del Ponte dalla parte della Città Vecchia, la più bella porta gotica d'Europa, si erge sul primo pilone del Ponte Carlo. Il progetto fu elaborato anche in questo caso da Petr Parléř; questi fu anche autore di alcune statue, collocate sulla torre già quasi compiuta, negli anni Ottanta del XIV sec. Una complessa concezione iconografica suddivide la torre in tre sfere orizzontali: terrestre, nobile e celeste. Nella parte inferiore notiamo una striscia di stemmi dei paesi sui quali regnava Carlo IV, nella parte centrale si trovano gli originali della figura di S. Vito, patrono del ponte, e delle figure sedute di Carlo IV e di Venceslao IV; infine nella parte superiore sono le copie delle statue di S. Adalberto e di S. Sigismondo. La decorazione della facciata occidentale fu distrutta dagli Svedesi nel 1648.

Il monumento all'imperatore Carlo IV fu creato nel 1848 da Ernest Julius Hähnel su commissione dell'Università di Praga in occasione del cinquecentesimo anniversario della sua fondazione.

■ **PAGINA 54** ■

La casa U zlaté studně (Al Pozzo d'Oro), n.o. 175/I, situata all'angolo delle vie Karlova e Seminářská, è una delle case più affascinanti della vecchia Praga. È una costruzione rinascimentale, che in parte occupa il posto prima tenuto da un edificio romanico a da alcune case gotiche. All'inizio del XVIII sec. Jan Oldřich Mayer modellò le statue in rilievo a stucco di S. Venceslao e di S. Giovanni Nepomuceno che incorniciano il Palladio del Paese boemo e i santi della peste e quelli gesuiti.

■ **PAGINA 55** ■

La torre astronomica del Klementinum dove ancor oggi ogni giorno viene registrata la temperatura dell'ambiente, fu portata a termine nel 1722 e quindi restaurata da Anselmo Lurago nel 1751 circa, quando vi fu costruito un osservatorio astronomico. Sulla cima della lanterna della torre è collocata la statua in piombo raffigurante Atlante che regge il globo terrestre, risalente al 1727, forse opera della bottega di Matyáš Bernard Braun. Lo stesso artista è autore della statua di S. Ignazio, collocata nel frontone della facciata orientale.

■ PAGINA 56 ■ 57 ■

Il quartiere di Malá Strana visto dal Ponte Carlo. In primo piano, sulla sinistra, la copia della statua di S. Adalberto di Michal Jan Josef Brokof, del 1709, di fronte l'unica statua di marmo raffigurante S. Filippo Benitio, opera di Michael Bernard, Mandl, del 1714, in fondo le due Torri del Ponte dalla parte di Malá Strana.

■ PAGINA 56 ■ 57 ■

La Città Vecchia vista dal Ponte Carlo. A sinistra la statua di S. Antonio da Padova, opera di Jan Oldřich Mayer del 1708. In fondo la Torre del Ponte dalla parte della Città Vecchia e la cupola della Chiesa di S. Francesco dei Crociati.

■ PAGINA 58 ■

Il Klementinum, l'enorme complesso dell'ex collegio gesuita, occupa l'area precedentemente occupata da un intero blocco di edifici civili. È dotato di cinque cortili, numerose ali di case, rivolte in varie direzioni, due chiese e alcune cappelle. Venne costruito a partire dal 1654 con il progetto e la direzione di Carlo Lurago. La facciata orientale, n.o. 190/I, mostrata nella foto dalla piazza Mariánské (Mariana), fu creata dopo il 1725 in base al progetto di un architetto finora ignoto. Le statue sono opera di Matyáš Bernard Braun. Il Klementinum ospita la Biblioteca Statale e la Biblioteca Tecnica Statale.

■ PAGINA 58 ■

Il codice miniato Commentarius in Aristotelis de caelo et mundo, il cui autore, S. Tommaso D'Aquino, è raffigurato nella lettera iniziale S. Il manoscritto di provenienza italiana, risalente alla seconda metà del XV sec., apparteneva al re ungherese Mattia Corvino e oggi è conservato nella Biblioteca Statale del Klementinum.

■ PAGINA 59 ■

Illustrazione con la scena dell'Annunciazione della Vergine Maria con donatrice inginocchiata che copre un'intera pagina nel Breviario di Beneš di Valdštejn.

■ PAGINA 60 ■

Il Breviario di Beneš di Valdštejn è riccamente decorato da miniature minute, fra le quali vediamo qui la scena dell'Ultima cena. Il Breviario risale al periodo posteriore al 1400 ed è anch'esso conservato nella Biblioteca Statale del Klementinum.

■ PAGINA 60 ■

Una delle più preziose costruzioni barocche di Praga è il Palazzo Clam-Gallas, al n.o. 158/I, costruito negli anni dal 1713 al 1729 da Jan Václav Gallas, viceré napoletano, sul luogo dove sorgevano un cortile romanico e un palazzo gotico appartenenti al margravio moravo Jan Jindřich di Lussemburgo e alcune altre case. La costruzione, progettata da Johann Bernhardt Fischer di Erlach, fu realizzata da Tomáš Haffenecker, probabilmente in collaborazione con Giovanni Domenico Canevale Junior. Le copie di Ercoli ai lati dei due portali, i rilievi sui piedistalli, i putti con vasi, le figure degli Dei antichi sull'attico (oggi copie), il Tritone sulla fontana nel primo cortile e i luciferi con vasi che ornano la grandiosa scalinata sono opera di Matyáš Bernard Braun e della sua bottega, del 1714. Negli anni dal 1727 al 1730 l'affreschista Carlo Innocenzo Carlone realizzò sulla scalinata il Trionfo di Apollo e dipinse inoltre altre sale situate al secondo piano. La decorazione a stucco è opera di Santino Bussi, Giovanni Girolamo Fiumberti e Rocco Bolla. Negli anni dal 1796 al 1798 nel palazzo diede più volte concerti Ludwig van Beethoven.

■ PAGINA 61 ■

Uno dei due orologi astronomici a cassetta, il cui meccanismo fu costruito dal gesuita P. Jan Klein, amministratore del museo di matematica, negli anni dal 1751 al 1752. L'orologio è collocato nella Sala Matematica del Klementinum. P. Klein costruì nel 1738 ancora un orologio geografico che si trova oggi a Dresda.

■ PAGINA 62 ■

L'edificio del Nuovo Municipio che occupa un intero blocco, fu costruito negli anni che vanno dal 1908 al 1911 in base al progetto di Osvald Polívka. Le statue allegoriche sul balcone e sull'attico e i rilievi che incorniciano l'ingresso principale, sono opera di Stanislav Sucharda e Josef Mařatka. Le figure delle leggende praghesi – il Rabbino Löw e il Cavaliere di Ferro – situate in nicchie profonde agli angoli sono opera di Ladislav Šaloun. In questo posto si trovava una colonia romanica con la Chiesa di S. Linhart, demolita nel 1798. Nella foto notiamo ancora la facciata laterale del Palazzo Clam-Gallas e in fondo, a destra, la torre della Chiesa di S. Egidio dell'ordine dei domenicani.

■ PAGINA 62 ■

Nel muro che circonda il giardinetto del Palazzo Clam-Gallas è situata una nicchia con una fontana e una copia della statua allegorica della Moldava, creata nel 1812 da Václav Práchner. L'originale della statua è collocato nella Galleria Nazionale a Zbraslav. Popolarmente questa figura affascinante era chiamata Teresa. Fino al 1791 si trovava qui la Chiesa medievale della Vergine Maria sulla Pozzanghera (P. Marie Na louži). Alla fontana è legata una leggenda che risale al periodo del Biedermeir e che narra come uno scapolo, innamoratosi della Teresa di pietra, ogni giorno venisse a trovarla e infine le lasciasse tutto il suo patrimonio in eredità. Il testamento però non fu mai riconosciuto valido.

■ PAGINA 63 ■

Le pitture della sala barocca della Biblioteca del Klementinum risalgono al 1724 e sono opera di Jan Hiebel. Raffigurano la prevalente importanza della conoscenza delle cose di Dio sulla scienza e l'arte. Nell'interno si trovano inoltre originali armadi intarsiati, una balaustra in ferro a forma esatta di galleria romana che circonda la sala, e i globi.

le battaglie degli ussiti le clarisse si rifugiarono nel 1420 nella Chiesa di S. Anna a Praga e successivamente a Panenský Týnec, dove rimasero con un intervallo più lungo nel XV e XVI sec. fino al 1627. Il convento maschile si mantenne fino agli anni Trenta del XVI sec. Nel 1556-1626 vi operarono i domenicani che eseguirono diversi ritocchi architettonici. L'abolizione del monastero per ordine di Giuseppe II nel 1782 comportò l'assoluta rovina del complesso nonché la sua parziale demolizione. Nel 1892 fu fondata l'Unità per il restauro del Monastero della Beata Agnese, ma ci volevano quasi 90 anni affinché nell'area, parzialmente restaurata, potesse essere aperta al pubblico l'esposizione dell'arte ceca ottocentesca delle collezioni della Galleria Nazionale. Nel 1989 Agnese di Boemia fu canonizzata a Roma.

■ PAGINA 72 ■ 73 ■

Il lato orientale della Piazza della Città Vecchia, intitolata nel passato Piazza Grande, è costituito da monumenti architettonici di notevole valore. La più importante è la Cattedrale gotica della Vergina Maria davanti al Týn, la cui complessa storia architettonica passa dalla chiesetta romanica dell'XI sec. attraverso la chiesa a tre navate primo gotica fino all'attuale imponente edificio basilicale con le parti posteriori poligonali di tutte le navate e due torri occidentali. La costruzione, avviata dopo la metà del XIV sec., fu compiuta a grandi linee entro la fine del 1420, ma i lavori proseguirono con intervalli fino all'inizio del XVI sec. All'interno della cattedrale si è conservata una notevole quantità di elementi decorativi. Dalla bottega praghese di Parléř provengono i sedili nelle parti posteriori laterali degli anni Settanta e Ottanta del XIV sec., nonché all'esterno il rilievo del timpano del portale settentrionale risalente al periodo attorno al 1400. Il gruppo di statue Crocifissione e la statua della Vergine Maria col Bambin Gesù del periodo posteriore al 1410 diedero al creatore il nome Maestro del Calvario di Týn. L'aspetto degli interni della cattedrale viene completato dalla fonte battesimale di stagno del 1414, dal baldacchino sopra la tomba del vescovo Luciano di Mirandola, ope-

ra di Matěj Rejsek del 1493, dall'altare con trittico rinascimentale di S. Giambattista creato all'inizio del XVI sec. dal Maestro IP, nonché dalle pale dipinte da Karel Škréta. L'organo di grande valore qui collocato, opera di Hans Heinrich Mundt del 1670-73, lo suonarono Christoph Wilibald Gluck e Ferdinand Seger. Nel XIV sec. vi operarono i predicatori Konrád Waldhauser e Jan Milič di Kroměříž e nel 1415-19 Jakoubek di Stříbro. Sino alla fine del 1620 la Cattedrale di Týn era la più importante chiesa utraquista praghese e sede di Jan Rokycana, arcivescovo ussita eletto. Nel 1710-35 vi operò nella veste di parroco lo storiografo praghese Jan Florián Hammerschmied. Di grandissimo interesse è la tomba dell'astronomo danese Tycho Brahe.

Il Palazzo Kinský, n.o. 606/I, fu costruito per Jan Arnošt Goltz sul luogo di tre case d'origine medievale su progetto di Anselmo Lurago. Nel 1786 per acquisto passò in proprietà alla famiglia Kinský. Sulla facciata sono collocate oggi le copie di figure allegoriche create da Ignác František Platzer nel 1760-65, gli stucchi sono probabilmente opera di Carlo Giuseppe Bussi. La ricostruzione degli interni e del cortile, progettata da Josef Ondřej Kranner, si svolse nel 1836-39. Nel palazzo visse Franz Kafka, che vi frequentò anche nel 1893-1901 il liceo tedesco. Il palazzo ospita oggi la sede della collezione grafica della Galleria Nazionale.

L'edificio della Scuola di Týn, n.o. 604/I, fu costruito nel XV sec. al posto di due case, l'una risalente alla seconda metà del XIII sec., l'altra alla príma metà del XIV sec. A questo fatto corrispondono pure le differenti volte dei portici. Nell'androne troviamo le costole squadrate della volta nonché i sedili, sulla facciata furono intonacati i frammenti dei telai della finestra ogivali. I frontoni veneziani del 1560-70 e i grafiti nel cortile, risalenti al 1590, sono risultato della ristrutturazione in stile rinascimentale. Sulla facciata è collocato il quadro barocco raffigurante Assunzione. L'edificio fu restaurato dopo l'abolizione della Scuola nella prima metà del XIX sec. In qualità di insegnante vi operò verso la fine del XV sec. l'architetto Matěj Rejsek.

La casa Trčkovský, n.o. 603/I, nacque tramite il collegamento di una casa romanica risalente al periodo attorno al 1200 con due case gotiche della prima metà del XIV sec., i cui resti si conservano nella muratura dei sotterranei e dei piani. Le volte dei portici testimoniano che avvennero due periodi della costruzione nella prima metà del XIV sec. Sotto l'intonaco si sono conservati i frammenti delle finestre tardo gotiche. L'attuale aspetto della facciata con frontoni restaurati risale alla ristrutturazione in stile classico realizzata nel 1770-73. Nella casa nacque Josefina Hampacher-Dušek, che ospitò a Praga Wolfgang Amadeus Mozart.

■ PAGINA 74 ■

IL refettorio al centro dell'edificio conventuale è un'ampia sala con soffitto piano divisa in senso diagonale da due costoloni semicircolari che convergono nella colonna centrale. La muratura delle pareti è di mattoni grezzi. La costruzione del refettorio fu compiuta entro la fine del 1234.

■ PAGINA 74 ■

Il Cortile del Paradiso nel Monastero di Agnese nacque in base alla costruzione del chiostro nel 1238-45. Al di sopra dell'ala orientale i domenicani costruirono negli anni Settanta del XVI sec. un portico rinascimentale.

■ PAGINA 75 ■

La Chiesa di S. Nicola fa oggi parte della Piazza della Città Vecchia, il che notevolmente disturba il carattere intimo dell'intento urbanistico di Kilián Ignác Dientzenhofer, suo progettista. La facciata principale meridionale guardava originariamente sulla piazzetta costituita da un insieme di case municipali e dalla casa Krenn, che fu demolita nel 1901, affinché potesse essere costruita la via Pařížská, originariamente intitolata Mikulášská. La suggestiva costruzione centrale con la cupola sul tamburo con due torri la fece edificare l'abate benedettino Anselm Vlach nel 1732-35 sul luogo dell'ex chiesa primo gotica della prima metà del XIII sec., che nel XIV sec. era la più importante chiesa parrocchiale della Città Vecchia. Gli utraquisti, stabilitisi in essa nel periodo delle guerre ussite vi si mantennero fino al 1621. Tra gli importanti predicatori vi operarono Jan Milíč di Kroměříž e Matěj di Janov. La chiesa fu più volte restaurata, ultimamente dopo la metà del XVII sec. dai benedettini di Emmaus in stile primo gotico. Per la nuova costruzione di Dientzenhofer Antonín Braun creò le allegorie del Nuovo e Vecchio Testamento collocate sopra il portale meridionale nonché le figure dei santi cechi e benedettini che si trovano all'interno e nella parte esterna della chiesa. Nel 1735-36 Cosmas Damian Asam decorò gli interni della chiesa da affreschi con scene raffiguranti la vita di S. Nicola e di S. Benedetto, che però furono notevolmente danneggiati dall'acqua che collava dentro quando pioveva. Egid Quirin Asam, suo fratello, completò gli interni con le decorazioni di stucco. Appena abolito il monastero, fu sconsacrata nel 1787 pure la chiesa utilizzata poi come magazzino e a partire dal 1865 come sala da concerti militari. A partire dal 1871 servì nuovamente a scopi religiosi, prima come area sacra della Chiesa ortodossa, dove in qualità di maestro del coro operò Zdeněk Fibich, e a partire dal 1921 come chiesa principale della Chiesa ussita cecoslovacca. Dopo la demolizione degli edifici della prelatura e del monastero e la costruzione della casa n.o. 24/I Rudolf Kříženecký restaurò nel 1904 la facciata occidentale. Due anni più tardi nella nicchia della parte esterna del presbiterio fu collocata la scultura di S. Nicola, opera di Bedřich Šimanovský, e nelle sue vicinanze fu costruita la fontana con delfini in stile classico, ristrutturata da Jan Štursa.

■ PAGINA 76 ■
La casa U kamenného zvonu (Alla Campana di Pietra), n.o. 605/I, è una costruzione straordinaria nell'ambiente in cui si trova. L'edificio originario della fine del XIII sec., restaurato nel 1325-1330, fu trasformato in un monumentale palazzo con la facciata principale ricca di elementi architettonici, decorata da sculture sulle nicchie, nonché con finestre con sopra frontoni e trafori ornamentali. Gli interni ricchi della casa con due cappelle affrescate, delle quali spazio più grande a pianterreno fu costruito già attorno al 1310, nonché la

membratura policromatica e dorata testimoniano, che l'ex architetto appartenne diretamente ad una dinastia. Esiste l'ipotesi che il palazzo l'abbia fatto costruire Elisabetta Přemyslide. Dopo il 1685 fu tolto il carattere gotico alla casa, gli elementi ornamentali furono dirozzati, rotti e utilizzati nella muratura primo barocca. Nel 1899, dopo una ristrutturazione eseguita nella seconda metà del XIX sec., l'edificio assunse un aspetto neobarocco. La ricostruzione complessa della casa fu compiuta nel 1987. Da allora la Galleria della capitale Praga vi organizza esposizioni, concerti e conferenze.

■ PAGINA 76 ■
La sala al secondo piano dell'angolo della casa U Kamenného zvonu (Alla Campana di Pietra). Le copie dei trafori ornamentali delle finestre furono restaurate in base ai frammenti rinvenuti.

■ PAGINA 77 ■
Il Monumento a Jan Hus in stile liberty al centro della Piazza della Città Vecchia fu inaugurato il 6 luglio 1915 in occasione del 500 esimo anniversario della morte del Maestro Jan Hus, bruciato sul rogo a Costanza. Lo scultore Ladislav Šaloun e l'architetto Antonín Pfeifer, autori dell'opera, vinsero il concorso bandito per il progetto del monumento nel 1900, ma poi lo modificarono. La pietra angolare fu posta nel 1903. Dal piedistallo si innalza l'alta statua del predicatore in bronzo circondata dai gruppi di ussiti, da esuli della Montagna Bianca e dall'allegoria della rinascita nazionale raffigurata dalla madre allattante i bambini.
A sinistra del monumento vediamo la facciata principale del Monastero Pavlánský, n.o. 930/I, che, originaríamente dei luterani tedeschi, appartenne alla Chiesa di S. Salvatore in via Salvátorská. Questo complesso fu costruito dopo il 1689 in sostituzione di tre case primo medievali su progetto di Pavel Ignác Bayer. Le statue sulla facciata, opera di Matěj Václav Jäckel, furono aggiunte nel 1696. Il monastero, abolito per ordine di Giuseppe II nel 1784, funse da zecca. È l'unica casa originaria conservatasi sul lato settentrionale della Piazza della città Vecchia, che però rappre-

senta solo un frammento dell'area originaria del monastero.

■ PAGINA 77 ■
La casa Štorch, n.o. 552/I, sulla Piazza della Città Vecchia, fu costruita per il tipografo e editore Alexandr Storch nel 1897 in sostituzione di una casa medievale di notevole valore. I progetti per la nuova costruzione con la copia dell'originario aggetto straordinario della prima metà del XV sec. furono elaborati da Bedřich Ohmann e Rudolf Krieghammer, la costruzione stessa fu eseguita da František Tichna. Le decorazioni della facciata su cartoni di Mikoláš Aleš furono realizzate da Ladislav Novák, mentre Jan Kastner è autore delle statuette neogotiche scolpite da Čeněk Vosmík. Sullo stretto spazio della facciata domina la figura di S. Venceslao a cavallo bianco, patrono del popolo ceco raffigurato in una simbolica complessa sotto forma di albero. La scena centrale viene completata dalle figure dei Re Magi collocate tra le finestre al IV piano, da un paesaggio della Boemia meridionale con le cicogne sul frontone, nonché dalla figura del tipografo al torchio e da quella del monaco nel scrittoio a pienterreno. Durante l'insurrezione nel Maggio del 1945 la casa fu ridotta in ceneri e poi restaurata nel 1948.

■ PAGINA 78 ■ 79 ■
La veduta attraverso la via Železná in direzione della Piazza della Città Vecchia con la Chiesa di S. Nicola e l'insieme di case adiacenti. Circa al centro domina a partire dal 1863 la cupola verde della Chiesa evangelica di S. Salvatore in via Salvatorská. La foto è stata scattata dalla casa n.o. 494/I in via Železná.

■ PAGINA 78 ■
Rimane tuttora irrisolta la questione del lato occidentale della Piazza della Città Vecchia. Dopo che era collegata la Città Vecchia con la Città Nuova, il quartiere di Malá Strana e Hradčany, l'area del Municipio della Città Vecchia, n.o. 1/I, diventando sede del consiglio municipale, era troppo piccola per la sua missione. L'edificio del mazhaus volto verso la piazza fu ampliato e restaurato nonché

in esso furono incluse altre tre case situate su questo lato della piazza. Tutte queste case furono demolite nel 1839, affinché potesse essere costruito un nuovo edificio del municipio. Il progetto originario di Peter Nobile non contò affatto sul mantenimento della torre neanche della cappella con aggetto. Nel 1838 fu avviata la costruzione, alla quale si oppose l'opinione pubblica. La reazione era tanto forte che per ordine dell'imperatore Ferdinando furono sospesi i lavori. La costruzione fu compiuta nel 1844–48 su un nuovo progetto di Paul Sprenger, ma lo stesso provocò un malcontento. Il municipio infine fu distrutto da un'unccendio l'8 maggio 1945. La rovina, tranne un'asse di finestra presso l'aaggetto, fu demolita e il terreno fabbricabile fu provvisoriamente adibito ad un parco. Nel periodo dalla fine del XIX sec. fino agli anni Ottanta del XX sec. furono banditi alcuni concorsi per la nuova costruzione, ma nessuno dei progetti fu realizzato.

Per fortuna la parte meridionale del municipio rimase intatta. Qui si trova il suo nucleo, la casa d'angolo dei Volfin da Kamen, acquistata nel 1338 in base all'approvazione da parte del re Giovanni di Lussemburgo. Fu avviata subito la costruzione della torre. Nello stesso secolo fu annessa la casa del bottegaio Kříž, furono costruite la cappella e la sala municipale. Fu ampliato e costruito l'aggetto e successivamente, nel 1381, fu consacrata la cappella. Dopo il 1399 fu costruita una nuova sala. Nel 1458 fu acquistata la casa del pellicciaio Mikš e il municipio subì un restauro in stile tardo gotico. Al periodo attorno al 1490 risale il portale principale con la finestra adiacente, proveniente dalla bottega di Matěj Rejsek, nonché la sala d'ingresso. La trifora rinascimentale fu aggiunta attorno al 1529. Negli anni Trenta del XIX sec. fu acquistata la casa U kohouta (Al Gallo) con il portico gotico risalente alla fine del XIV sec., che costeggia pure l'adiacente casa Mikš. Nel Municipio della Città Vecchia Jiří di Poděbrady fu eletto re di Boemia il 2 marzo 1458. Le croci sul mosaico del marciapiede vicino all'aggetto rammentano l'esecuzione dei 27 partecipanti alla rivolta dei Boemi contro gli Asburgo il 21 giugno 1621.

■ **PAGINA 80** ■
La casa dei Volfin di Kamen, il primo degli edifici del Municipio della Città Vecchia, con il portale tardo gotico, l'orologio e la cappella.

■ **PAGINA 81** ■
La veduta dalla Torre del Municipio della Città Vecchia sull'insieme di case con portici di fronte alle facciate meridionali del municipio:
La casa U Čápů (Alle Cicogne) e U zlatého koníka (Al Cavaletto d'Oro), n.o. 482 e 481/I, due case medievali, restaurate l'una in stile barocco, l'altra in quello classico, collegate nel 1952 dopo gli interventi fatti all'interno.
La casa u červené lišky (Alla Volpe Rossa), n.o. 480/I, originariamente romanica del XII sec. e ristrutturata verso la fine del XVII secolo ad opera di Jean Baptista Mathey. Questo ritocco viene testimoniato dalla tipica altana sul tetto. Al periodo dopo il 1700 risalgono i soffitti all'interno decorati da stucchi e da affreschi con scene mitologiche. La casa Dai Bindr, n.o. 479/I, d'origine romanica, della ricostruzione svoltasi nel 1546–71 si è conservata la sala a pienterreno e il terzo piano allora aggiunto. La facciata subì un restauro in stile primo barocco e poi in stile classico.
La casa d'angolo Štěpánovský, n.o. 478/I con la facciata arrotondata con due frontoni è costruita sulle cantine a due piani e sulla muratura gotiche. Dopo una ristrutturazione in stile rinascimentale subì un restauro in stile barocco attorno al 1700, al quale risalgono il suo aspetto attuale e gli affreschi sul soffitto all'interno.
Un'altra casa di angolo, quella U vola (Al Bue), n.o. 462/I è di origine gotica. Si è conservato il portale risalente all'inizio del XV sec. Degni di nota sono i frontoni che danno testimonianza della ricostruzione effettuata nel XVII e XVIII sec. All'angolo è collocata la copia della statua di S. Giuseppe, opera di Lazar Widman risalente alla seconda metà del XVIII sec. L'originale fu distrutto nel maggio del 1945. Questa casa, collegata tramite un arco con quella n.o. 478/I, appartenne assieme all'adiacente casa Vilímkovský, n.o. 461/I al Monastero dei serviti della Città Vecchia con la Chiesa di S. Michele, abolito per ordine di Giuseppe II nel 1786.

■ **PAGINA 81** ■
La casa Dai Schönpflug, n.o. 592/I, in via Celetná, costruita nel XIV sec. e poi ristrutturata in stile rinascimentale, subì un notevole restauro prima del 1725 probabilmente su progetto di Jan Blažej Santini. Una statua in pietra della Madonna col Bambin Gesù in movimento vorticoso fa parte della facciata di altissima qualità. Probabilmente opera di Antonín Braun risale al periodo attorno al 1735.

■ **PAGINA 82** ■
La veduta attraverso la via Celetná verso la Torre delle Polveri. In primo piano sulla sinistra si trova la casa U zlatého jelena (Al Cervo d'Oro), n.o. 598/I, nei cui sotterranei è parzialmente conservato il pian terreno della casa del XIII sec. con la volta a crociata gotica. La facciata principale nonché le due facciate che guardano in via Štupartská, decorate tutte da rilievi, risalgono alla prima metà del XVIII sec.

■ **PAGINA 83** ■
Il Karolinum, n.o. 541/I, è un insieme di edifici raggruppati attorno all'ex casa dello zecchiere Jan Rotlev acquistata nel 1383 dal re Venceslao IV. In questo luogo fu trasferito dalla casa di Lazzaro Ebreo nel Quartiere Ebraico presso la Piazza della Città Vecchia il Collegio Carlo istituito da Carlo IV nel 1366. Fu uno dei più antichi collegi creati subito dopo che il 7 aprile 1348 Carlo IV fondò la prima università in Europa centrale. La casa venne progressivamente ampliata e restaurata, fu costruita subito una grande aula e la Cappella universitaria dei SS. Cosma e Damiano con lo stupendo aggetto portato a compimento prima del 1390 (foto). Nei secoli successivi si svolsero più volte lavori di restauro, tra cui la ristrutturazione eseguita nel 1715–18 su progetto di František Maxmilián Kaňka impresse l'apetto definitivo alla facciata volta verso la via Železná. Alla ricostruzione effettuata in due fasi nel 1946–1959 da Jaroslav Fragner (la prima fase fu compiuta in occasione dei 600 anni della fondazione dell'Università e la seconda in occasio-

ne dei 550 anni dell'emanazione del De-
creto di Kutná Hora da Carlo IV) risal-
gono l'attuale aspetto e la nuova ala ret-
torale d'ingresso con il cortile d'onore
costruita entro la fine del 1968 dalla
parte della via Ovocný trh. All'interno,
ricco di frammenti gotici, si trovano le
aree a volte a costola con portici dell' ex
casa Rotlev, i corridoi lungo il cortile,
l'Aula Magna e l'Aula Piccola, la Sala
dell'Associazione Reale Ceca delle
scienze, la cosiddetta Sala di ricevimen-
to ed altre. Il Karolinum ospita la sede
del rettore dell'Università, vi si svolgo-
no la solenne consegna del diploma di
laurea ed altre importanti assemblee. Al
Karolinum appartengono le case n.o.
559, 560, 561, 562, 563 e 564/I del com-
plesso situato tra la via Celetná e la via
Ovocný trh.

■ PAGINA 84 ■ 85 ■

La Torre delle Polveri fu fondata nel
1475 sul fossato murale come parte rap-
presentativa della Corte Reale della Cit-
tà Vecchia a spese della Città Vecchía
Praghese. Alla sua costruzione soprinte-
se il maestro Václav di Žlutice, poi
a partire dal 1478 Matěj Rejsek, che già
due anni prima vi lavorò come taglia-
pietre. La torre, denominata allora Tor-
re Nuova, dopo il trasferimento del re
Ladislao Jagellone nel 1484 al Castello
di Praga, rimase incompiuta, ma conte-
neva molte decorazioni e originariamen-
te, probabilmente su modello della Tor-
re del Ponte della parte della Città Vec-
chia, fu articolata in tre zone con le
sculture di sovrani e santi. Al pianter-
reno furono applicate le scene di genere.
Verso la fine del XVII divenne magazzi-
no della polvere da sparo e da qui la sua
denominazione delle Polveri. Nel 1757
l'hanno gravemente danneggiata da col-
pi di arma da fuoco i prussiani, quindi
dopo un determinato tempo dovettero
essere portate via le decorazioni in pie-
tra. Nel 1876–92 la torre fu restaurata
da uno staff di scultori diretti da Josef
Mocker. La torre, collegata con la Casa
Municipale con un ponticello coperto,
costituisce la porta d'ingresso alla Via
reale, il cui percorso, iniziato in via Ce-
letná, attraverso la Piazza della Città
Vecchia, la Piccola Piazza, la via Karlo-
va, il Ponte Carlo, la via Mostecká, la
Piazza Malostranské e la via Nerudova,

collegò la Corte Reale con il Castello di
Praga.

■ PAGINA 86 ■

Un particolare della decorazione della
Torre delle Polveri alla quale partecipa-
rono verso la fine del XIX sec. gli scul-
tori Jindřich Čapek, senior, Bernard
Seeling, Josef Strachovský, Ludvík
Šimek e Antonín Wildt.

■ PAGINA 86 ■

Il Palazzo Piccolomini, n.o. 852/II, in
stile rococò, in via Na Příkopě nella Cit-
tà Nuova, lo fece costruire sui resti della
muratura gotica di circa quatro case il
conte Ottaviano Enea Piccolomini. La
costruzione con due cortili con fontane,
progettata de Kilián Ignác Dientzenho-
fer, fu realizzata nel 1744–52, quindi nel
periodo in cui si ammalò e morì il suo
grande creatore. Fu portata a compi-
mento da Anselmo Lurago. La decora-
zione della facciata e degli interni è ope-
ra di Ignác František Platzer, mentre gli
stucchi della pomposa scalinata furono
eseguiti probabilmente da Carlo Giu-
seppe Bussi. Sul soffitto della scalinata
domina l'affresco raffigurante la Qua-
driga del Sole circondata da altre figure
allegoriche, opera di Václav Bernard
Ambrož. Presso il giardino del palazzo,
allora in proprietà della famiglia dei
Nostic, furono costruiti verso la fine del
XVIII sec. due maneggi, estivo e inver-
nale. Nel 1885 il conte Arnošt Sylva-Ta-
roucca, diventando col matrimonio pro-
prietario del palazzo, concedette deter-
minate sale al Museo etnografico per la
deposizione delle sue collezioni.

■ PAGINA 87 ■

La Piazza Venceslao, ex Mercato dei
Cavalli nella Città Nuova, è uno dei più
grandi centri del traffico praghesi. Ini-
zia nella Croce d'Oro in via Na Můstku
e si chiude con l'edificio del Museo Na-
zionale. La piazza fu denominata nel
1848 secondo il Monumento equestre
a S. Venceslao, opera primo barocca di
Jan Jiří Bendl del 1678–80, la cui copia
è oggi collocata a Vyšehrad. In primo
piano sulla sinistra la facciata bianca
del Palazzo Koruna, n.o. 846/II, realiz-
zata su progetto di Antonín Pfeiffer e
decorata da sculture di Stanislav Su-
charda e Jan Štursa.

■ PAGINA 88 ■ 89 ■

Novotného lávka e gli edifici della via
Smetanovo nábřeží visti questa volta
dall'isola Kampa.

■ PAGINA 88 ■ 89 ■

La veduta dalla Torre del Ponte della
parte della Città Vecchia con in primo
piano il complesso del Klementinum.

■ PAGINA 90 ■

Dalla parte del Museo Nazionale si
apre una veduta sull'eterogeneo com-
plesso della Piazza Venceslao, da alcune
case che documentano il suo aspetto del
XVIII e XIX sec. fino alle nuove costru-
zioni contrassegnate da elementi di tutti
i stili novecenteschi. In primo piano si
trova il monumento in bronzo a S. Ven-
ceslao, capolavoro di Josef Václav
Myslbek, nel quale si riflette il suo svi-
luppo artistico. A quest' opera lavorò
a partire dal 1887, presentando ad alcu-
ni concorsi molte varianti non soltanto
della statua equestre, bensì degli altri
patroni di Boemia, tra i quali furono
scelte infine le figure di S. Adalberto, S.
Procopio, S. Ludmila e di Agnese allora
ancora Beata. La statua stessa di S. Ven-
ceslao fu portata a compimento nel
1903, le altre tre statue furono terminate
entro la fine del 1912, anno in cui fu ini-
ziata l'installazione del monumento. Per
ultima a far parte del monumento fu la
statua di S. Adalberto, nel 1924. Della
realizzazione architettonica del monu-
mento fu incaricato Alois Dryák, della
decorazione ornamentale Celda
Klouček.
Nel passato la Piazza Venceslao diven-
ne spesso luogo di diversi avvenimenti
politici tra cui le più importanti erano le
massicce assemblee avvenute nel no-
vembre e dicembre del 1989, quando il
Monumento a S. Venceslao è diventato
un importante punto commemorativo e
strategico.

■ PAGINA 90 ■

Il Museo Nazionale, n.o. 1700/II, fu co-
struito nel 1885–1890, dieci anni dopo
che era demolita la Porta dei Cavalli,
opera di Peter Nobile del 1831–32. La
monumentale costruzione neorinasci-
mentale a quattro ali con la scalinata tra
due cortili, le torri d'angolo e la cupola
centrale del Pantheon fu progettata da

Josef Schultz, vincitore del concorso. Le figure allegoriche collocate sulla facciata principale sono opera di Josef Mauder, Antonín Popp, Bohuslav Schnirch, Antonín Wagner e di altri scultori. Decine di artisti lavorarono alle decorazioni degli interni, dove la più importante area è il Pantheon eretto in memoria di eminenti personalità della storia nazionale raffigurate da statue intere o busti. Gli affreschi con scene storiche furono create da František Ženíšek, Václav Brožík e Vojtěch Hynais. Davanti al museo si trova la rampa con la fontana decorata da figure allegoriche dei Paesi della Corona di Boemia e di grandi fiumi ad opera di Antonín Wagner del 1891–94.

■ PAGINA 91 ■

La Sinagoga Jeruzalémská o Jubilejní, n.o. 1310/II, in via Jeruzalémská, che, costruita nel 1905–1906, fu originariamente progettata in sostituzione delle sinagoghe abbattute durante la demolizione del Quartiere Ebraico in occasione del 50esimo anniversario del governo di Francesco Giuseppe. Dopo che erano presentati due progetti, l'uno di Alois Richter del 1899, l'altro di Josef Linhart del 1901, entrambi rifiutati per motivi urbanistici, dell'elaborazione del progetto fu incaricato Wilhelm Stiassny. La costruzione in stile pseudomoresco fu effettuata da Alois Richter.

■ PAGINA 92 ■

La casa Vendelín Mottl, n.o. 761/II, l'ultima della via Národní, incuneata nel 1906–1907 sull'area tra la Piazza Jungmannovo e la via 28. října, fu progettata e costruita da Karel Mottl. Sulle tre facciate si trovano interessanti particolari tra cui sono degni di nota gli elementi architettonici del portale d'ingresso alla Piazza Jungmannovo.

■ PAGINA 92 ■

All'angolo delle vie Karoliny Světlé e Konvitská troviamo la Chiesa della S. Croce, rotonda romanica risalente alla prima metà del XII sec., ex chiesa signorile presso la corte. Dopo la sua abolizione nel 1784 per ordine di Giuseppe II fu destinata nel 1860 ad essere demolita, ma infine rimase mantenuta e nel 1864–65 fu restaurata da Vojtěch Ignác Ullmann. All'interno si sono conservati i frammenti degli affreschi gotici del XIV sec. La cancellata di ghisa attorno alla rotonda del 1865 fu progettata da Josef Mánes. La Chiesa è oggi ad uso della Chiesa veterocattolica.

■ PAGINA 93 ■

Sul luogo delle ex case Chour o Kaur del 1849, demolite nel 1959, e dell'edificio d'amministrazione Vladimír Wallenfels del 1928, distrutto con esplosivo nel 1977, dopo alcuni concorsi conclusisi con insuccesso, sono stati costruiti nuovi edifici. Su progetto di Pavel Kupka sono state realizzate due su tre costruzioni degli edifici ad uso amministrativo collegati nei sotterranei con il Teatro Nazionale. Appena modificata la concezione, Karel Pragher ha trasformato la terza ala, in fase di progettazione, in edificio della Scena Nuova rivestito da elementi di vetro soffiato fabbricati nella vetreria Kavalier v Sázavě. La costruzione è stata compiuta nel 1983. In primo piano la statua della Rinascita, opera di Josef Malejovský.

■ PAGINA 93 ■

Il Teatro Nazionale, n.o. 223/II, architettura ottocentesca di notevole valore, costruito coni fondi di una sottoscrizione popolare, è di significato straordinario dal punto di vista culturale. La costruzione sulla pianta trapezoidale irregolare ad opera di Josef Zítek, vincitore del consorso, fu realizzata nel 1868–81 in stile neorinascimentale. In questo luogo si trovarono l'edificio del magazzino di sale e il Teatro Provvisorio costruito su progetto di Ignác Ullmann nel 1862. Il teatro, appena portata a compimento la sua costruzione, fu ridotto in ceneri per imprudenza degli operai, poi nuovamente fu costruito e ampliato, data la possibilità di intervenire nell'area del Teatro Provvisorio nonché di aggiungere la cosiddetta casa Schulz, denominata in memoria di Josef Shulz, autore del compimento della costruzione. Il teatro fu definitivamente inaugurato il 18 novembre 1883. Alle decorazioni delle parti esterna ed interna parteciparono i migliori artisti, chiamati la cosiddetta generazione del Teatro Nazionale. Bohuslav Schnirch creò le sculture di Apollo e delle Muse sull'attico nonché progettò le famose trighe, poi rifatte e infine installate nel 1910–11. Le altre figure allegoriche sono opera di Antonín Wagner e Josef Václav Myslbek. Il soffitto della platea fu affrescato da František Ženíšek, il proscenio fu decorato da Bohuslav Schnirch, il sipario è opera di Vojtěch Hynais. Nel foyer troviamo i quadri nelle lunette ad opera di Mikoláš Aleš e le composizioni dipinte da František Ženíšek in parziale cooperazione con Mikoláš Aleš. Alla decorazione del palco reale, adesso presidenziale, parteciparono Vojtěch Hynais, Julius Mařák e Václav Brožík, i mobili furono progettati da Emilián Skramlík. In diverse aree del teatro sono collocati i busti di importanti personalità, che operarono nel teatro. In occasione del centenario dell'inaugurazione del Teatro Nazionale si svolsero nel 1977–83 un notevole restauro e l'ammodernamento dell'edificio nonché la costruzione degli edifici ad uso amministrativo e della Scena Nuova.

■ PAGINA 94 ■

La Torre Šítkovská della centrale idraulica presso i Mulini Šítkovské (Šítkovské mlýny) fu costruita nel 1495, poi dopo le calamità quali incendio, alluvione o fuoco d'artiglieria, fu ricostruita. Il suo attuale aspetto risale al 1651, la cupola a forma di cipolla fu aggiunta nel XVIII sec. Nel 1928 i mulini furono demoliti e due anni più tardi sostituiti con l'edificio costruttivista Mánes, n.o. 250/II, su progetto di Otakar Novotný.

■ PAGINA 94 ■

La Cappella circolare di S. Maria Maddalena sotto Letná la fece costruire nel 1635 in stile primo barocco presso la sua vigna Jan Zlatoústý Trembský, prevosto dell'ex Monastero dei ciriaci nella Città Vecchia. Nel 1648 la cappella servì agli svedesi da ricovero durante la conquista della Città Vecchia. Nel 1955, durante i lavori di restauro della testa del ponte Čechův, la cappella fu trasferita sul luogo dove si trova tutt'oggi. È attualmente ad uso della Chiesa veterocattolica.

■ PAGINA 95 ■

Durante la costruzione dei nuovi edifici del Teatro Nazionale è stata realizzata la ristrutturazione del giardino delle suore orsoline progettata da Pavel Kupka e Otakar Kuča. Il gruppo di statue intitolato Colloquio è opera di Stanislav Hanzík.

Le facciate semplici barocche del Monastero delle suore orsoline, n.o. 139/II, fanno parte di un complesso architettonico relativamente ampio, fondato nel 1672. La sua costruzione fu realizzata nel 1674–78 e nel 1721–22. La Chiesa di S. Orsola in via Národní fu costruita nel 1699–1704 su progetto di Marcantoni Canevale.

■ PAGINA 95 ■

Il più antico monastero maschile nei Paesi Cechi fu fondato nel 993 a Břevnov presso Praga per iniziativa del vescovo praghese S. Adalberto e principe Boleslao II. La chiesa originaria fu consacrata a S. Benedetto, fondatore dell'ordine del luogo, nonché ai SS. Bonifacio e Alessio. Attorno al 1045 il principe Břetislav vi fece costruire la Chiesa di S. Adalberto, probabilmente una basilica a tre navate, della quale si è conservata soltanto la cripta. Nella seconda metà del XIII sec. fu iniziata la rocistruzione in stile gotico. La pietra sepolcrale del Beato Vintíř, eremita benedettino, risale all'inizio del XIV sec. Nel 1420 gli ussiti e i praghesi ridussero il monastero in cenere e lo devastarono. Sotto il regno dell'imperatore Rudolfo II il monastero fu parzialmente ristrutturato e consacrato a S. Margherita, le cui reliquie le ricevette il monastero in dono già nel 1262 dal re ungherese Béla II. La maggior parte degli edifici del monastero era tutta una rovina. Dopo la battaglia della Montagna Bianca il monastero fu completamente devastato dall'esercito imperiale. Soltanto per iniziativa dell'abate Tommaso Sartorio si riuscì a rinnovarlo nonostante un incendio distruttivo nel 1678. I più grandi meriti per l'ulteriore sviluppo dell'abbazia di Břevnov li ebbero però gli abati Otmar Zinke e più tardi Benno Löbl, che per la sua costruzione reclutarono i migliori artisti dell'epoca. Dal 1709 al 1722 ci operò Kryštof Dientzenhofer, la cui opera, la Chiesa di S. Margherita, a forma di sala, costruita sulla pianta degli ovali che si intersecano, si annovera tra i notevoli monumenti dell'architettura barocca in Boemia. Durante la vita del padre so-

printese alla costruzione a partire dal 1716 Kilián Ignác Dientzenhofer. Vi operarono inoltre gli scultori Karel Josef Hiernle, Matěj Václav Jäckel, Richard Prachner, Jan Antonín Quittainer ed altri. Le pale sopra gli altari illusori furono realizzate nel 1716–17 da Petr Brandl. Nel 1719–21 Jakub Steinfels affrescò la volta della chiesa, la scena raffigurante il Miracolo del Beato Vintíř fu realizzata nella Sala Teresiana della prelatura da Kosmas Damian Asam, mentre la cornice in stucco risalente al 1727 è opera di suo fratello Egid Quirin. In altre aree del convento e della prelatura si trovano gli affreschi murali e del soffitto dipinti da Josef Hager, Karel Kovář, František Lichtenreiter, Jiří Vilém Neunherz e Antonín Tuvora. Al complesso appartengono o appartennero gli edifici rurali, un giardino col belvedere Vojtěška, la gloriette Josefka con l'aranciera nonché il cimitero con la Cappella di S. Lazzaro.

■ PAGINA 96 ■

Nella Nová obora (Riserva Nuova), fondata da Ferdinando I nel 1534 nel Bosco Malejovský (Malejovský les) a Horní Liboc, l'arciduca Ferdinando del Tirolo, suo figlio, vi fece costruire su proprio progetto nel 1555–56 la Residenza Estiva, intitolata secondo la pianta a forma di stella a sei punti Stella (Hvězda). Non ci si sono conservati gli affreschi del soffitto risalenti alla seconda metà del XVI e al XVII sec. Nel giro del XVII e XVIII sec. fu modificata due volte la forma del tetto. Durante la guerra dei Trent'anni la Residenza Estiva fu devastata dagli svedesi, poi nel 1742 dai francesi e nel 1757 dai prussiani. Giuseppe II infine vi collocò il magazzino della polvere da sparo. Nel 1949 la Residenza Estiva fu ricostruita su progetto di Pavel Janák e in essa fu istituito un museo dedicato a Alois Jirásek e Mikoláš Aleš. Nella riserva sotto la Residenza Estiva si è conservato l'edificio della Sala per il gioco della palla, progettato da Bonifác Wohlmut, la cui costruzione, che durò due anni, fu compiuta nel 1558.

■ PAGINA 97 ■

All'interno della Residenza Estiva Stella le volte sono decorate da stucchi di

grande valore, opera di alcuni artisti innominati. Uno di essi era probabilmente Giovanni Antonio Brocco. In sintonia con il piano delle idee di scegliere della mitologia antica o della storia romana i temi incentrati sullo spirito di sacrificio eroico, sulla gentilezza e la generosità, nonché di completarli da numerose figure semiumane e semianimali e dall'ornamentazione, si attinse ai modelli romani del I e dell'II sec. dopo Cristo. Al centro della volta della sala poligonale a livello di pianterreno si trova la scena raffigurante l'amore filiale su esempio di Eneo che porta fuori da Troia in fiamme suo padre Anchise (foto).

■ PAGINA 98 ■

La veduta dai ruderi dell'antico edificio, in cui veniva pigiata l'uva, in via na Babě, sul pendio di Troja tenuto a bosco, sull'Isola Císařský sulla Moldava e sul complesso edile periferico del quartiere di Dejvice.

■ PAGINA 98 ■

L'originaria tenuta a vigna nel quartiere di Dejvice la fece ristrutturare il suo proprietario Hans Paul Hippmann dopo il 1733 a residenza estiva tardo gotica, n.o. 15, col giardino a terrazza. A partire dal 1912 ospita un museo archeologico con le collezioni private di Josef Antonín Jíra, il quale fa oggi parte del Museo della capitale Praga. Negli anni Trenta del XX sec. gli edifici rurali furono demoliti.

■ PAGINA 99 ■

La Torre della centrale idraulica di Letná nel quartiere di Bubeneč fu costruita nel 1888 in stile neorinascimentale dalla ditta Hübschmann e Schlaffer su progetto di Jindřich Fialka.

■ PAGINA 99 ■

La Residenza Estiva luogotenenziale, n.o. 56, nel quartiere di Bubeneč al di sopra della Riserva Reale (Královská obora), originariamente fondata nel 1495 da Ladislao Jagellone come un castello di caccia. Questo periodo viene testimoniato oggi soltanto da una scultura di leone collocata sulla scalinata. Nel 1578 Rudolfo II incaricò Ulrico Aostallis di una grande ricostruzione del castello a residenza estiva con arcate e la torre d'angolo prismatica. L'attuale aspetto lo impresse alla costruzione la ristrutturazione in stile di epoca romanica con elementi gotici eseguita nel 1805–11 su progetto di Jiří Fischer. La decorazione è opera di Ignác Michal Platzer e Josef Kranner, le pitture nelle sale provvengono dall'attelier di Josef Navrátil. Dallo stesso stile è contrassegnata la vicina porta d'ingresso alla Riserva Reale risalente al 1814.

■ PAGINA 100 ■

L'architetto Heiser progettò per l'Esposizione Praghese del 1891 il Padiglione d'esposizione delle fonderie di Komárov i cui particolari su bozzetti dell'architetto Hercík furono creati dal modellista Zdeněk Emanuel Fiala. La struttura in ghisa di questo straordinario piccolo edificio neobarocco fu fusa nelle fonderie di Komárov, alla sua costruzione soprintese K. Šlejf. Il Padiglione, denominato secondo il principe Vilém Hanavský, proprietario delle fonderie, fu smontato nel 1898 e trasferito nei Giardini di Letná. Dopo i lavori di restauro realizzati nel 1967–71 funge da ristorante.

■ PAGINA 101 ■

La veduta da Letná sulle torri della Città Vecchia. In primo piano il muro costituito dagli edifici della facoltà di legge dell'Università Carlo costruiti nel 1924–27 su progetto di Jan Kotěra del 1914, dell'Istituto di fisica nucleare, costruito originariamente per la facoltà di lettere dell'Università Carlo su progetto di Josef Sakař, dell'edificio del Conservatorio Statale risalente al 1902 con una costruzione d'angolo a cupola che originariamente funse da liceo accademico, nonché dell'edificio del Rudolfinum.

■ PAGINA 101 ■

La veduta da Letná sui ponti sulla Moldava e sul complesso architettonico sulla riva della Città Vecchia.

■ PAGINA 102 ■

Il particolare della decorazione della scalinata della villa di Trója raffigura un gigante, cariatide, che sostiene il pianerottolo sopra il baratro nel quale furono gettati gli altri due giganti. Questa figura è segnata col nome di George Herrmann, il lato opposto con la data 1685.

■ PAGINA 103 ■

Abraham Godyn portò a compimento gli affreschi del soffitto della Sala Imperiale a Tròja nel 1693. Vi raffigurò il trionfo della fede cristiana sull'islam dopo la vittoriosa battaglia presso Vienna nel 1683 con numerose figure allegoriche e storiche. Le altre scene sulle pareti rafigurano esclusivamente le celebrazioni di diversi avvenimenti della storia della dinastia d'Asburgo e sono completate da molte eminenti personalità.

■ PAGINA 104 ■ 105 ■

La vasta area della Residenza Estiva di Troja è progettata in base alla massima simetria e l'asse principale del complesso è volta verso il sud in direzione della Cattedrale di S. Vito. Il castello e gli edifici rurali sono costruiti su una terrazza decorata da vasi e da due fontane. Sotto la terrazza si estende il parterre con la fontana restaurata e le copie delle sculture originarie. Si chiude con due aranciere. Sul lato orientale si trova un pometo di pianta trapezoidale con una rete di vie in forma di stelle nonché i prospetti in stucco. Una galleria sotto l'originaria strada fossata permise l'accesso alla parte occidentale del giardino con sala terrena. Sulla collina, al di sopra del castello, nella vigna tutt'oggi coltivata a vite, fu costruita la Cappella di S. Chiara. Di questo complesso fecero parte edfici rurali – cortile, fabbrica di birra, mulino e taverna.

■ PAGINA 104 ■ 105 ■

Il Castello di Troja è un complesso di notevole valore, che, costruito come una villa periferica di tipo italiano per l'alto impiegato statale Václav Vojtěch di Šternberk, rimase quasi intatto da ulteriori ristrutturazioni. La costruzione fu originariamente progettata da Domenico Orsi prima del 1678, ma più tardi dopo la sua morte Jean Baptiste Mathey ottenne l'approvazione per il nuovo progetto realizzato da Silvestro Carlone. La costruzione fu portata a compimento in grandi linee nel 1685, mentre entro la fine del 1689 fu compiuta la grandio sa scalinata, sulla quale Georg e Paul Hermann collocarono le statue degli dei d'Olimpo combattenti contro i giganti. Le ultime statue vi furono installate nel 1703. Sino al 1708 sulla ballaustrata esterna furono collocati ancora i busti provenienti probabilmente dall'atelier dei Brokof. Francesco Marchetti con suo figlio Giovanni Francesco lavorarono agli affreschi del soffitto a partire dal 1689, mentre l'architetto incaricò della decorazione della Sala Imperiale i fratelli Abraham e Isaak Godyn, che la terminarono nel 1697. Abraham Godyn affrescò ovviamente anche la stalla straordinariamente lussuosa con camini, gruppie e griglie per il fieno.

■ PAGINA 106 ■

Tra le poche costruzioni di carattere religioso novecentesche è di notevole valore la Chiesa del Santissimo Cuore del Signore sulla náměstí Jiřího z Poděbrad (piazza Giorgio di Poděbrady) a Vinogrady. Il progettista Josip Plečnik risolse in modo atipico la costruzione dell'area interna senza presbiterio, nonché della torre per tutta la lunghezza del complesso. La costruzione fu realizzata nel 1928–32. Le sculture collocate sulla facciata principale sono opera di Bedřich Stefan, quelle all'interno di Damián Pešan.

■ PAGINA 106 ■

La chiesa di S. Ludmila sulla náměstí Míru (piazza della Pace) a Vinohrady fu costruita come una pseudobasilica di mattoni con la nave diagonale con la facciata principale a due torri in stile neogotico nel 1888–93 su progetto di Josef Mocker. Alla costruzione soprintese Antonín Turek. Il rilievo del Cristo con S. Venceslao e S. Ludmila nel timpano del portale occidentale è opera di Václav Myslbek. Alla decorazione degli interni parteciparono Ludvík Šimek, František Sequens, František Ženíšek, Adolf Liebscher, Jan Kastner ed altri. A sinistra della chiesa si trova il Teatro di Vinohrady, costruzione realizzata nel 1904–1907 in stile liberty su progetto di Alois Adam Čenský. I gruppi di statue su piloni sono opera di Milan Havlíček del 1906.

■ PAGINA 107 ■
Al di sopra del complesso edile della valle Nuselské si innalza l'edificio colossale del Palazzo della Cultura costruito su progetto di Josef Karlík, Jaroslav Mayer, Vladimír Ustohal e Antonín Vaněk. L'edificio, la cui costruzione fu compiuta nel 1981, corredato con la tecnica più moderna e decorato da opere degli artisti di tutti i settori, contiene la sala congressuale con il più grande organo a Praga, la sala da conferenze, la sala da camera, il salotto presidenziale, un ristorante e molte altre sale.
Progettista principale dell'albergo Forum, entrato in funzione nel 1988, fu nominato Jaroslav Trávníček.

■ PAGINA 107 ■
Il ponte Nuselský fu costruito nel 1967–74 su progetto di Stanislav Hubička, Svatopluk Kober, Vojtěch Michálek. Collegando l'autostrada conducente da Brno e a Bratislava con la superstrada nordorientale, il ponte assicura tutti i tipi di trasporto compreso quello della metropolitana. Guardando da Karlov, vediamo sullo sfondo la linea verticale dell'albergo Forum e la linea orizzontale del Palazzo della Cultura.

■ PAGINA 108 ■
La Rotonda romanica di S. Martino a Vyšehrad si annovera tra i pù antichi monumenti del genere conservatisi a Praga. Fu costruita sotto il governo di Vratislav II nella seconda metà dell'XI sec. Nel XVII e XVIII sec. funse da polveria, nel XIX sec. da magazzino. In essa, ristrutturata nel 1878, furono aggiunti alcuni particolari.

■ PAGINA 108 ■
Vyšehrad fu insediato già nel paleolitico nel IV millenio avanti Cristo. Un altro insediamento testimoniato risale alla prima metà del III millenio. Più tardi, nella prima metà del X sec., la roccia di Vyšehrad fu insediata dagli slavi. Vi furono costruiti il castello principesco fortificato e i primi edifici di carattere religioso – la chiesa preromanica consacrata ad un anomimo e la Cappella di S. Giovanni Evangelista, nonché una zecca. Dopo il 1067 il principe Vratislav II, eletto re nel 1085, ci trasferì dal Castello di Praga la sua sede, la fece ristrutturare

e fondò alcune chiese e un capitolo presso la Chiesa dei SS. Pietro e Paolo. Questa basilica a tre navate fu restaurata nel 1129 dal principe Soběslav I che fece costruire altre tre chiese. I suoi successori si trasferirono nuovamente al Castello di Praga. Uń ulteriore importante ristrutturazione della Chiesa dei SS. Pietro e Paolo avvenne, dopo un incendio, nella seconda metà del XIII sec. Per decisione di Carlo IV Vyšehrad divenne punto di partenza della cerimonia d'incoronazione, quando dopo che era stata commemorata la tradizione dei Přemyslidi, il corteo si diresse attraverso Praga alla volta del Castello di Praga per la cerimonia religiosa. Vyšehrad fu restaurato allora per l'ultima volta a grandi spese, fu nuovamente fortificato e contemporaneamente con la fondazione della Città Nuova fu annesso alla città stessa. Nel 1420 i praghesi lo saccheggiarono e più mai si riuscì a rinnovare la sua originaria posizione storica. Dopo la battaglia della Montagna Bianca furono avviati i lavori di restauro della fortificazione, che però durante la guerra dei Trant'anni fu denneggiata assieme ad altre costruzioni. Nella seconda metà del XVII sec. fu trasformato in una fortezza barocca, abolita poi nel 1911. Nel 1575–76 la Chiesa dei SS. Pietro e Paolo subì un restauro in stile rinascimentale sotto la direzione di Ulrico Aostallis e il maestro Benedetto. La chíesa fu barochizzata nel 1711–28 sotto la direzione di Frantiśekk Maxmilián Kaňka che più tardi fu alternato da Carlo Antonio Canevale. I lavori suddetti si svolsero probabilmente su progetto di Jan Blažej Santini che rifatto dai due architetti sunnominati. L'attuale aspetto neogotico con due torri l'impresse alla chiesa nel 1885–87 Josef Mocker. Oltre agli edifici summenzionati, al decanato, alle due prevosure, alle due case canonicali ed altri edifici, a Vyšehrad si trova un cimitero dove sono sepolte decine di eminenti personalità del popolo di Boemia. Leopoldova brána (Porta di Leopoldo) risalente al periodo anteriore al 1670 fu denominata secondo l'ex sovrano Leopoldo I. Custodì l'ingresso alla fortezza dalla parte di Pankrác. Fu progettata in due varianti da Carlo Lurago, la decorazione fu realizzata da Giovanni Battista Alio.

■ PAGINA 109 ■
La Fortezza di Chodov fu costruita probabilmente già verso la fine dell'XIII sec. sulla pianta circolare con una torre con attraverso di essa un passaggio e con una piccola ala del palazzo nonché un ampio fossato. Nella seconda metà del XVI sec. subì un restauro, ma una radicale ristrutturazione della fortezza devastata, a castello con il cortile ed arcate, fu realizzata attorno al 1700, quando essa fu ín possesso dei benedettini del monastero presso la Chiesa di S. Nicola nella Città Vecchia. Per il suo aspetto e la sua missione come centro culturale, questo complesso ridà oggi la vita alla monotonia della città satellite Jiżní Město.

■ PAGINA 109 ■
La veduta da Vyšehrad sul porto di barche a vela sulla Moldava. Le monumentali costruzioni della centrale idraulica praghese e di quella nuova furono progettate da Antonín Engel nel 1929–31 e nel 1959–62.

■ PAGINA 110 ■
La tenuta Bertramka, n.o. 169, nel quartiere di Smíchov, risalente al XVII sec., ristrutturata in stile classico nella seconda metà del XVIII sec., è nota soprattutto per il soggiorno di Wolfgang Amadeus Mozart. Lo ospitarono i coniugi. Dušek, compositore e pianista František Xaver e sua consorte Josefína, cantante lirica, nel 1787, anno in cui giunse a Praga per dirigere la prima dell'opera Don Giovanni nel Teatro del conte Nostic. Mozart si fermó probabilmente a Bertramka nel 1791, quando nuovamente soggiornò dai Doušek, in relazione con la messa in scena della sua opera dell'incoronazione La clemenza di Tito composta per l'imperatore Leopoldo II. All'interno dell'edificio si sono conservate le sale con soffitti affrescati nonché gli affreschi nella sala terrena utilizzata oggi come sala da concerti. Nel giardino è collocato il busto di Mozart, opera di Tomáš Seidan del 1876. La tenuta è accessibile al pubblico come monumento ai coniugi Dušek e a Mozart. L'edificio del convento a tre ali con il cortile d'onore fu costruito nel 1709–32 su progetto di Jan Blažej Santini al quale si riallacciò con una ristrutturazione nel

1724 František Maxmilián Kaňka. Il Monastero cistercense di Zbraslav fu fondato dal re Venceslao II nel 1292 presso un castello di caccia costruito nel 1268 da Přemysl Ottocaro I. Nel 1297 fu avviata la sua costruzione che si protrasse fino alla metà del XIV sec. Il monastero fu intitolato Aula regia – Aula reale – in prova degli straordinari rapporti degli ultimi membri dei Přemyslidi che nella monumentale Chiesa abbaziale della Virgine Maria costruirono il proprio mausoleo. Da qui proviene la Cronaca di Zbraslav scritta dagli abati Otta e Petr Žitavský nella prima metà del XIV sec. Nel 1420 il monastero fu ridotto in ceneri dagli ussiti e dopo la ristrutturazione fu nuovamente devastato durante la guerra dei Trent'anni. Gli abati Wolfgang Loechner e più tardi Tommaso Budetius ebbero meriti per la ricostruzione degli edifici del monastero in stile barocco, svoltasi nel 1709–39. Giuseppe II abolì il monastero nel 1785 e in seguito gli edifici furono utilizzati come raffineria di zucchero e come fabbrica chimica. Nel 1913 Cyril Bartoň di Dobenín asquistò l'area devastata e la ristrutturò a castello nel 1924–25.

■ PAGINA 111 ■

La Chiesa di S. Giacomo originariamente parrocchiale assunse la funzione dell'ex cattedrale abbaziale compreso il trasferimento delle reliquie dei Přemyslidi. Fu ristrutturata in stile primo barocco nel 1650–54. Accanto alla copia della Madonna di Zbraslav, il cui prezioso originale è esposto nella Galleria Nazionale, troviamo i quadri di Karel Škréta, Petr Brandl e Giovanni Battista Piazzetta. A est del presbiterio si trova l'edificio dell'ex prelatura ristrutturata su progetto di František Maxmilián Kaňka prima del 1739 e decorata da affreschi con motivi della storia del monastero, opera di Václav Vavřinec Reiner e František Xaver Balko. Dušan Jurkovič la ristrutturò a castello nel 1911–12.

■ PAGINA 112 ■

Nella Sala Reale del Monastero di Zbraslav Václav Vavřinec Reiner dipinse nel 1728 l'affresco raffigurante la Consacrazione della pietra angolare della chiesa del Monastero di Zbraslav. Pure le altre scene murali si riferiscono alla storia del monastero fondato da Venceslao II. Qui lasciarono un capolavoro lo stuccatore Tommaso Soldati e suo figlio Martin. L'affresco sul refettorio, raffigurante la parabola dell'uomo presentatosi alle nozze senza indumento nunziale, è opera di František Xaver Balko. L'ultimo proprietario già nel 1941 destinò l'edificio conventuale alle collezioni della Galleria Nazionale che ci allestì un'esposizione di scultura boema dal barocco fino all'epoca contemporanea.

Las cifras romanas, divisoras de los números descriptivos (en las placas rojas, mientras que las azules representan los de orientación), indican los diferentes barrios del distrito urbano de Praga I:

I – Staré Město (Ciudad Vieja)
II – Nové Město (Ciudad Nueva)
III – Malá Strana (Ciudad Pequeña)
IV – Hradčany
V – Josefov (Ciudad Judía)

■ PORTADA DE LA CUBIERTA ■

La Casa del Minuto, no. 3/I, se levantó en el lugar donde había una callejuela estrecha sólo a comienzos del siglo XV. Es de suponer que la casa quedara prolongada hasta la profundidad contemporánea tan sólo en los años ochenta del siglo XVI. Al mismo tiempo fue elevada, se construyó en ella una cornisa con lunetas y en dos etapas de tiempo fue cubierta plenamente con esgrafiados (antes de 1601 y antes de 1615). Durante la segunda mitad del siglo XVIII la casa pasó una reconstrucción clasicista, los esgrafiados se blanquearon y en su esquina se colocó, descansando en una columna destruida posteriormente, la señal de la casa en forma de león agarrando en sus patas un escudo, de acuerdo con la antigua denominación de la casa: del León Blanco. Los esgrafiados, que según los modelos gráficos representaban historias de la Biblia sacadas del Antiguo y Nuevo Testamento, escenas mitológicas, temas de la historia romana y del Talmud judío, figuras alegóricas y numerosos reyes franceses, se han descubierto y restaurado en el año 1919. En el interior de la casa se han conservado fragmentos medievales, techos renacentistas de maderamen y su armadura, así como bóvedas barrocas pintadas de la época anterior al año 1712.

A continuación se ven las fachadas parcialmente cubiertas de la parte meridional del Ayuntamiento de la Ciudad Vieja: las casas del Gallo y del peletero Mikeš unidas con arcadas, la casa del tendero Kříž con una ventana renacentista de tres partes que se remonta a eso de 1525 y una serie de blasones de los regidores situados bajo la cornisa de la corona y, por fin, la casa de Velfin de Kámen con su portal en gótico tardío y una ventana construida alrededor de 1490. Al fondo vemos el lado oriental de la Plaza de la Ciudad Vieja con la Iglesia del Tin.

■ CONTRAPORTADA DE LA CUBIERTA ■

La esquina noroccidental de la Plaza de la Ciudad Vieja y la Iglesia de San Nicolás vistas desde la Iglesia del Tin y la Escuela del Tin, no. 604/I.

■ PÁG 3 ■

Las Torres de Puente de la Ciudad Pequeña cierran el Puente de Carlos en la orilla izquierda del Vltava. La torre algo más baja es románica y se fue construyendo junto con el Puente de Judita, más o menos desde el año 1158. En 1591 la adaptaron en estilo renacentista. En la torre se ha conservado un relieve único, primero siendo parte componente de la decoración exterior, procedente del período a eso de 1170 y representando tal vez la promoción a rey de Vladislao II. La puerta que reemplazó a una románica más antigua fue construida después del año 1411. La torre superior mandó construirla el rey Jorge de Poděbrady en el año 1464, a lo mejor también en lugar de otra obra románica. Sin embargo, ya no llegó a realizarse la decoración escultórica monumental.

■ PÁG 4 ■

Vista de la Plaza de la Ciudad Vieja y del monumento a Jan Hus desde la Casa de la Campana de Piedra, no. 605/I, por encima del tejado con buhardillas del Palacio de Kinský, no. 606/I. Al fondo, cerca de la Iglesia de San Nicolás vemos las casas de la manzana del Ayuntamiento, nos. 22, 21, 20 y 19/I.

■ PÁG 5 ■

El Reloj Astronómico de Praga figura entre los lugares más visitados de Praga. Una leyenda que se refiere a su constructor, el maestro Hanuš, dice que los regidores le habían privado de la vista por violencia para impedirle el confeccionamiento de una obra similar en otro lugar. Sin embargo, la esfera astronómica y el mecanismo correspondiente del reloj fueron construidos ya en 1410 por Mikuláš de Kadaň y fue alrededor del año 1490 cuando el maestro Hanuš, o sea Jan Růže, con el ayudante Jakub Čech complementaron el reloj del Ayuntamiento Viejo con el calendario. El reloj se fue reparando cada siglo y a veces no funcionaba incluso muchos años. Además, se fue perfeccionando y adornando: en los dos períodos góticos, con plásticas de piedra; en el siglo XVII, con figuras móviles de madera que representaban personajes alegóricos a los lados de las esferas; y en 1865, con una tabla nueva del calendario hecha por Josef Mánes y con el movimiento de los apóstoles fabricados por Eduard Veselý. Sin embargo, parece que en el reloj desfilaron otros apóstoles ya en el siglo XVIII. Fue en el año 1882 cuando apareció el gallo con su canto. En la Revolución de Mayo, en 1945, la mayoría de las figuritas fue destruida por el fuego y también la lámina de Mánes fue damnificada. Las nuevas figuritas las talló Vojtěch Sucharda y la lámina del calendario la pintó Bohumír Čila. El reloj reparado fue puesto en marcha de nuevo en el año 1948. Hoy día sólo se encuentran en el reloj copias de las estatuas primitivas. Los originales de Sucharda, así como la lámina de Mánes se guardan en el Museo de la Capital de Praga.

■ PÁG 6 ■

Para construir la Casa Municipal de Praga, no. 1090/I, se convocó en 1903 un concurso del cual salieron victoriosos Antonín Balšínek y Osvald Polívka. La construcción pentagonal en estilo modernista fue realizada entre 1905 y 1911. Debajo de la cúpula, en el nicho situado encima del pórtico frontal, se ve un mosaico titulado Homenaje a Praga, creado según el cartón de Karel Špillar. Las estatuas Humillación y Renacimiento de la nación, creadas por Ladislav Šaloun, se encuentran a ambos lados del arco. El autor del lucifero y de otros adornos es Karel Novák. Las demás obras esculturales y los relieves en las fachadas laterales son obras de Antonín Mára, Josef Mařátko, Josef Pekárek, Eduard Pickardt, František Rous, Antonín Štrunc, František Úprka y Gustav Zoula. Muy interesantes son también los interiores de la Casa Municipal: vestíbulo, cafetería, pastelería, bar, sala de billares, Restorán Francés, Sala del Alcalde, salas de Rieger, Sladkovský, Palacký y sobre todo la Sala de Conciertos de Smetana que sirve a veces también para actividades políticas. Entre los artistas que participaron en su decoración, además de los mencionados más arriba, hay que mencionar igualmente a Mikoláš Aleš, František Hergesel, Josef Kalvoda, Alfons Mucha, Josef Václav Myslbek, Max Švabinský y František Ženíšek. En el espacio donde se encuentra hoy la Casa Municipal, sede de la Orquesta Sinfónica de la Capital de Praga FOK, se halló en el período de 1380 a 1483 la Corte Real. Abandonado, llegó a reconstruirse después de 1631 en el Seminario Arzobispal. En la Casa Municipal se celebraron numerosas asambleas y reuniones políticas de alcance trascendental. La más importante de ellas fue la Declaración de la Independencia de Checoslovaquia y la Promulgación de la Primera Ley el 28 de octubre de 1918.

■ PÁG 7 ■

La avenida Pařížská, en que se levantaron casas representativas en estilo ecléctico y de arte nuevo, ha encontrado su apreciación real sólo en el último cuarto del siglo XX. Las casas que se hallan en la vecindad del edificio no. 934/I, en la esquina de la Plaza de la Ciudad Vieja, se remontan todavía a los últimos años del siglo XIX. La mayoría de ellas se construyó, sin embargo, en los años 1901–1906 según los proyectos de los arquitectos Matěj Blecha, Richard Klenka de Vlastimily, Jan Koula, Čeněk Křička, Antonín Makovec, Jan Vejrych, František Weyr y otros tantos.

■ PÁG 8 ■

El Palacio de Sternberg, no. 7/III, se edificó en la Plaza de la Ciudad Pequeña después del año 1684, cuando Adolf Vratislav de Sternberg compró allí dos casas renacentistas. La Casa del Bastión se distingue aún, pues su frontispicio retrocede hasta la altura del primer piso. Antes de 1720 se realizó otra reconstrucción en barroco culminante, al parecer bajo la dirección de Giovanni Battista Alliprandi. Entre las ventanas del primer piso está situada la pintura mural de Nuestra Señora con el Niño Jesús. Los estucos de Giovanni Bartolomeo Cometa en los techos fueron complementados por artistas desconocidos a comienzos del siglo XVIII, así como las pinturas.

Fue propiedad de los Sternberg, igualmente, la casa renacentista vecina de la esquina, no. 518/III, construida alrededor del año 1585. Su reconstrucción en estilo barroco temprano se realizó en 1670. Cuando reparaban la casa en el año 1899, Celda Klouček hizo los esgrafiados nuevos en la fachada.

Al fondo se ve la torre y el tambor de la Iglesia de Santo Tomás.

■ PÁG 9 ■

La fachada septentrional del palacio de Černín que da al jardín, con dos logias. Fue construida en los años 1669–1692 por Francesco Caratti. La estatua de Hércules matando a la hidra la hizo en 1746 Ignác František Platzer. El jardín de estilo francés, diseñado en 1718 por František Maxmilián Kaňka, es obra del jardinero Matěj Ivan Lebsche. La naranjería nueva se debe a Anselmo Lurago. En los años 1934–1935 el jardín fue reconstruido por Pavel Janák y Otakar Fierlinger.

■ PÁG 9 ■

El Palacio de Černín, no. 101/IV, lo mandó edificar en el año 1669 Humprecht Jan Černín de Chudenice, embajador imperial en Venecia, después de demoler algunas casas. Los proyectistas y al mismo tiempo directores de las obras de construcción del palacio, en que se nota la influencia de las formas palladienses, fueron Francesco Caratti ayudado de Giovanni Decapauli y de Abraham Lauthner. Los trabajos de cantería los tuvieron a cargo Giovanni Battista Pozzo y Domenico Semprici son sus ayudantes. Desde el año 1676 dirigieron las obras, sucesivamente, Giovanni Battista Maderna, activo también como estuquista, con Giovanni Bartolomeo Cometa y Francesco Perri; desde 1692, Domenico Egidio Rossi; desde 1696, Giovanni Battista Alliprandi y, finalmente, Martino y Giovanni Battista Allia. El estilo barroco culminante lo imprimió a la construcción del palacio y a la disposición de los interiores František Maxmilián Kaňka en el año 1718. La decoración interior la ejecutaron los estuquistas Tommaso Soldati y más tarde Bernardo Spinetti, el marmolista Domenico Antonio Rappa y el fresquista Václav Vavřinec Reiner, sobre todo en la escalera donde representó en 1718 la lucha de los olímpicos con los gigantes. Las obras esculturales no nos han llegado prácticamente. En 1851 el palacio semiabandonado se vendió y se convirtió en cuartel. Para el Ministerio de Relaciones Exteriores quedó reconstruido en el lapso 1928–1934 según el proyecto de Pavel Janák. Es el palacio de mayor monumentalidad en Praga.

■ PÁG 10 ■

El monasterio, no. 99/IV, con la Iglesia de Santa María de los Ángeles, construido entre 1600 y 1602 en la Plaza de Loreto, es el edificio más antiguo de los Capuchinos en Bohemia. El famosísimo belén instalado permanentemente en la capilla lateral lo hicieron dos religiosos napolitanos en 1780. Dieciocho figuras de tamaño subnatural fabricados de madera, paja y escayola visten trajes de la época impregnados de glutina enrarecida. Un pequeño puente cubierto une el monasterio a Loreto. Su balaustrada de entrada con veintiocho angelitos que sostienen escudos representando escenas marianas en relieve, obras del taller de Ondřej Filip Quittainer de 1725, se ve en primer plano de la foto. Sin embargo, los originales ya se han reemplazado por copias.

■ PÁG 11 ■

Una hilera de casas canonicales en la Plaza de Hračany.
La Casa de los Cisnes, no. 61/IV, al principio un edificio renacentista reconstruido a mediados del siglo XVIII en un pequeño palacio de estilo barroco tardío. En 1842 lo extendió el arquitecto Johann Maxmilián Heger.
A la izquierda, la Casa de Lauenburg de Sajonia, no. 62/IV, de origen gótico, donde vivió en el período 1372–1399 el constructor de la Catedral de San Vito, Petr Parler. La casa se reconstruyó en estilo renacentista alrededor del año 1596. A continuación, la Casa de Kolowrat, no. 63/IV, edificada en el siglo XIV por los Rožmberk. Estos caballeros mandaron reconstruirla en 1541. En 1737, las dos casas se renovaron en estilo barroco idéntico según el proyecto de Antonín Václav Spannbrucker.

■ PÁG 12 ■

Loreto, no. 100/IV, es el lugar de peregrinación edificado alrededor de la Santa Casa, copia exacta de la casa nazarena de Nuestra Señora, trasladada según la leyenda por los ángeles a Loreto, provincia italiana de Ancona, en 1295. La construcción del santuario se inició en 1626 gracias a Benigna Catalina de Lobkowicz. El constructor de la obra Giovanni Battista Orsi proyectó en 1634 incluso los ámbitos bajos originales. Después de la muerte de Orsi, la construcción de las capillas en los ámbitos fue prosiguiendo bajo la dirección de Andrea Allia, Silvestre Carlone, Jan Jiří Mayer, Kryštof Dientzenhofer y su hijo Kilián Ignác, hasta terminar en los años veinte del siglo XVIII.
La fachada en estilo barroco culminante se construyó entre 1721 y 1723, partici-

pando en el proyecto ambos Dientzenhofer. En la construcción se incorporó igualmente la torre anterior que contaba con un ameno carillón compuesto en 1694 por el relojero Petr Neumann. Hoy día, las veintisiete campanitas tocan sólo una canción mariana, la que dice al principio: Mil veces te saludamos... En las obras estatuarias de la fachada participó Jan Bedřich Kohl. Es precisamente allí donde está situado el renombradísimo Tesoro de Loreto.

■ PÁG 13 ■

La Santa Casa del Loreto praguense fue consagrada en 1631. Al principio, su decoración exterior la constituían únicamente pinturas en claroscuro y tan sólo en 1664 Jacopo Agosto, Giovanni Battista Colombo y Giovanni Bartolomeo Cometa (el más exitoso entre ellos) se pusieron a crear en los estucos figuras de profetas y Sibilas y relieves con escenas de la vida de la Virgen María. En el interior, encima del altar hay un nicho en que está situada una estatuilla negra de Nuestra Señora de Loreto procedente de fines del siglo XVII. Las paredes copian su modelo hasta los detalles, incluso en los fragmentos de las pinturas murales y la fábrica en ladrillo sin blanquear con brecha.
A la derecha, la Iglesia del Nacimiento de Jesucristo surgió habiéndose adaptado una capilla del ámbito de 1661. La extendió dos veces Kryštof Dientzenhofer y finalmente, en el lapso 1733–1735, la alargó su hijastro Jan Jiří Aichbauer. El fresco en el techo lo pintó en 1736 Václav Vavřinec Reiner, el de la nave lo hizo en 1742 Jan Adam Schöpf; los estucos se deben a Tommaso Soldati y datan de los años 1735–1737.
En primer plano aparece una fuente con el grupo de estatuas representando la Asunción de la Virgen María, obra de Jan Michal Brüderle creada en 1739, hoy su copia de Vojtěch Sucharda.

■ PÁG 14 ■

Vista del Monasterio de los Capuchinos con la Iglesia de Santa María de los Ángeles y Loreto por encima de las techumbres de las casas del llamado Nuevo Mundo.

■ PÁG 14 ■

En la construcción del palacio, no. 182/IV, edificado en Hradčany entre 1689 y 1691 utilizaron la fábrica de las casas derribadas, hasta la altura del segundo piso, al parecer según la decisión del propietario Michal Osvald Thun-Hohenstein. A juzgar por el estilo barroco romano, se considera como el autor del proyecto Jean Baptiste Mathey. El constructor ejecutivo fue Giacomo Antonio Canevalle. Desde 1718, el palacio se llamó Toscano. En el ático entre dos pabellones de techo se hallan figuras alegóricas de Siete artes libres de Jan Brokof, creadas a eso de 1695. En la esquina de la calle Loretánská, Ottavio Mosto hizo alrededor de 1700 una figura de Arcángel Miguel.

■ PÁG 15 ■

En el terreno de la residencia capitular, no. 65/IV, – a la izquierda de la foto – hubo otrora una casa de labor con torre, propiedad en 1414 del canónigo y constructor de la Catedral de San Vito, Václav de Radeč. En el año 1486 el preboste Hanuš de Kolowraty unió la finca con la casa vecina, comprada en 1365 por el canónigo y primer director de las obras de construcción, Leonhard Bušek de Vilhartice, y por sus hermanos. Las reconstrucciones llevadas a cabo en 1685 y 1734 imprimieron a la casa el aspecto actual.
El Palacio de Martinic, no. 67/IV, se edificó en estilo renacentista durante la segunda mitad del siglo XVI para Ondřej Teyfl de Kinsdorf en el terreno antes ocupado por tres casas. Alrededor del año 1620 lo amplió el lugarteniente Jaroslav Bořita de Martinice, víctima de la defenestración en 1618. Los esgrafiados que adornan la fachada y el patio datan aproximadamente del año 1580 y con las historias de José del Egipto y Sansón representan escenas del Antiguo Testamento, así como las mitológicas. Fueron creados en el año 1634. En el interior del palacio se renovó una sala grande con el techo artesonado pintado y la capilla adyacente cuya entrada la enmarcan las figuras de Adán y Eva.

■ PÁG 16 ■

La rampa del Castillo y la panorámica de Praga. En primer plano dominan las cúpulas de la Iglesia de San Nicolás en la Ciudad Pequeña.

■ **PÁG 16** ■

El Palacio del Arzobispo, no. 56/IV, está situado en el lugar de la antigua casa renacentista de Florián Griespek. En 1562 la compró el arzobispo Antonín Brus de Mohelnice y enseguida la mandó adaptar. Otra renovación importante, realizada según los proyectos de Jean Baptiste Mathey en el lapso 1675-1679 bajo el arzobispado de Jan Bedřich de Wallenstein, fue sobrecubierta casi toda (menos el portal y el pabellón de techo) durante la reconstrucción clasicista con elementos rococó, efectuada por Jan Josef Wirch en los años 1764-1765. El arzobispo Antonín Příchovský encargó la decoración escultórica a Ignác František Platzer; en los años ochenta del siglo XIX la complementó con sus obras Tomáš Seidan. Daniel Alexius de Květná ejecutó en la capilla del palacio pinturas de techo en estilo renacentista tardío representando en ellas la vida y la actividad de San Juan Bautista. Entre las joyas que se encuentran en el palacio hay que mencionar las colecciones de cuadros, porcelana, cristal, retratos de los arzobispos praguenses de cuatro siglos, relicarios y excelentes gobelinos fabricados en París según los cartones de Alexandre Desportes de 1754-1756 con asuntos de la Nueva India.

A la izquierda, pasando por el zaguán de la planta baja llegamos al camino escarpado que desciende hasta el Palacio de Sternberg donde está situada la Galería Nacional.

■ **PÁG 17** ■

La rampa del Castillo con una vista del monte Petřín y su mirador construido en 1891.

■ **PÁG 17** ■

El Castillo sacado desde el Jardín de Strahov. Los árboles frutales en flor enmarcan los palacios de Hradčany y los menores edificios que se hallan a lo largo de las calles Loretánská y Úvoz.

■ **PÁG 18** ■

Un arriate de flores en el Jardín Real. A la derecha se ve la Casa del Presidente, otrora invernadero barroco de

1730-1732, adaptado por Kilián Ignác Dientzenhofer y ampliado por Pavel Janák en 1937-1938. El Jardín Real, edificado en 1535 para Ferdinando I, parece que debe su origen al arquitecto Giovanni Spazio y al jardinero Francesco, de nombre propio Francysko Skoryna, originario de Bielorrusia. Un magnífico edificio que está en el Jardín Real lo representa la Gran Casa de Juegos de Balón, levantada en los años 1567-1569 por Bonifác Wohlmut. Frente a ella se situó en 1734 un grupo de estatuas denominado La noche, obra de Antonín Brauner. La estatua de Hércules matando a la hidra, que descansa en la fuente que cierra la alameda, es obra de Jan Jiří Bendl creada en 1670.

■ **PÁG 18** ■

El Palacete Real, al extremo oriental del Jardín Real, fue construido en el período 1538-1562 según el proyecto de un arquitecto desconocido, siendo dirigidas las obras por Paolo della Stella, más tarde por Hans Tirol, a quien se le ocurrió la idea de levantar un piso más, y finalmente por Bonifác Wohlmut quien materializó la idea. Los relieves son obras de Paolo della Stella y sus compañeros. Es la obra renacentista más pura y delicada al norte de los Alpes.

En el centro del giardinetto se encuentra, desde el año 1573, la Fontana Cantante cuya pila de bronce emite sonidos sordos de campanas al caer las gotas de agua. La fontana dio empleo a numerosos artistas: Francesco Terzio la dibujó en el año 1562, Hans Peissner hizo su molde, de la fundición se encargaron en los años 1564-1568 Tomáš Jaroš y Vavřinec Křička de Bitýška; la parte superior la cinceló Antonio Brocco. La compuso en 1571 Wolf Hofprucker.

■ **PÁG 19** ■

Klárov, parte de la Ciudad Pequeña, recibió su nombre por el instituto para los ciegos de Klár, un edificio en estilo clasicista con torrecilla baja, no. 131/III, a la izquierda de la foto. Vista desde los Jardines de Chotek.

■ **PÁG 20** ■

El Patio de Honores en el Castillo de Praga. Los orígenes del Castillo se remontan a los años ochenta del siglo IX

cuando se establecieron en él los príncipes de Bohemia de la dinastía Premislita. Pronto se levantaron dentro de la fortificación, hecha al principio de madera, varias construcciones eclesiásticas. En el año 973 se fundó el obispado de San Vito y el Beaterio de las Benedictinas enfrente de la Iglesia de San Jorge. Todas las renovaciones, construcciones nuevas, ampliaciones y perfeccionamientos de la fortificación se emprendieron con el fin de acentuar su importancia como residencia de los soberanos y asegurar su defensa perfecta. El mayor auge del Castillo se registró en la época de Carlos IV (1346-1378), Vladislao de Jagiello (1471-1516) y su hijo Luis (1516-1526), así como en los tiempos de los primeros Habsburgo, es decir de Ferdinando I (1526-1564), Maximiliano II (1564-1576) y Rodolfo II (1576-1611). Después de la batalla en la Montaña Blanca, el Castillo no jugó sino un papel secundario. La última reconstrucción importante, registrada en nuestra foto, la experimentó el Castillo entre los años 1755 y 1775, bajo el gobierno de la emperatriz María Teresa, según el proyecto de Niccola Paccassi. Dirigieron las obras, aportando cuantiosas contribuciones personales, Anselmo Lurago, Antonín Gunz y Antonín Häffenecker.

El visitante entra en el Patio de Honores por la puerta central de las rejas de rococó cuyo marco forman dos pilares sólidos que sostienen el grupo de estatuas de los gigantes luchando, los putti con floreros de Ignác František Platzer creados en el año 1769. Hoy se encuentran en su lugar las copias de Čeněk Vosmík y Antonín Procházka.

■ **PÁG 20** ■

Vista desde el Patio de Honores hacia el Palacio del Arzobispo; al fondo se halla el Palacio Toscano.

■ **PÁG 21** ■

La Capilla de Santa Cruz que se encuentra en el segundo patio fue proyectada en 1753 por Anselmo Lurago y construida entre 1756 y 1764. Con motivo de la renovación clasicista de los años 1852-1856, en los nichos superiores colocaron las estatuas de San Pedro y San Pablo, obras de Emanuel Max de

1854. Hoy día exponen en la capilla las joyas del Tesoro de la Catedral de San Vito.

PÁG 22

Al principio, la Puerta de Matías, creada en 1614, formaba parte componente del sistema de fortificación, encontrándose en el otro lado del foso que separaba la Plaza de Hradčany del Castillo. Por esta puerta, considerada como el primer monumento barroco en Praga (con rasgos de amaneramiento) y diseñada probablemente por Giovanni Maria Filippi, se pasa al segundo patio o a las escaleras del ala de entrada. Por la escalera teresiana, a la derecha, se entra en las oficinas del Presidente de la República, por la escalera de Otto Rothmayer construida en los años 1948-1956, se sube a la Sala Española y a la Galería de Rodolfo.

PÁG 23

La cruz de coronación, de oro con piedras preciosas, compone el Tesoro de San Vito y data del siglo XIII. Parece que la había recibido el emperador Carlos IV como regalo del Rey de Francia y la mandó adaptar en 1354 en un relicario. En su parte posterior (en la foto) mandó colocar las reliquias de la pasión de Jesucristo: dos astillas de la Santa Cruz, clavo, esponja, cordel y dos espinas. En el lado delantero mandaron incrustar nueve piedras preciosas antiguas y bizantinas, es decir ónixes, amatista y zafiro. Los brazos de la cruz llevan adornos de zafiros y perlas orientadas atrás; las reliquias de la Santa Cruz están bordeadas de zafiros, rubíes y perlas. El pie de la cruz es barroco. La cruz, usada en las ceremonias de coronación desde los años veinte del siglo XVI, se guardó en el castillo de Karlštejn hasta el año 1945.

Complementan el contenido de la vitrina cuatro relicarios de plata dorados, fabricados mayormente en la segunda mitad del siglo XIV: a la derecha, en primer plano hay un relicario con el símbolo parleriano, al fondo el de Santa Catalina; a la izquierda, detrás está un relicario con nicho cilíndrico de cristal y en primer plano el de San Venceslao adornado con torrejones.

PÁG 24 ■ 25

Vista panorámica del Castillo de Praga, la Ciudad Pequeña y el Puente de Carlos desde el Malecón de Smetana.

PÁG 24 ■ 25

Vista del Castillo desde el Malecón de Aleš que deja ver la rivera natural del Vltava en el lado de la Ciudad Pequeña, cerca de la desembocadura de su brazo llamado Čertovka.

PÁG 26

La oficina del Registro Territorial de los Predios es una sala renacentista del Palacio Real Viejo, abovedada hacia el pilar central y adornada en las paredes y el techo con blasones de sus funcionarios aristocráticos. Prestó servicios, cuando se renovó el Registro Territorial después del incendio en 1541.

PÁG 27

La Asamblea Vieja fue construida por Bonifác Wohlmut en los años 1559-1563. Mientras que en la bóveda con nervios redondeados el arquitecto continuó consciente el estilo de la contigua Sala de Vladislao, la cátedra en el rincón la concibió ya en estilo puramente renacentista. El trono data de los años treinta del siglo XIX. En la sala se celebraban sesiones del Tribunal Supremo de Bohemia y de los representantes de los estados checos hasta el año 1847.

PÁG 28

La fachada occidental de la Iglesia de San Jorge da a la Plaza de San Jorge. La primera basílica carolina en el Castillo de Praga se fundó en 921 por encargo del príncipe Vratislao. Cuando el príncipe Boleslao II y su hermana Mlada (quien siendo la primera religiosa conocida recibió el nombre María) fundaron la más antigua casa monástica en nuestros territorios, en el año 973 se procedió a hacer las adaptaciones necesarias para la vida de los religiosos, ampliar el santuario y construir las torres. En aquel entonces ya se había terminado la capilla funeral de Santa Ludmila. Como la segunda fundadora de la iglesia y del convento se considera la abadesa Berta quien hizo reconstruir el complejo entero de las casas destruidas por el fuego durante el cerco del Castillo en 1142.

Alrededor del año 1220 fue la monja Inés quien impulsó las renovaciones. El aspecto gótico de la Capilla de Santa Ludmila se remonta al tercer cuarto del siglo XIV. Se supone que el autor de la fachada occidental en estilo barroco temprano, construida en los años setenta del siglo XVII, fue Francesco Caratti. La decoración plástica se debe a lo mejor a Jan Jiří Bendl. Todavía en los años 1718-1722 se levantó al lado de la fachada la Capilla de San Juan Nepomuceno construida según los proyectos de František Maxmilián Kaňka y adornada con las estatuas de Ferdinand Maxmilián Brokof. El portal lateral renacentista que da a la calle Jiřská se hizo en el taller de Benedikt Ried después de 1500. El relieve de San Jorge a caballo que se ve en el tímpano es una copia del año 1934. El original se halla instalado en las colecciones de la Galería Nacional situada en el convento. La iglesia es la obra mejor conservada de la arquitectura románica de Praga.

PÁG 29

El interior de la Iglesia de San Jorge. El presbiterio elevado, construido encima de la cripta, es accesible por la escalera doble con balaustrada que data del año 1731. En los ábsides hay fragmentos de pinturas románicas que se remontan a la época de la monja Inés. Entre las numerosas tumbas de los príncipes Premislitas y de la comunidad de los religiosos que se hallan en la nave llama atención el sepulcro de madera con los restos del príncipe Vratislao. Son apreciables sus pinturas de santos, fundadores de la iglesia así como la escena de la crucifixión. También la tumba de Boleslao II es digna de atención. En la Capilla de Santa Ludmila, interesante por su bóveda renacentista y pinturas murales de fines del siglo XVI, se halla el sepulcro de la santa, de 1380, complementado en la segunda mitad del siglo XIX. En la Capilla de la Virgen María se aprecian las pinturas murales románicas de la primera mitad del siglo XIII.

PÁG 30

La Callejuela de Oro en el Castillo se llamaba al principio de Orfebres, recordando a los artífices del emperador Rodolfo II los cuales vivían allí junto con los tiradores del emperador y rey. Las miniaturadas casas, mayormente de un piso, pegadas a la muralla en gótico tardío fueron construyéndose, una tras otra, desde el siglo XVI. En el primer cuarto del siglo XX, la casita no. 22 sirvió de albergue a Franz Kafka y en la segunda guerra mundial fue propiedad del fundador de la editorial Aventinum, Otakar Štorch-Marien.

■ PÁG 31 ■
Las techumbres de los palacios de la Ciudad Pequeña: el Palacio Pequeño de Fürstenberg, no. 155/III, y el Palacio de Kolowrat, no. 154/III, vistos desde el Jardín de Kolowrat. En primer plano aparece el techo campaníforme de la glorieta que se construyó en el jardín después del año 1769, junto con varias otras obras arquitectónicas menudas de Ignazio Giovanni Nepomuceno Palliardi.

■ PÁG 32 ■
La Catedral de San Vito, vista desde el antiguo Picadero de Verano reconstruido en los años treinta del siglo XX por Otto Rothmayer. La galería con arcadas la edificó en los años 1696–1699, junto con la construcción del Picadero de Invierno, Jacopo Antonio Canevalle según el proyecto de Jean Baptiste Mathey.

■ PÁG 32 ■
Los bustos relicarios de San Venceslao y San Adalberto confeccionados en Praga después de 1486 por encargo de Vladislao de Jagiello con las joyas de Tesoro de San Vito, se guardan en la Capilla de Santa Cruz. El autor del primer busto parece ser el orfebre Václav de Budějovice.

■ PÁG 33 ■
La fachada occidental de la Catedral de San Vito. La catedral, fundada por el emperador Carlos IV en 1344, fue la tercera construcción eclesiástica de advocación idéntica en el mismo lugar, después de la rotonda de cuatro ábsides levantada por San Venceslao en los años veinte del siglo X y después de la basílica con dos coros construida por el príncipe Spytihněv en los años sesenta del siglo XI. La construcción de la catedral fue proyectada y dirigida por Matías de Arras. Después del año 1356 le siguieron Petr Parler y sus hijos hasta las guerras husitas. El coro terminado y una parte del transepto se cerraron provisionalmente con pared a cuyo lado Bonifác Wohlmut terminó el coro en los años 1559–1516. Después de varios intentos fracasados reinició la fase final de la construcción en 1876 según el proyecto de Josef Mocker a quien sustituyó en la dirección de la obra Kamil Hilbert. Con motivo del milenio de San Venceslao en 1929 fue consagrada solemnemente la parte nueva con dos torres occidentales. La catedral es también el lugar del eterno descanso de los soberanos de Bohemia, de altos dignatarios de la Iglesia y de otras personalidades insignes, entre las cuales destacan igualmente tres patronos checos: San Venceslao, San Adalberto y San Juan Nepomuceno.

El interior de tres naves con capillas, una nave transversal, coro y una corona de capillas cuenta con adornos extraordinariamente ricos. Nótense por lo menos los bustos representando a los Luxemburgo y los hombres relacionados con la construcción de la catedral que se hallan en el triforio, además de los sepulcros de los Premislitas, obras del taller de fundición de Petr Parler, fabricadas entre 1375 y 1385. Préstese atención, igualmente, a la Capilla de San Venceslao, levantada sobre la tumba de San Venceslao y revestida de piedras semipreciosas. En su interior se encuentra la estatua de San Venceslao creada por Jindřich Parler en 1373, y un ciclo de pinturas del Maestro del Retablo de Litoměřice, ejecutadas en los años 1506–1509. En el primer piso se guardan las joyas de coronación del año 1346, adornadas más tarde con piedras preciosas. Merecen atención, asimismo, los fragmentos de las pinturas murales que se remontan a primeros años del siglo XV; el oratorio real edificado, al parecer, por Hans Spiess en 1493; el mausoleo real construido en los años 1566–1589 por Alexander Collin; el sepulcro de San Juan Nepomuceno diseñado por Josef Emanuel Fischer de Erlach y realizado entre 1733 y 1736 por el orfebre Jan Josef Würth según el modelo de Antonio Corradini, con algunos complementos posteriores; la estatua del cardenal Bedřich Schwarzenberg ejecutada en el lapso 1892–1895 por Josef Václav Myslbek; y los vitrales de Cyril Bouda, František Kysela, Alfons Mucha, Karel Svolinský y Max Švabinský, todos creados en los años veinte y treinta del siglo XX.

La foto deja ver el portal central de la fachada en cuyo tímpano hay un relieve representando La crucifixión, grabado por Ladislav Pícha según el modelo de Karel Dvořák. Los relieves de la puerta de bronce con temas de la construcción de la catedral durante siglos los fue moldeando la casa Anýž en el lapso de 1927 a 1929 según los cartones de Vratislav Hugo Brunner y los modelos de Otakar Španiel.

■ PÁG 33 ■
La Sala de Vladislao, el majestuosísimo espacio de gótico tardío en la Europa central, fue construida en el Castillo entre 1492 y 1502 por encargo del rey Vladislao II según el proyecto de Benedikt Ried. Para su edificación tuvieron que sacrificar varias salas e incluso una capilla que estaba en el segundo piso del ala central del Palacio Viejo. En su techo, los nervios redondeados de las cinco estrellas con seis lóbulos salen de las semipilastras parietales compenetrando e intersecándose. Las ventanas pareadas, los portales así como la solución de la pared oriental presentan ya un carácter renacentista. Las arañas procedentes de mediados del siglo XVI, entre las que hay dos copias, las donaron los ciudadanos de Nuremberg a Ferdinando I. Por el portal del año 1592 o 1598, probablemente de Giovanni Gargiolli, que sigue el eje oriental de la pared se entra en el coro de la Iglesia Capitular de Todos los Santos. El portal doble en la pared septentrional, que se remonta a la época posterior a 1541, conduce al Registro Territorial o a la Escalera de los Jinetes; por el portal vecino de Ried se puede pasar a la Asamblea Vieja.

■ PÁG 34 ■
El Monasterio de Strahov, no. 132/IV, fue fundado para los Premonstratenses en 1140 por el príncipe Vladislao II a instancias del obispo olomucense Jindřich Zdík. Las obras de construc-

ción se iniciaron unos dos años más tarde. Después del incendio, los edificos se renovaron en el lapso 1258-1263. En el siglo XVII se emprendieron varias adaptaciones y reconstrucciones (a partir de 1671 con participación de Giovanni Domenico Orsi) siendo la más importante la ampliación de la Prelatura, en 1682, según el proyecto de Jean Baptiste Mathey que se puede notar en la foto. El arquitecto fue Silvestro Carlone y la reconstrucción se terminó en 1697. Después del bombardeo de Hradčany en 1742, mencionado ya antes, hubo que reparar los daños de acuerdo con el proyecto de Anselmo Lurago. Todavía en los años 1782-1783 Ignazio Giovanni Nepomuceno Palliardi edificó el ala nueva de la biblioteca. Las dos torres se alzan encima de la Iglesia de la Asunción abadesca.

Los muros romanos del convento se han conservado, en su mayor parte, hasta el nivel de primer piso; en el ala occidental se ha conservado un amplio espacio de „cellarium" de dos naves y una escalera cuya anchura llega al grueso de las paredes. En el ala oriental está situada la sala del refectorio con ricos adornos de estucos creados alrededor de 1730. La sala capitular vecina, el refectorio de verano en el rincón sudoriental del ámbito, la Sala Teológica de la biblioteca en el primer piso, la Sala de Ceremonias en el segundo piso, la capilla abadesca y el comedor en la Prelatura, así como otras cuatro capillas de la iglesia, lo pintó todo el religioso de la Orden, Siard Nosecký, en el lapso de 1721 a 1751. La obra posterior de Anton Franz Maulbertsch, es decir el fresco con el asunto de la historia espiritual de la Humanidad, lo podemos admirar en la Sala Filosófica de la biblioteca.

■ PÁG 34 ■

Calle de Neruda en la Ciudad Pequeña. En primer plano, la Casa de las Tres Crucecitas Rojas, no. 226/III, compuesta de dos casas medievales y adaptada en el siglo XVI y alrededor del año 1663. En la vecina Casa de las Tres Águilas Negras de origen renacentista, no. 225/III, adaptada posteriormente, vivió el poeta Jan Neruda en el período 1841-1845 y otra vez en 1857-1869.

■ PÁG 35 ■

La Casa de Dos Soles, no. 233/III, situada en la calle de Neruda, Ciudad Pequeña, es un edificio renacentista construido en el lugar ocupado antes por una casa medieval. El aspecto contemporáneo se debe a la reconstrucción realizada en los años 1673-1690. La lápida al poeta Jan Neruda se inauguró en el año 1895.

■ PÁG 36 ■

La Casa de los Tres Violincitos, no. 210/III, es de origen medieval. Fue reconstruida primero en el siglo XVII y de nuevo en 1780. Entre 1667 y 1748 estuvo en posesión familiar de tres constructores de violines. Entre ellos sobresalió Tomáš Edlinger. A la fonda que estaba en la planta baja acostumbraban venir en el siglo XIX los poetas Jan Neruda, Karel Hynek Mácha, Václav Hanka, etc.

■ PÁG 36 ■

El interior de la Iglesia de San Nicolás en la Ciudad Pequeña, el espacio de naves y las capillas laterales constituyen un testimonio de la estrecha relación entre la arquitectura, el arte pictórico, la escultura y los oficios artísticos. Las pinturas de techo son obras de Jan Lukáš Kracker, František Xaver Palko y Josef Hager; del ornato escultural se encargaron Ignác František Platzer, Richard, Jiří y Petr Prachner; los cuadros de los altares se deben a Karel Škréta, Ignác Raab, Francesco Solimena, Josef Kramolín, Ludvík Kohl; el mármol artificial lo hizo Jan Vilém Hennevogel y muchos otros.

■ PÁG 37 ■

El Palacio de Thun-Hohenstein, no. 214/III, lo mandó construir en la calle de Neruda el noble Norbert Vincenc Libsteinský de Kolowraty en los años 1718-1726 según el proyecto de Jan Blažej Santini-Aichl en un lugar donde habían estado antes seis casas, considerándose como parte componente del no. 193/III, es decir del Palacio de los Señores de Hradec. Tuvieron a cargo la construcción Antonio Lurago y Bartolomeo Scotti. La decoración plástica de la fachada, a excepción de dos figuras, se hizo en el taller de Matyáš Bernard

Braun. La escalera del palacio fue edificada alrededor del año 1870 según el proyecto de Josef Zítek, arquitecto del Teatro Nacional y del Rudolfinum. Las pinturas se deben a František Ženíšek, Josef Scheiwel y Josef Tulka. Los Thun heredaron el edificio en 1768. Es una magnífica obra arquitectónica en estilo barroco culminante.

■ PÁG 38 ■

A la izquierda de la foto se puede apreciar el Palacio de los Señores de Smiřice situado en el lado septentrional de la Plaza de la Ciudad Pequeña, no. 6/III, al principio un edificio renacentista cuya mitad inferior mandó levantarla Jaroslav de Smiřice antes del año 1572. Después de reconstruir otra casa, Albrecht Václav de Smiřice la unió a la anterior. Siendo en posesión de los Montag, después de 1763, el edificio pasó una reconstrucción según el proyecto de Ignazio Giovanni Nepomuceno Palliardi que le imprimió el aspecto contemporáneo. En el año 1618 se celebraron en él reuniones de los jefes del levantamiento de los estados checos.

■ PÁG 38 ■

La Asamblea en la calle Sněmovní, Ciudad Pequeña, no. 176/III, fue construida en los años 1695-1720 en el lugar de cinco casas anteriores, sirviendo primero como un palacio del conde Maxmilián Thun. Hasta ahora se desconoce al autor del proyecto. Lo cierto es que dirigió las obras de construcción Jakub Antonín Achtzinger y de los trabajos de cantería se encargó Jakub František Santini-Aichl. Después del año 1779, el edificio sirvió de teatro para la compañía de Pasquale Bondini que se dedicaba a la interpretación de la óperas de Mozart. Cuando fue damnificada por el incendio, la compraron los estados checos en 1801 y la mandaron reconstruir en una asamblea según el proyecto de Ignazio Luigi Palliardi. La sala de la Asamblea fue renovada y adaptada alrededor de 1870. Hoy día es la sede del Consejo Nacional Checo.

■ PÁG 39 ■

La Iglesia de San Nicolás, edificada en la Ciudad Pequeña por los Jesuitas, llegó a reemplazar a la iglesia parroquial gótica de la segunda mitad del siglo XIII. La nave del edificio con fachada en estilo romano radical, que ofrece la foto, es obra de Kryštof Dientzenhofer y se edificó en el lapso 1704–1711. El hijo de Dientzenhofer, llamado Kilián Ignác, construyó en los años 1737–1752 el presbiterio con cúpula. El campanario que no fue propiedad del municipio debe su aspecto a Anselmo Lurago, habiéndose erigido en los años 1751–1756. Constituye la dominante barroca más hermosa de Praga.

■ PÁG 40 ■

El Palacio de Thun, no. 180, construido debajo del Castillo de Praga en estilo renacentista, fue propiedad al principio de los condes Leslie. En el año 1659 lo compró el arzobispo de Salzburgo, Quidobald Thun, a quien se debe prácticamente el aspecto contemporáneo con la torre poligonal. El carácter de barroco culminante lo adquirió el palacio durante la reconstrucción efectuada entre 1716 y 1727 y dirigida por Giovanni Antonio Lurago. Todavía en los años 1785–1793 proyectó otra renovación del palacio Ignazio Giovanni Nepomuceno Palliardi. La puerta de entrada en estilo gotizante (ver la foto) y el ala del patio son obras proyectadas por Bernhard Grueber y construidas en 1890 por Kašpar Předák. Pertenece al palacio también el jardín de terrazas, creado en la segunda mitad del siglo XVII y redispuesto en el siglo XIX.

Durante la primera visita de Praga, en enero de 1787, vivieron allí Wolfgang Amadeo Mozart con su esposa y cuñado, invitados por el conde Johann Josef Thun. Hoy es la sede de la Embajada de la Gran Bretaña.

■ PÁG 40 ■

La Casa del Cievro Dorado en la calle Tomášská de la Ciudad Pequeña, no. 26/III, al principio renacentista, fue construida por Kilián Ignác Dientzenhofer en el lapso 1725–1726 y adornada simultáneamente con la estatua de San Huberto y su ciervo, obra de Ferdinand Maxmilián Brokof.

■ PÁG 41 ■

El Palacio de Wallenstein (Valdštejnský), no. 17/III, un extenso conjunto de edificios, patios, jardín y picadero en estilo barroco temprano lo mandó construir el generalísimo imperial Albrecht de Wallenstein en el período 1623–1630, habiendo demolido sin escrúpulos algunos veintiséis, respectivamente veintitrés casas, entre ellas la de Trčka de Lípa en estilo renacentista. Hasta el año 1628 fue proyectista y al mismo tiempo director de obras Andrea Spezza. Después, y en menor medida, se impusieron los arquitectos Vincenzo Boccacci y Niccolo Sebregendi. El proyectista conceptual fue Giovanni Pieroni. Las pinturas de techo en las partes más importantes del palacio: en la sala principal donde vemos a Albrecht de Wallenstein como Marte en la carroza de guerra, en la Capilla de San Venceslao, en el gabinete situado en el rincón o en el Corredor Astronómico, todas se deben a Baccio del Bianco. Entre los muchos estuquistas, a menudo desconocidos hasta ahora, figuraron también Domenico Canevalle y Santino Galli.

■ PÁG 41 ■

El Palacio de Auersperk, no. 16/III, se levantó en la Plaza de Wallenstein (Valdštejnské) en 1628 a solicitud de Jan Marek Jiří Clary-Aldringen en lugar de dos casas de origen medieval. František Václav Jan Clary-Aldringen mandó reconstruir el palacio en 1751 para imprimirle el aspecto que guarda hasta la actualidad. En 1843 el palacio pasó a la posesión de los Auersperk. Cuando se extendía el edificio de la Asamblea de Bohemia en 1844, el palacio quedó reducido un poco y adaptado por el arquitecto Jan Ripota. Mantenía relaciones muy amistosas con los propietarios del palacio Ludwig van Beethoven. Incluso escribió a la condesa Josefina Clary-Aldringen varias composiciones para mandolina.

■ PÁG 42 ■

Respecto a la Iglesia de San José situada en la Ciudad Pequeña, cuya fachada introduce en la Praga barroca la esporádica concepción neerlandesa, hasta ahora no se ha determinado con seguridad al proyectista. De acuerdo con los criterios recientes, al parecer las Carmelitas de Praga pidieron el proyecto a su hermano de la Orden, Fray Ignatio a Jesu en Lovaina. Su nombre propio era Johann Raas de Tirol. La iglesia fue construida en el período 1687–1692. De su decoración escultórica se encargó en 1691 Matěj Václav Jäckel. Veinte años antes se edificó el convento que obtuvieron en 1782 las doncellas inglesas y a que pertenecía igualmente el jardín con menudas obras arquitectónicas, los Jardines de Vojan actuales.

■ PÁG 42 ■

El Palacio de Oettingen en la calle Josefská, no. 34/III, se construyó en vecindad de la Iglesia de Santo Tomás después del año 1548 por encargo de Ladislav Popel de Lobkowicz. Después del incendio quedó hecho cenizas, pero en el período 1723–1725 volvieron a edificarlo, al parecer según el proyecto de František Maxmilián Kaňka. La familia de los Condes de Oettingen-Wallenstein adquirió el palacio en el año 1841. Por motivo de comunicación, parte de la planta baja del palacio tuvo que adaptarse al transporte urbano en forma de un paso.

■ PÁG 43 ■

El Palacio de Kolowrat en la calle Valdštejnská, no. 154/III, fue propiedad desde el año 1603 de Vilém mayor Popel de Lobkowicz, miembro de la Junta Directiva en 1618 quien unió las dos casas. Siendo propiedad de la condesa Marie Barbora de Černín, el palacio fue reconstruido según el proyecto de Ignazio Palliardi en el lapso 1784–1788. El conde Zdeněk de Kolowraty, quien compró la casa en 1886, fue un hombre activo en la literatura, poseía una rica biblioteca, una gran pinacoteca y una colección numismática. Hoy día, el palacio es la sede del Ministerio de Cultura.

■ PÁG 44 ■

El Jardín de Wallenstein se fue creando al mismo tiempo que se construía el palacio. Domina en él la monumental Sala Terrena con pinturas de Baccio del Bianco y con riquísimo ornato de estucos. Los senderos están bordeados de copias de las estatuas creadas por Adriaen de Vries (los originales de los años 1626–1627 los sacaron del país los suecos durante la guerra de los treinta años, en 1648). Además, en los adornos encontraron aplicación grutas con estalactitas, fuentes, pajarera, giardinetto, calles de ojaranzo cortado y un estanque grande con agua tranquila.

■ PÁG 44 ■

El estanque cuadrado del Jardín de Wallenstein tiene en su centro un islote artificial en que están situadas algunas copias de estatuas de bronce: la de Heraclés luchando con la hidra y cuatro Náyades, obras de Adriaen de Vries, que formaron parte componente, al principio, de la fuente de mármol. Al fondo se ven arcadas de la fachada de jardín con un nicho en estilo amanerado que se unen con el ala noroccidental del palacio.

■ PÁG 45 ■

El interior de la Iglesia de Santo Tomás en la Ciudad Pequeña. La basílica con el Monasterio de los Agustinos-Eremitas se fundó en 1285 por encargo del rey Venceslao II al lado de una pequeña iglesia más antigua. El presbiterio fue consagrado en 1315, la construcción entera en el año 1379. Después del incendio de la Ciudad Pequeña en 1541, la iglesia se fue restaurando poco a poco, hasta el año 1592, bajo la dirección de Bernard Dealberto. En aquel entonces trabajó allí también Ulrico Aostali, enterrado en 1597 en el interior de la iglesia. En 1726 encargaron la reconstrucción de la iglesia a Kilián Ignác Dientzenhofer quien la terminó en 1731. En esa oportunidad colocó en los portales occidental y meridional las estatuas de San Agustín y de Santo Tomás, obras de Jeroným Kohl. Merece atención la capilla en estilo gótico temprano, al norte del coro, así como la sacristía con pinturas murales ejecutadas a mediados del siglo XV. El prior Jan Svitavský de Bochov pidió los cuadros para el altar mayor al pintor flamenco Pedro Pablo Rubens. Éstos fueron entregados en 1637. Hoy día se hallan en su lugar sólo copias y los originales se encuentran en la Galería Nacional. Václav Vavřinec Reiner adornó la iglesia, entre 1728 y 1730, con frescos y escenas de la vida de San Agustín en la nave central (en la foto) y de Santo Tomás en el presbiterio y en la cúpula. Entre otros artistas que tomaron

parte en el ornato interior deben mencionarse, por lo menos, los pintores Bartoloměj Spranger, Karel Škréta, Jan Jiří Heinsch, Antonín Stevens de Steinfels, František Xaver Palek; los escultores Jan Antonín Quittainer y Ferdinand Maxmilián Brokof. En el año 1612 fue enterrada en el ámbito la poetisa Alžběta Johanna Vestonie, al lado de otras personalidades de la corte rodolfina.

■ PÁG 46 ■

El Picadero de Wallenstein, cuya fachada de jardín se ve detrás de la figura de Heraclés, fue adaptado en los años 1952–1954 por Julie Pecánková y Miloš Vincík y sirve como una sala de exposiciones de la Galería Nacional.

■ PÁG 46 ■

En el espacio del antiguo patio adyacente al Picadero de Wallenstein, junto a la estación de metro Malostranská, en la línea A de Klárov, en 1978 se llegó a cierto compromiso arquitectónico entre jardín y patio adoquinado. El proyectista de la disposición arquitectónica fue Otakar Kuča. Cerca de la fachada del Picadero están situadas las figuras de dioses antiguos, copias de las plásticas barrocas que se habían creado en el taller de Antonín Braun. Los portales con rejas los fabricaron Jaromír Bruthans, Zbyněk Runczik y Jan Smrž.

■ PÁG 47 ■

Al construir el Palacio del Gran Prior, no. 485/III, utilizaron la fábrica del hospital primitivo del siglo XII y de la residencia del gran prior edificada en las postrimerías del siglo XVI y comienzos del siglo XVII. Después del año 1725 mandó levantar el palacio el gran prior, conde Karel Leopold Herberstein. Le sucedió Gundakar Poppo de Dietrichstein. El proyectista de la obra fue Bartolomeo Scotti. De la decoración escultórica se encargó el taller de Matyáš Bernard Braun. Formaba parte de la Comendadoría de los Caballeros de San Juan, asimismo, el edificio del convento, no. 287/III, que sería posteriormente el Palacio Pequeño de Buquoy, no. 484/III, así como el molino, nos. 488/III y 489/III. Cuando los Caballeros de San Juan se trasladaron a Malta en 1530, recibieron el nombre, igual-

mente, de la Orden de Malta o Caballeros de Malta.

■ PÁG 47 ■

El Palacio de Nostitz en la Plaza de Malta (Maltézské), no. 471/III, un edificio pentagonal construido alrededor del patio interior debe su origen a Jan Hartvig de Nostitz y se extiende en el terreno de cuatro casas anteriores desde el año 1662. Como creador probable de la casa se considera Francesco Caratti. Las renovaciones transcurrieron en el decenio de 1760 a 1780. En el año 1720 Ferdinand Maxmilián Brokof situó las estatuas en la fachada. El conde František Antonín Nostitz compró en los años sesenta del siglo XVI la casa vecina de Hollweyl, no. 468/III, y la mandó reconstruir en picadero. Como pedagogos y preceptores de la familia Nostitz trabajaron en el siglo XVIII el teólogo y crítico literario Josef Dobrovský, el historiador František Martin Pelcl y el topógrafo Josef Jaroslav Schaller. Ahora el edificio es la sede del Ministerio de Cultura y de la Embajada de los Países Bajos.

■ PÁG 48 ■

La iglesia de Santa María de la Cadena fue construida en la ciudad Pequeña junto con el Hospital de los Caballeros de San Juan, en los años 1158–1182 al pie del Puente de la Reina Judita que se estaba edificando simultáneamente. Por eso se le llamó primero la Iglesia de Santa María el Extremo del Puente. Fundaron la iglesia románica y la Comendadoría el canciller Gervasius y su sobrino, vicecanciller Martin con ayuda del rey Vladislao I. Alrededor del año 1280 se edificó el largo presbiterio en gótico temprano, en 1376 comenzó la construcción suplementaria de las tres naves proyectadas. Terminaron de edificar sólo la nave lateral septentrional y dos torres occidentales, un poco más jóvenes, con antesala (en la foto). Allí trabajaron los arquitectos Pešek y Jan Lutka. En la primera mitad del siglo XVII, en la iglesia se estaba construyendo casi sin cesar; después de 1638, al parecer, según el proyecto de Carlo Lurago. En el interior con ricos adornos de estucos en barroco temprano destacan los cuadros de Karel Škréta pintados a mediados del siglo XVII: La batalla de Lepanto con adoración de la Virgen María, en el altar mayor, y Degollación de Santa Bárbara, en el altar lateral.

■ PÁG 49 ■
El Puente de Carlos debe su origen al emperador Carlos IV quien lo mandó construir dándose cuenta de la necesidad de restablecer comunicación segura entre ambos lados del río Vltava, cuando durante la inundación de 1342 quedó destruido el primitivo puente románico de los años setenta del siglo XII que llevó el nombre de la esposa del rey Vladislao I, Judita. El puente nuevo, durante siglos llamado Praguense o de Piedra, fue proyectado por Petr Parler y edificado sobre dieciséis ojos con bloques de arenisca esculpidos. Sus decoraciones plásticas más antiguas fueron una cruz, erigida ya en el siglo XIV y renovada en la segunda mitad del siglo XVII, y la estatua del rey Jorge de Poděbrady que no se ha conservado. Después de la estatua de San Juan Nepomuceno colocada en el puente el año 1683, otros grupos de santos se fueron situando en los pilares del puente durante el siglo XVIII y luego en el siglo XIX. El grupo de estatuas más joven es el de los santos Cirilo y Metodio que data del año 1928. Como la atmósfera va empeorando, numerosos originales han sido reemplazados y en su lugar aparecen copias. El puente lleva el nombre del emperador Carlos tan sólo desde el año 1870.

■ PÁG 49 ■
Edificios del Monasterio de los Cruzados de la Estrella Roja y la Iglesia de San Francisco Seráfico en la Ciudad Vieja.

■ PÁG 50 ■
La Iglesia de San Salvador en la Ciudad Vieja forma parte del antiguo Colegio Jesuita extenso. Hasta cierto punto, fue predecesora del santuario actual, fundado en 1578, la Iglesia de San Clemente que pertenecía a los Dominicanos desde el año 1232. La construcción de la basílica de tres naves y de sus torres la proyectó, e incluso dirigió al principio, Marco Fontana. Delante de la fachada terminada en 1601 se edificó después de 1653 un pórtico diseñado probablemente por Carlo Lurago quien trabajó en la construcción de la iglesia ya desde el año 1638. Los estucos son obra de Giovanni Bartolomeo Cometa; las figuras de San Salvador, la Inmaculada, los Evangelistas, los Padres de la Iglesia y los santos jesuitas fueron creadas por Jan Jiří Bendl entre 1659–1660. La adaptación de las torres en 1714 se debe a František Maxmilián Kaňka. Jan Karel Kovář pintó en el año 1748 la bóveda del presbiterio; otros tres artistas: Häring, Heinsch y Bendl, todos de nombre Jan Jiří, crearon las pinturas en el altar y los cuadros colgados, así como las estatuas de los apóstoles en los confesionarios.

■ PÁG 50 ■
La Iglesia de San Francisco Seráfico la mandó construir en el lapso 1679–1688 el gran maestro de los Cruzados de la Estrella Roja y arzobispo praguense Jan Bedřich de Wallenstein sobre los fragmentos del santuario gótico temprano del Espíritu Santo. El proyecto de la construcción central en estilo barroco romano lo elaboró Jean Baptiste Mathey, dirigiendo las obras Gaudenzio Casanova. Las figuras de los patronos de Bohemia, que se colocarían en los nichos preparados en la fachada, las ejecutó al parecer Ondřej Filip Quittainer en el lapso 1723–1724; las copias de los ángeles proceden del taller de Matěj Václav Jäckel y se ven en el ático. En los pedestales están las estatuas de Santa María y de San Juan Nepomuceno, obras de Richard Prachner de 1758; a la esquina se trasladó la columna de viticultores creada por Jan Jiří Bendl en 1676. En la costosa decoración del interior tomaron parte sobre todo estos pintores: Jan Jiří Heinsch, Michael Leopold Willmann, Jan Kryštof Liška, Václav Vavřinec Reiner, y los escultores: Jeremiáš y Maxmilián Konrád Süssner y Matěj Václav Jäckel. En primer plano de la foto, numerosos religiosos en la terraza de la Iglesia de San Salvador.

■ PÁG 51 ■
Movimiento turístico en el Puente de Carlos.

■ PÁG 52 ■
Los edificios de los molinos de la Ciudad Vieja, nos. 198/I, 200/I, 202/I y 976/I, se fundaron en los años 1432–1436 y sus fachadas se fueron adaptando muchas veces hasta la reconstrucción final, mayormente neorrenacentista. A la izquierda se encuentra el Museo de Smetana, no. 201/I, construido en 1883 en estilo renacentista checo según el proyecto de Antonín Wiehl. Los cartones para los esgrafiados figurativos se deben a František Ženíšek, Mikoláš Aleš y Jan Koula. La Torre de Agua se levantó en la Ciudad Vieja el año 1489. Su aspecto actual, después de muchos incendios, data del año 1885.

■ PÁG 52 ■
El segundo lugar sagrado del Clementinum, que dio incluso el nombre al Colegio Jesuita, es la Iglesia de San Clemente. Fue edificada en los años 1711–1715 en donde hubo antes un santuario de la misma consagración, adaptado por los Dominicanos de la antigua Sala Capitular con el fin de sustituir la iglesia en estilo gótico temprano, destruida por los husitas. Hasta ahora desconocemos al autor de esta obra barroca de salas; sabemos que la construcción la tuvo a cargo Giovanni Antonio Lurago. El pórtico de entrada lo diseñó en 1715 František Maxmilián Kaňka. En la magnífica decoración del interior participaron: Jan Hiebel ejecutando las pinturas de techo con escenas de la leyenda de San Clemente; Matyáš Bernard Braun y su taller realizando numerosas esculturas en los años 1715–1721; Petr Brandl e Ignác Raab pintando retablos y Josef Kramolín creando en 1720 el altar mayor ilusivo. Hoy es propiedad de la Iglesia Católica Griega.

■ PÁG 53 ■
La Torre de Puente de la Ciudad Vieja, la puerta gótica más hermosa en Europa, se alza sobre la primera pila del Puente de Carlos. El proyecto fue elaborado por Petr Parler a quien se da también una parte de la decoración escultórica ejecutada en los años ochenta del siglo XIV, cuando la mayor parte de la torre ya se había terminado. Un complicado programa iconográfico divide la

torre en tres zonas horizontales: la terrestre, la del soberano y la celeste. En el tercio inferior hay una franja con escudos de los territorios de Carlos IV; en la franja central se hallan originales de las estatuas de San Vito, patrono del puente, de Carlos IV y Venceslao IV en el trono. Más arriba, las figuras de San Adalberto y Segismundo fueron reemplazadas por copias. El ornato de la fachada occidental fue destruido por los suecos en 1648. La bóveda reticulada del paso se construyó en el año 1373.
El monumento al emperador Carlos IV lo creó Ernest Julian Hähnel por encargo de la Universidad de Praga con motivo del 500 aniversario de su fundación, en el año 1848.

■ PÁG 54 ■
La Casa del Pozo de Oro, no. 175/I, en la esquina de las calles Karlova y Semi-nářská, es una de las más encantadoras casas de la Praga vieja. Se trata de una construcción renacentista, situada en parte en donde hubo un edificio románico y varias casas góticas. A comienzos del siglo XVIII Jan Oldřich Mayer creó en estucos los relieves representando a San Venceslao y San Juan Nepomuceno que forman un marco del Paladión de Bohemia, así como a los santos protectores de la peste y a los patronos de la Orden de Jesús.

■ PÁG 55 ■
La Torre Astronómica del Clementinum, donde registran todos los días hasta hoy la temperatura de la atmósfera, terminaron de construirla en 1722. La reconstruyó en 1751 Anselmo Lurago para servir de observatorio astronómico. En la punta de la cúpula está situada una estatua de Atlante sosteniendo la Tierra, a lo mejor obra del taller de Matyáš Bernard Braun del año 1727. Al mismo artista se debe la estatua de San Ignacio en el frontón de la fachada oriental.

■ PÁG 56 ■ 57 ■
La Ciudad Pequeña desde el Puente de Carlos. En primer plano, copia de la estatua de San Adalberto cuyo original creó en 1709 Michal Jan Josef Brokof; enfrente la única estatua de mármol representando a San Felipe Benicio, obra

de Michael Bernard Mandl de 1714, al fondo ambas Torres de Puente de la Ciudad Pequeña.

■ PÁG 56 ■ 57 ■
La Ciudad Vieja desde el Puente de Carlos. A la izquierda, la estatua de San Antonio de Padua creada en 1708 por Jan Oldřich Mayer. Al fondo, la Torre de Puente de la Ciudad Vieja y la cúpula de la Iglesia de los Cruzados consagrada a San Francisco.

■ PÁG 58 ■
El extenso conjunto del Colegio Jesuita, llamado Clementinum, se extiende en la superficie de una cuadra entera con cinco patios, muchas alas situadas de diferentes maneras, dos iglesias y algunas capillas. Lo estaban construyendo desde el año 1654 según el proyecto y bajo la dirección de Carlo Lurago. La fachada oriental de la Plaza de Santa María, no. 190/I, (en la foto) se construyó después del año 1725 según el proyecto de un arquitecto desconocido. A los mismos años se remonta la decoración escultórica de Matyáš Bernard Braun. En Clementinum se halla la Biblioteca Estatal y la Biblioteca Estatal Técnica.

■ PÁG 58 ■
El código iluminado Commentarius in Aristotelis De coelo et mundo cuyo autor, Tomás de Aquino, está representado en la S inicial. El manuscrito de proveniencia italiana del último cuarto de siglo XV fue propiedad del rey húngaro Matías Corvino. Hoy se guarda en la Biblioteca Estatal del Clementinum.

■ PÁG 59 ■
Una lámina del Breviario de Beneš de Wallenstein representando la Asunción, con la donadora en rodillas.

■ PÁG 60 ■
El Breviario de Beneš de Wallenstein presenta ricas iluminaciones. En la foto se aprecia la escena de La última cena. Se remonta al período posterior al año 1400 y se guarda en la Biblioteca Estatal del Clementinum.

■ PÁG 60 ■
Una de las construcciones más apreciables de la Praga barroca es el Palacio de

Clam-Gallas, no. 158/I, edificado en los años 1713-1729 por Jan Václav Gallas, virrey de Nápoles, en el sitio donde estaba la casa románica y el palacio gótico del margrave moravo Jan Jindřich de Luxemburgo, así como otras casas. La construcción proyectada por Johann Bernhardt Fischer de Erlach la dirigió Tomáš Haffenecker, probablemente con Giovanni Domenico Canevalle junior. Los dos Hércules a ambos lados de los portales, los relieves de los zócalos, los putti con floreros, las figuras de dioses antiguos en el ático (hoy día sólo copias), el Tritón de la fuente en el primer patio, así como los luciferos con floreros en la magnífica escalera son obras de Matyáš Bernard Braun y de su taller y se crearon después de 1714. En el lapso 1727-1730, el fresquista Carlo Innocenzo Carlone pintó en la escalera El triunfo de Apolonio. Se encargó igualmente de otras salas en el segundo piso. La decoración de los estucos la ejecutaron Santino Bussi, Giovanni Girolamo Fiumberti y Rocco Bolla. En los años 1796 y 1798 dio varios conciertos en el palacio Ludwig van Beethoven.

■ PÁG 61 ■
Uno de dos relojes astronómicos en caja cuyas máquinas compuso el superior del Museo de las Matemáticas, padre jesuita Jan Klein en 1751-1752. Ambos aparatos se hallan expuestos en la Sala de las Matemáticas del Clementinum. El padre Klein creó en 1738 también un reloj geológico que llegó a parar en la ciudad alemana de Dresde.

■ PÁG 62 ■
El Ayuntamiento Nuevo, cuyo edificio ocupa una cuadra entera, fue construido en los años 1908-1911 según el proyecto de Osvald Polívka. Las estatuas alegóricas en el balcón y en el ático, así como los relieves alrededor de la entrada principal son obras creadas por Stanislav Sucharda y Josef Mařatka. Las figuras que recuerdan las leyendas praguenses: el rabí Löwe y el Hombre de Hierro, que se hallan situados en nichos profundos de las esquinas, son obras de Ladislav Šaloun. En esas partes hubo una colonia románica con la Iglesia de San Linhart, derribada en 1798. En la foto se ve también la facha-

da lateral del Palacio de Clam-Gallas y, a la derecha, al fondo, la torre de la Iglesia de San Gil.

■ PÁG 62 ■

En el muro que cerca el Palacio de Clam-Gallas hay un nicho con fuente y copia de la estatua alegórica del Vltava, obra de Václav Prachner de 1812. El original de la estatua se guarda en la Galería Nacional de Zbraslav. A la encantadora figura se le dio el nombre popular de Terezka (Teresita). Hasta el año 1791 había allí una iglesia católica, la de Santa María de Charco. Con la fuente está relacionada una leyenda de la época Biedermeier. Según ella, se enamoró de la Teresita de piedra un solterón quien venía todos los días a verla y, antes de morir, incluso le legó todos sus bienes. Sin embargo, las autoridades no reconocieron el testamento.

■ PÁG 63 ■

La Sala Barroca en la Biblioteca del Clementinum, pintada en 1724 por Jan Hiebel. Éste representó allí la importancia de conocer antes los asuntos divinos que la ciencia y el arte. Complementan el interior armarios de marquetería auténticos, una barandilla de hierro que copia perfectamente la forma de las cornisas de la galería que bordean la sala, y globos terráqueos.

■ PÁG 64 ■

Vista de la Iglesia de San Nicolás en la Plaza de la Ciudad Vieja.

■ PÁG 65 ■

La Plaza Pequeña (Malé náměstí) vista desde el frontón de la Casa de la Corona, no. 457/I. El lado oriental de la plaza lo forman las casas números 4/I-12/I, unidas mediante soportales. A la izquierda, a la sombra está la Casa de Rott, no. 142/I, al principio románica y en el año 1890 reconstruida en estilo neorrenacentista. En su fachada se aprecian dibujos pintados según los cartones de Mikoláš Aleš. Al fondo se ve la cúpula con dos torres que pertenecen a la Iglesia de San Nicolás en la Ciudad Vieja.

■ PÁG 65 ■

Dos sepulcros de Cementerio Judío Vie-

jo en el barrio de Josefov: el de la derecha data de los comienzos del siglo XVII, el de la izquierda, con el símbolo del racimo de uvas, del siglo XVIII.

■ PÁG 66 ■

El Cementerio Judío Viejo en Josefov es uno de los monumentos más curiosos de Praga. Se fundó en la primera mitad del siglo XV, la losa sepulcral más antigua que se conoce data del año 1439. A partir de 1787 dejaron de enterrar allí. Las láminas sepulcrales góticas del siglo XIV, empotradas en el muro de la Sinagoga de Klaus, se trasladaron allí del cementerio judío que estaba en la parte donde se halla actualmente la calle Vladislavova y que se liquidó en el siglo XV, cuando se fundó la Ciudad Nueva. Hay allí unas 20 mil losas amontonadas en forma bizarra. El área irregular del cementerio se amplió varias veces durante los siglos XVI–XVIII. Parcialmente está cercado del muro según el proyecto de Bohumil Hypšman elaborado en 1911.

■ PÁG 67 ■

El Ayuntamiento Judío, no. 250/V, se construyó aproximadamente bajo las mismas condiciones como la Sinagoga Alta: el período, el constructor y el arquitecto fueron idénticos. De la reconstrucción en estilo barroco tardío se encargó en 1763 Josef Schlesinger; la ampliación fue obra de Matěj Blecha, realizada en 1908. Hoy día es la sede de la Comunidad Eclesiástica Judía en Praga. La Ciudad Judía -ghetto- llegó a ser el quinto barrio de Praga en 1850 bajo el nombre de Josefov, recordando así las facilidades concedidas a los ciudadanos por el emperador José II.

■ PÁG 67 ■

La torre del Ayuntamiento Judío con la galería y el reloj. En la lumbrera del techo de la buhardilla está situada la esfera del reloj con números hebreos.

■ PÁG 68 ■

El edificio neorrománico, no. 243/V, fue construido en el Cementerio Judío Viejo por F. Gerstl en el año 1906 y sirvió de morga. La antigua sala de los funerales, así como otros espacios se utilizan hoy como salas de exposiciones.

■ PÁG 69 ■

El interior de la Sinagoga Alta, no. 101/V, tiene bóveda renacentista con volutas y sus estucos perfilados han de recordar costillas. El aron ha-koddesh, es decir la caja en que se guarda la Tora o el Pentateuco de Moisés se remonta al año 1691. En el área exponen hoy el textil de la sinagoga y los instrumentos litúrgicos. Construyó la Sinagoga Alta en 1568 Pankracius Roder por encargo del riquísimo alcalde de la Ciudad Judía Mordechaj Maisel quien incluso prestaba dinero al emperador Rodolfo II. La sinagoga sirvió a los empleados y representantes de la comunidad judía en el Ayuntamiento con que tuvo comunicación directa. La entrada actual de la calle Červená se abrió tan sólo en 1935.

■ PÁG 70 ■

La Sinagoga Viejonueva, hoy la más antigua en Europa, es indudablemente el monumento más renombrado de Praga entre los que se encuentran en la orilla derecha del Vltava. Lo levantó en las postrimerías del siglo XIII el taller cisterciense de la Bohemia meridional. Es una construcción de dos naves, dividida en seis campos, con bóvedas de cinco partes, presentando numerosos detalles de cantería. En el exterior de la sinagoga y de sus dependencias se aprecian los hastiales adornados con ladrillos y el artesanado a ambos lados del tejado de vertientes muy escarpadas.

■ PÁG 70 ■

Desde la antesala meridional, tal vez el espacio más antiguo de la construcción, el visitante entra en la Sinagoga Viejonueva pasando por el portal en estilo gótico temprano con puntas que data de fines del siglo XIII. En su tímpano se ven doce raíces de vid, símbolos de las doce tribus israelitas, con ramas en espiral de que cuelgan racimos de uvas.

■ PÁG 71 ■

El Area de Santa Inés en la Ciudad Vieja es el monumento praguense de primer orden. La fundó en 1233, a sugerencia de Santa Inés de la casa Premislita, su hermano real Venceslao I. En aquel entonces fue el primer convento de la Orden de Santa Clara al norte de los Alpes. Con el tiempo, y de acuerdo con el grandioso proyecto de Inés, alrededor del santuario más antiguo consagrado a San Francisco, que representaba igualmente la construcción gótica más antigua de Praga, fueron levantándose numerosos otros edificios: el ala con sala capitular, refectorio, puerta y dormitorio en el primer piso. Cuando construyeron en el área un monasterio pequeño de los Minoritas, elevaron igualmente el presbiterio para la Iglesia de San Francisco (en la foto, a la izquierda), la Capilla de Santa María, la vía crucis, la cocina, otro ala del convento, el oratorio de Santa Inés y la capilla fúnebre de las Clarisas, consagrada a Santa Bárbara. Todas las construcciones mencionadas denotan elementos característicos del taller cisterciense de Borgoña, a diferencia del estilo gótico clásico importado del norte de Francia que se nota en el mausoleo premislita edificado desde el año 1261, es decir la Iglesia de San Salvador o Santísimo Salvador (en la foto, a la derecha). En esta última se deja ver un ornato magnífico de los capiteles con cabezas de reyes, reinas e incluso de Santa Inés. La santa fue enterrada en 1282 en la Capilla de Santa María y encima de su tumba se había hecho ya antes un nicho fúnebre. Debido a frecuentes inundaciones hubo que trasladar los restos mortales de la santa a diferentes lugares. Cuando el convento fue saqueado por los husitas y sus partidarios, el cuerpo de Santa Inés desapareció. En las guerras husitas que estallaron en 1420, las Clarisas abandonaron el convento para refugiarse en el de Santa Ana en Praga, posteriormente a Panenský Týnec donde permanecieron hasta el año 1627, a excepción de un período bastante largo en los siglos XV y XVI. El monasterio masculino siguió manteniéndose hasta el primer cuarto del siglo XVI. En el lapso 1556–1626 residían allí los Dominicanos quienes realizaron varios cambios y construcciones suplementarias. La liquidación del convento ordenada por el emperador José II en 1782 tuvo como consecuencia un deterioro total de los edificios e incluso la demolición parcial del área. En el año 1892 se constituyó la Unión para la Revitalización del Convento de Beata Inés, sin embargo habrían de pasar casi noventa años para

que en el área parcialmente restaurada se pudiera abrir al público una exposición de las colecciones del arte checo del siglo XIX guardadas en la Galería Nacional. En 1989, Inés de Bohemia fue canonizada en Roma.

■ **PÁG 72** ■ **73** ■

La parte oriental de la Plaza de la Ciudad Vieja, o Plaza Grande según decían antes, la componen excelentes monumentos arquitectónicos. El más importante de ellos es la Iglesia de la Virgen María del Tin, construida en estilo gótico. La historia de su construcción es complicada y comienza por una pequeña iglesia románica levantada en el siglo XI, sigue en la iglesia de tres naves en gótico temprano y termina el la grandiosa basílica contemporánea cuya construcción empezó en la segunda mitad del siglo XIV y que cuenta con salientes poligonales en todas sus naves y con dos torres en su parte occidental. En grandes rasgos la levantaron ya en el año 1420, no obstante la fueron terminando, con intervalos, hasta los comienzos del siglo XVI. En el interior de la iglesia se han conservado numerosísimos elementos decorativos. Con el taller parleriano de Praga tienen que ver los poyos (sedilia) de los años setenta y ochenta del siglo XIV, situados en los lados y, por fuera, el relieve del tímpano que se ve en el portal septentrional, edificado alrededor del año 1400. El grupo de estatuas denominado La crucifixión, así como la estatua de Santa María con el Niño Jesús, obras creadas después del año 1410 valieron al autor el nombre del Maestro de la Calvaria del Tin. La pila de bautismo de estaño, fabricada en 1414, el baldaquín encima de la tumba del obispo Lucián de Mirandola, obra de Matěj Rejsek del año 1493, el altar renacentista consagrado a San Juan Bautista y creado por el Maestro I. P. a principios del siglo XVI y también los retablos de Karel Škréta completan la imagen del interior. El magnífico órgano de Hans Heinrich Mundt, construido en los años 1670–1673 lo tocaban Christoph Wilibald Gluck así como Ferdinand Seger. En el siglo XIV pasaron algún tiempo en la iglesia los predicadores Konrad Waldhauser y Jan Milíč de Kroměříž, entre 1415 y 1419 Jakoubek

de Stříbro. Hasta el año 1620 la Iglesia del Tin fue el centro principal de los calixtinos praguenses y al mismo tiempo la sede del arzobispo husita elegido Jan Rokycana. Entre 1710 y 1735 estuvo allí de párroco el historiógrafo praguense Jan Florián Hammerschmied. Es objeto de una viva atención de los visitantes el sepulcro del astrólogo danés Tycho Brahe.

El Palacio de los Kinský, no. 606/I, fue edificado según el proyecto de Anselmo Lurago para Jan Arnošt Goltz en el terreno ocupado antes por tres casas medievales. Comprado en el año 1786 por los Kinský, pasó a la posesión de esta familia aristocrática. En su fachada se ven hoy día copias de las alegorías creadas en el lapso 1760–1765 por Ignác František Platzer, los estucos del palacio se deben tal vez a Carlo Giuseppe Bussi. La adaptación del interior y la reconstrucción de las alas del patio se realizaron en los años 1836–1839 según el proyecto elaborado por Josef Ondřej Kranner. En el palacio vivió cierto tiempo Franz Kafka y, además, en el lapso 1893–1901 frecuentó allí el liceo alemán. En la actualidad, el palacio es el lugar en que se hallan instaladas las colecciones gráficas de la Galería Nacional.

El edificio de la Escuela del Tin, no. 604/I, se construyó en el siglo XV en vez de dos casas anteriores, la una del último tercio del siglo XIII y la otra del segundo cuarto del siglo XIV a lo que responden igualmente las diferentes bóvedas de los soportales. En el zaguán se notarán los nervios de la bóveda escopleados y los poyos llamados sedilia; en la fachada, los fragmentos de los revestimientos ojivales de las ventanas se recubrieron con revoque. Los hastiales venecianos del período 1560-1570 y los esgrafiados veinte años más viejos en el patio recuerdan una reconstrucción renacentista. En la fachada se ve un cuadro barroco de Asunción de la Virgen. Cuando se liquidó la escuela, el edificio fue adaptado durante la primera mitad del siglo XIX. Con los maestros trabajó a fines del siglo XV, asimismo, el arquitecto y constructor Matěj Rejsek.

La Casa de Trčka, no. 603/I, surgió debido a la unión de una casa románica construida alrededor del año 1200 con dos edificios góticos, procedentes del segundo cuarto del siglo XIV que se conservan en la fábrica de los sótanos y los pisos. Las bóvedas de las arcadas atestiguan dos períodos de construcción en el segundo cuarto del siglo XIV. Recubiertos con el revoque se conservan trozos de las ventanas en gótico tardío. La fachada contemporánea cuenta con hastiales reconstruidos encima de la parte adaptada en estilo clasicista en los años 1770-1773. En la casa nació Josefina Hampacherová-Dušková, la convidante de Wolfgang Amadeo Mozart durante su estancia en Praga.

■ PÁG 74 ■

El refectorio situado en el centro del convento es una amplia sala con techo plano, dividida diagonalmente por franjas semicirculares que se encuentran en la columna central. Las paredes fueron construidas con fábrica de ladrillos grises. El refectorio se construyó en el año 1234.

■ PÁG 74 ■

El Patio del Paraíso en el Convento de Santa Inés debe su origen a la construcción del ámbito en los años 1238-1245. Durante los años setenta del siglo XVI, los Dominicanos edificaron en el ala oriental del convento un corredor renacentista con arcadas.

■ PÁG 75 ■

La Iglesia de San Nicolás forma parte integrante de la Plaza de la Ciudad Vieja. Este hecho contradice notablemente la intimidad de la concepción urbanística de su creador, es decir de Kilián Ignác Dientzenhofer. El frontispicio meridional, que es el principal, daba al principio a una plazuela formada por la manzana del Ayuntamiento y la casa de Krenn, demolida en el año 1901 para posibilitar la construcción de la avenida Pařížská, en su tiempo Mikulášská. La impresionante iglesia central con una cúpula en el tambor y dos torres la hizo construir en los años 1732-1735 el abad benedictino Anselmo Vlach en el terreno de una antigua iglesia en gótico temprano, edificada en la primera mitad del siglo XIII. Durante el siglo XIV fue sin duda la iglesia parroquia más importante en la Ciudad Vieja; los utraquistas se

mantuvieron en ella desde las guerras husitas hasta el año 1621. Entre los predicadores eminentes de esa época actuaron allí Jan Milíč de Kroměříž y Mateo de Génova. La iglesia pasó varias reconstrucciones, la última emprendida ya por los Benedictinos de Emaús después de la mitad del siglo XVII en estilo barroco temprano. Para la nueva construcción de Dientzenhofer, Antonín Braun creó las alegorías del Nuevo y Antiguo Testamentos que se colocaron encima del portal meridional, así como las figuras de los santos checos y los benedictinos. Éstas se hallan tanto fuera como dentro de la iglesia. Entre 1735-1736, Cosmas Damian Asam hizo en el interior frescos con escenas de la vida de San Nicolás y San Benedicto, pero las obras fueron seriamente deterioradas por la penetración del agua. El hermano de Cosmas, Egid Quirin Asam, complementó el interior creando la decoración de estucos. Junto con la liquidación del monasterio en el año 1787 fue desconsagrada también la iglesia, desde luego empleada después como almacén y a partir del año 1865 como sala de conciertos para militares. En 1871 la iglesia volvió a servir a su destino religioso. Desde entonces fue el santuario de la Iglesia Ortodoxa en que trabajó algún tiempo de director de coro el compositor Zdeněk Fibich. En 1921 fue la iglesia central de la Iglesia Husita Checoslovaca. Cuando derribaron la preladura y el convento y cuando construyeron el edificio no. 24/I, Rudolf Kříženecký adaptó en el año 1904 la fachada occidental. Dos años después colocaron en el nicho creado en la parte exterior del presbiterio la estatua de San Nicolás, obra de Bedřich Šimanovský, y en las cercanías se edificó una fuente en estilo clasicista con delfines que fue adaptada por Jan Štursa.

■ PÁG 76 ■

La Casa de la Campana de Piedra, no. 605/I, es un edificio absolutamente excepcional. Después de la reconstrucción emprendida en los años 1325-1330, el edificio primitivo de fines del siglo XIII se reconstruyó en un suntuoso palacio con torres, un frontispicio de rica concepción arquitectónica y adornos figurativos en los nichos, ventanas con do-

velas y frontones. Los costosos interiores de la casa con dos capillas llenas de pinturas murales (la que es más grande, en la planta baja, se edificó ya alrededor del año 1310), eslabones policromos y dorados, hacen suponer que el constructor de la época pertenecía sin duda a la familia del soberano. Se supone que el palacio fue edificado a petición de la reina Eliška (Elisa) de la casa Premislita. Después del año 1685 el carácter gótico de la casa se quitó sin escrúpulos, los elementos decorativos fueron escopleados, destruidos o empleados en la fábrica de la época barroca temprana. Después de una reconstrucción inexpresiva que se emprendió en la segunda mitad del siglo XIX, el edificio adquirió un aspecto neobarroco en 1899. La complicada reconstrucción de la casa terminó tan sólo en 1987 y desde ese año la Galería de la Capital de Praga celebra allí exposiciones, conciertos y conferencias.

■ PÁG 76 ■

La sala de esquina en el segundo piso de la Casa de la Campana de Piedra. Las copias de las dovelas para las ventanas se han reconstruido según los fragmentos hallados.

■ PÁG 77 ■

El monumento a Hus, concebido en estilo nuevo y situado en el centro de la Plaza de la Ciudad Vieja, fue inaugurado tan sólo el 6 de julio 1915, en oportunidad del quinto centenario de la quema del Maestro Jan Hus en Constanza. Los autores de la obra, el escultor Ladislav Šaloun y el arquitecto Antonín Pfeifer, ganaron el concurso convocado en 1900, pero decidieron rehacer su proyecto. La primera piedra fue sentada en 1903. Desde el zócalo de piedra se levanta una alta figura del predicador en bronce, rodeada de grupos de husitas, exulados de la época posterior a la Montaña Blanca y una alegoría del Resurgimiento Nacional representada por una madre alimentando a sus hijos.

A la izquierda del monumento se ve el frontispicio del Monasterio de San Pablo, no. 930/I, otrora parte componente de la Iglesia de San Salvador en la calle Salvátorská, primero en posesión de los Luteranos alemanes. El edificio se levantó después del año 1689 en donde había antes tres casas de la época medieval temprana. Se construyeron, al parecer, según los proyectos elaborados por Pavel Ignác Bayer. Las estatuas colocadas en la fachada las creó en 1696 Matěj Václav Jäckel. Cuando en 1784 el emperador José II ordenó liquidar el monasterio, éste se empleó como la casa de la moneda. Es la única construcción original que se ha conservado en la parte septentrional de la Plaza de la Ciudad Vieja. Sin embargo, hoy día no queda sino un torso de la antigua área del monasterio.

■ PÁG 77 ■

La Casa de Storch, no. 552/I, fue construida en la Plaza de la Ciudad Vieja en 1897 para el librero y editor Alexandr Storch, aprovechando el terreno en que habían demolido una valiosa casa medieval. Los proyectos de la construcción nueva, que incluían una copia libre del extraordinario balcón cerrado del segundo cuarto del siglo XV, los elaboraron Bedřich Ohmann y Rudolf Krieghammer, las obras de la construcción las tuvo a cargo František Tichna. Las pinturas decorativas que se ven en la fachada son obras de Ladislav Novák quien empleó para su realización los cartones de Mikoláš Aleš; las estatuillas neogóticas de Jan Kastner las talló Čeněk Vosmík. En la estrecha franja de la fachada domina la figura de San Venceslao a caballo blanco como patrono del pueblo checo. Éste ha sido representado en una complicada forma simbólica como un árbol. La escena central la complementan figuras de los Reyes Magos, dibujados entre las ventanas del cuarto piso; el paisaje de Bohemia meridional con cigüeñas, que se ve en el hastial; y figuras de un impresor trabajando con prensa y un religioso que embellecen el escritorio de la planta baja. Durante la revolución de mayo de 1945 la casa fue deteriorada por el fuego y su reconstrucción terminó en el año 1948.

■ PÁG 78 ■ 79 ■

Una vista a través de la calle Železná hacia la Plaza de la Ciudad Vieja, la Iglesia de San Nicolás y las cercanías. Más o menos en el centro se eleva sobre los tejados la cúpula verde de la Iglesia

de San Salvador, situada en la calle Salvátorská, santuario evangélico desde el año 1863. La foto se sacó desde la casa no. 494/I en la calle Železná.

■ PÁG 78 ■ 79 ■

La parte occidental de la Plaza de la Ciudad Vieja queda aún sin solución definitiva. Cuando en 1784 se unieron la Ciudad Vieja, la Nueva, la Pequeña y Hradčany, y cuando el Ayuntamiento de la Ciudad Vieja, no. 1/I, llegó a ser sede del Consejo Municipal, resultó que sus espacios no bastaban a las necesidades nuevas. El edificio con salas que daban a la plaza empezó a ensanchar y adaptarse, de manera que con el tiempo abarcó otras tres casas situadas a ese lado de la plaza. En el año 1839 todos los edificios quedaron demolidos para que se pudiera construir el Ayuntamiento nuevo. El proyecto de Peter Nobile primero no contaba en absoluto con la torre y la capilla con su balcón cerrado. En 1838 empezaron las obras, sin embargo provocaron tanta resistencia del público que el emperador Ferdinando mandó parar la construcción. Por fin, la Casa Municipal se terminó en el lapso 1844–1848 según un proyecto nuevo de Paul Sprenger, pero aun así suscitaba descontento de la gente. El 8 de mayo 1945 el Ayuntamiento fue destruido por el fuego. Exceptuando un eje vertical de ventanas junto al balcón cerrado, las ruinas se derribaron y el terreno se adaptó provisionalmente como parque. Desde fines del siglo XIX hasta los años ochenta del siglo XX se convocaron numerosos concursos para la reconstrucción de la Casa Municipal, pero hasta nuestros días no se ha realizado ningún proyecto.

Por suerte, la parte meridional del Ayuntamiento no sufrió grandes daños. Es allí donde se halla su núcleo, la casa de esquina de la familia Velflin de Kámen. El Municipio la compró en el año 1330 con el consentimiento del rey Juan de Luxemburgo. Enseguida empezó la construcción de la torre. En el mismo siglo se unió la casa del tendero Kříž, se edificó la capilla y se terminó la sala de sesiones para el Consejo Municipal. Cuando se amplió el espacio y se construyó el balcón cerrado, la capilla fue consagrada en el año 1381. Después de

1399 fue construida una sala nueva. En 1458 se adquirió la casa del peletero Mikeš y el Ayuntamiento se reconstruyó en estilo gótico tardío. A la época de 1490 se remontan tanto el portal principal con la ventana vecina del sector construido por Matěj Rejsek como la sala de entrada. La ventana renacentista de tres partes se hizo alrededor del año 1525. Tan sólo en los años treinta del siglo XIX se compró también la Casa del Gallo que cuenta con soportales góticos de fines del siglo XIV que la unen a la casa vecina de Mikeš. En el Ayuntamiento de la Ciudad Vieja eligieron el 2 de marzo 1458 a Jorge de Poděbrady el rey de Bohemia. Las cruces en el mosaico de la acera frente al balcón cerrado recuerdan el suplicio de veintisiete integrantes checos de la resistencia antihabsburga el 21 de junio 1621.

■ PÁG 80 ■

El primero de los edificios que forman el Ayuntamiento de la Ciudad Vieja: la Casa de Velfin de Kámen, su portal gótico tardío, el reloj astronómico y la capilla.

■ PÁG 81 ■

Vista de un grupo de casas con soportales frente a las fachadas meridionales del Ayuntamiento, sacada desde la torre de este centro de la Ciudad Vieja:
Las casas de la Cigüeña y del Caballo Dorado, nos. 482 y 481/I, dos casas medievales reconstruidas en las épocas barroca y clasicista y unidas en 1952, después de algunas intervenciones constructivas en sus interiores.
La Casa de la Zorra Roja, no. 480/I, al principio románica del siglo XII y reconstruida sustancialmente a fines del siglo XVII, al parecer por Jean Baptiste Mathey, según atestigua el pabellón de techo. Después de 1700 hicieron en el interior los techos con estucos y escenas mitológicas pintadas.
La Casa de los Binder, no. 479/I, al principio también románica en su centro. Después de la reconstrucción emprendida en 1546–1571 se ha conservado una sala en la planta baja y el tercer piso elevado en esa oportunidad. La fachada se adaptó una vez en barroco temprano y otra vez en estilo clasicista temprano.

En la esquina, la Casa de Štěpán, no. 478/I, con fachada redondeada y dos hastiales descansa sobre bodegas de dos pisos y su fábrica recuerda varias etapas de construcción góticas. Después de la reconstrucción renacentista, la casa se renovó en estilo barroco alrededor del año 1700. Desde ese período se data su aspecto contemporáneo, así como las pinturas en los techos de sus salas.

Otro edificio de esquina, la Casa del Buey, no. 462/I, es de origen gótico. Se ha conservado el portal que se remonta a principios del siglo XV. Los admirables hastiales documentan las reconstrucciones que se llevaron a cabo en los siglos XVII y XVIII. En la esquina misma se había colocado una copia de la estatua de San José, obra de Lazar Widman creada en la segunda mitad del siglo XVIII. El original fue destruido en mayo de 1945. A la casa vecina, no. 478/I, la une un codal. Lo mismo que el edificio vecino de Vilímek, no. 461/I, esta casa formaba parte componente del Monasterio de Servitas y su Iglesia de San Miguel, liquidada por orden del emperador José II en 1786.

■ PÁG 81 ■

La Casa de Schönpflug, no. 592/I, se construyó en la calle Celetná en el siglo XIV y después de la reconstrucción renacentista fue renovada esencialmente antes del año 1725, a lo mejor según el proyecto de Jan Blažej Santini. Un componente armonioso de la apreciable fachada lo constituye también la estatua de piedra representando a Santa María con el Niño Jesús en un movimiento remolinante que favorece con una sonrisa a los admiradores. Probablemente se trata de una obra de Antonín Braun, creada alrededor del año 1735.

■ PÁG 82 ■

La Puerta de la Pólvora vista desde la calle Celetná. En el primer plano se ve la Casa del Ciervo Dorado, no. 598/I, en cuyo sótano se ha conservado parcialmente la planta baja de la casa del siglo XIII con una bóveda de crucería en gótico temprano. El frontispicio así como ambas fachadas que dan a la calle Štupartská y que fueron adornadas con relieves, se remontan al segundo cuarto del siglo XVIII.

■ PÁG 83 ■

El Carolinum, no. 541/I, se compone de varios edificios agrupados alrededor de la casa cuyo propietario fue el director de la casa de moneda, Jan Rotlev. Ésta la adquirió el rey Venceslao IV en 1383 y trasladó allí el entonces Colegio de Carlos, fundado por Carlos IV en 1366 en la casa de Lazar Žid situada en la Ciudad Judía, cerca de de la Plaza de la Ciudad Vieja. Fue el colegio más antiguo de los que surgían después de que Carlos IV fundara el 7 de abril 1348 la primera Universidad en la Europa Central. El edificio se fue ampliando y reconstruyendo; sin demora se procedió a edificar el Aula Magna y la capilla universitaria de Cosma y Damián con un magnífico balcón cerrado que se terminó aún antes del año 1390 (en la foto). En los siglos subsiguientes se verificaron varias reconstrucciones, de las que la adaptación dirigida por František Maxmilián Kaňka entre 1715 y 1718 determinó el aspecto del frontispicio que da a la calle Železná. Las reconstrucciones de Jaroslav Fragner, realizadas en dos etapas entre 1946 y 1959 (la primera terminó en oportunidad del sexto centenario de fundación de la Universidad Carolina, la segunda con motivo del 550 aniversario de publicación del Decreto de Kutná Hora por el rey Venceslao IV), imprimieron al recinto universitario el aspecto contemporáneo. Al mismo tiempo abrieron en el año 1968 el ala rectoral nueva con el patio de honor y la entrada desde la plazuela llamada Ovocný trh (Mercado de Frutas). En el interior, rico en numerosos fragmentos góticos, se admiran sobre todo los espacios de la Casa de Rotlev con bóvedas de nervios y con arcadas, corredores al patio, el Aula Magna y otra pequeña, así como la sala de la Real Sociedad Checa de Ciencias, la Sala de Recepciones, etc. En el edificio del Carolinum se halla la sede del Rector de la Universidad, se celebran actos solemnes de graduación y otras asambleas importantes. Forman parte del Carolinum, igualmente, las casas que llevan los números 559, 560, 561, 562, 563 y 564/I y se hallan en la manzana entre la calle Celetná y la plazuela Ovocný trh.

■ PÁG 84 ■ 85 ■

La Puerta de la Pólvora se levantó en 1475 junto al foso de las murallas municipales formando parte representativa de la Corte Real en la Ciudad Vieja, sin embargo a cuenta de esta ciudad. Comenzó a dirigir las obras el maestro Václav de Žlutice, en 1478 le sucedió Matěj Rejsek quien había trabajado allí de pedrero ya dos años. La puerta, llamada entonces la Torre Nueva, aunque quedó sin terminar después de que el rey Vladislao de Jagiello se trasladó al Castillo de Praga en 1484, contaba con ricos adornos figurativos y ornamentales. Al principio parece haber estado dividida en tres zonas con plásticas de soberanos y santos, de la misma manera que la Torre del Puente de la Ciudad Vieja. En la planta baja encontraron aplicación escenas del género. A fines del siglo XVII, la torre se empleaba como almacén de pólvora que le dio el nombre. En 1757 le causaron daños serios con sus cañonazos los prusianos, de modo que poco después hubo que bajar los adornos de piedra aflojados. En los años 1876–1892 un equipo de escultores encabezados por Josef Mocker hizo la reconstrucción de la torre que está unida a la Casa Municipal mediante un puente cubierto. Al mismo tiempo, la torre constituye la puerta de entrada en el Camino Real cuyo trayecto a través de la calle Celetná, la Plaza de la Ciudad Vieja y la Pequeña, la calle Karlova, por el Puente de Carlos, la calle Nerudova, era la línea de empalme entre la Corte Real y el Castillo de Praga.

■ PÁG 86 ■

Un detalle del ornato escultórico de la Puerta de la Pólvora en que participaron, a fines del siglo XIX, los escultores Jindřich Čapek senior, Bernard Seeling, Josef Strachovský, Ludvík Šimek y Antonín Wildt.

■ PÁG 86 ■

El palacio no. 852/II en estilo rococó, al principio llamado de Piccolomini, lo mandó construir el conde Ottaviano Enea Piccolomini en la calle Na příkopě, Ciudad Nueva, utilizando el terreno profundo y los fragmentos de la fábrica de las cuatro casas antiguas. La construcción nueva con dos patios y fuentes, proyectada por Kilián Ignác Dientzenhofer, se fue realizando en el lapso 1744–1752, es decir incluso en los meses de la enfermedad y la muerte subsiguiente de su gran creador. La terminó luego Anselmo Lurago. La decoración escultórica del frontispicio y del interior se debe a Ignác František Platzer; los estucos – sobre todo la suntuosa escalera – fueron creados al parecer por Carlo Giuseppe Bussi. En el techo de la escalera domina el fresco de Václav Bernard Ambrož representando a Helios con la cuadriga, rodeado de tres figuras alegóricas. A fines del siglo XVIII, cuando el palacio estaba en posesión de los Nostitz, se construyó en su jardín el picadero de invierno y de verano. En el año 1885 lo obtuvo con el matrimonio el conde Arnošt Sylva Taroucca quien prestó algunas salas al Museo Etnográfico para la instalación de sus colecciones.

■ PÁG 87 ■

La Plaza de Venceslao en la Ciudad Nueva, el antiguo Mercado de Caballos, es una de las arterias más animadas de Praga. Comienza en la llamada Cruz de Oro, en Můstek, y la cierra el edificio del Museo Nacional. La plaza recibió el nombre en 1848 por el monumento ecuestre de San Venceslao, obra creada en estilo barroco temprano por Jan Jiří Bendl en los años 1678–1680, cuya copia está situada hoy en Vyšehrad. En el primer plano, a la izquierda se ve la fachada blanca del Palacio Koruna, no. 846/II, edificado en los años 1911–1914 según el proyecto de Antonín Pfeiffer y adornado con obras plásticas de Stanislav Sucharda y Jan Štursa.

■ PÁG 88 ■ 89 ■

La Pasarela de Novotný y los edifícios del Malecón de Smetana vistos desde Kampa, Ciudad Pequeña.

■ PÁG 88 ■ 89 ■

Vista de las torres de la Ciudad Vieja con el recinto del Clementinum en el primer plano desde la Torre de Puente de la Ciudad Vieja.

■ PÁG 90 ■

La Plaza de Venceslao vista desde el Museo Nacional presenta edifícios más

diversos: desde varias casas que documentan su aspecto característico de los siglos XVIII y XIX hasta las construcciones que atestiguan todos los estilos existentes en el siglo XX. En el primer plano se ve el monumento de bronce a San Venceslao, obra maestra de Josef Václav Myslbek, que refleja plenamente la evolución artística del autor quien trabajó en el monumento desde el año 1887 creando en diferentes concursos numerosas variantes no sólo del jinete, sino también de otros patronos checos. Por fin se eligieron las figuras de los santos Adalberto, Procopio, Ludmila y entonces la beata Inés. La figura de San Venceslao mismo se terminó en 1903, otras tres estatuas antes de 1912, año en que empezó a instalarse el monumento. La última se instaló en 1924 la estatua de San Adalberto. La concepción arquitectónica del monumento se encomendó a Alois Dryák, de los asuntos decorativos se encargó Celda Klouček.

En el pasado, la Plaza de Venceslao fue con frecuencia un lugar de diferentes acontecimientos políticos. Los más importantes fueron las asambleas masivas que se organizaron en noviembre y diciembre de 1989, cuando el monumento de San Venceslao se convirtió en un importante punto de piedad y estratégico.

■ PÁG 90 ■

El Museo Nacional, no. 1700/II, fue construido en los años 1885–1890, diez años después de haberse derribado la Puerta de los Caballos edificada en estilo clasicista por Peter Nobile en 1831–1832. La monumental construcción neorrenacentista de cuatro alas y con escaleras entre los dos patios, torrecillas de esquinas y una cúpula central del Panteón, fue proyectada por Josef Schulz, ganador del concurso. Las figuras alegóricas que están colocadas en el frontispicio son obras de Josef Mauder, Antonín Popp, Bohuslav Schnirch, Antonín Wagner y otros escultores. Decenas de artistas trabajaron en el ornato de los interiores. Allí la sala más interesante es el Panteón dedicado a rendir homenaje a las personalidades más destacadas de la nación, representadas de cuerpo entero o con bustos. Las pinturas murales sobre asuntos de historia las hicieron František Ženíšek, Václav

Brožík y Vojtěch Hynais. Delante del edificio hay una rampa con el surtidor de agua adornado con alegorías que representan los territorios de la Corona de Bohemia y sus ríos grandes, obras de Antonín Wagner creadas en el lapso de 1891 a 1894.

■ PÁG 91 ■

La Sinagoga Jeruzalémská (de Jerusalén), llamada también Jubilar, no. 1310/II, fue construida en la calle Jeruzalémská en el lapso 1905–1906, habiéndose proyectado en oportunidad del cincuenta aniversario del gobierno de Francisco José. Su objetivo fue reemplazar las sinagogas demolidas durante la urbanización de la Ciudad Judía. Cuando por motivos urbanísticos se rechazaron los proyectos de Alois Richter, en 1899, y de Josef Linhart, en 1901, el asunto se encomendó a Wilhelm Stiassny. De la construcción del edificio en estilo seudomorisco se hizo cargo Alois Richter.

■ PÁG 92 ■

La Casa de Vendelín Mottl, no. 761/II, situada en los años 1906–1907 entre la Plaza de Jungmann y la calle del 28 de Octubre, cierra la avenida Národní (Nacional). La proyectó y construyó Karel Mottl. Sus tres fachadas ofrecen detalles interesantes y el más interesante de ellos es la solución del portal de entrada en la Plaza de Jungmann.

■ PÁG 92 ■

En la esquina de las calles Konviktská y de Karolina Světlá se halla la Iglesia de Santa Cruz, una rotonda románica de la primera mitad del siglo XII que había servido de iglesia a los dueños del cortijo solariego local. Después de la liquidación decretada en 1784 por José II, en el año 1860 decidieron arrasarla, pero al fin se logró conservarla e incluso fue restaurada en los años 1864–1865 por Vojtěch Ignác Ullmann. En su interior quedan fragmentos de la pintura gótica del siglo XIV. El verjado de hierro fundido, situado alrededor de la rotonda, lo proyectó en 1865 Josef Mánes. Hoy día sirve la rotonda a la Iglesia Católica Vieja.

■ PÁG 93 ■

Después de varios concursos fracasados, en el terreno de las antiguas casas de Choura o Kaura, construidas en 1849 y derribadas en 1959, así como en el lugar donde habían estado los edificios administrativos de Vladimír Wallenfels terminados en 1928 y volados en 1977, se levantaron construcciones nuevas. Según el proyecto de Pavel Kupka se realizaron dos de los tres edificios de servicios que están unidos al Teatro Nacional con un paso subterráneo. Cuando se modificó la concepción inicial, Karel Prager rehizo la tercera ala semiproyectada. Así surgió la Escena Nueva revestida de elementos de vidrio soplado, fabricados en la vidriería Kavalier de Sázava. El conjunto se terminó en el año 1983. En el primer plano de la foto se puede apreciar la obra plástica de Josef Malejovský denominada El renacimiento.

■ PÁG 93 ■

El Teatro Nacional, no. 223/II, una magnífica obra arquitectónica del siglo XIX que se pudo construir gracias a la colecta nacional, tiene importancia extraordinaria desde el punto de vista cultural. El edificio, cuya forma de trapecio irregular se debe al terreno, es obra del ganador del concurso Josef Zítek y se edificó en el período 1868-1881 en estilo neorrenacentista. Antes había allí una dependencia de la salina y posteriormente el Teatro Provisional de Ignác Ullmann edificado en 1862. El teatro nuevo resultó destruido por el fuego por el descuido de los obreros. Poco después lo restauraron e incluso ampliaron con una parte del Teatro Provisional y con la construcción suplementaria de la llamada Casa de Schulz, denominada así en homenaje al autor de la construcción, Josef Schulz. El teatro se unauguró, en definitiva, el 18 de noviembre 1883. Del ornato de los exteriores e interiores se encargaron los mejores artistas que recibieron el nombre de Generación del Teatro Nacional. Bohuslav Schnirch creó las estatuas de Apolo y las Musas colocadas en el ático. Diseñó también las famosas trigas, reelaboradas e instaladas tan sólo en los años 1910-1911. Las demás figuras alegóricas las crearon Antonín Wagner y Josef Václav Myslbek. El techo de la sala de espectáculos lo pintó František

Ženíšek, la decoración del proscenio se debe a Bohuslav Shnirch, el telón es obra de Vojtěch Hynais. En el foyer se encuentran las lunetas pintadas por Mikoláš Aleš y las pinturas murales y de techo creadas por František Ženíšek en colaboración parcial con Mikoláš Aleš. En el Palco Real, actualmente Presidencial, demostraron su arte Vojtěch Hynais, Julius Mařák y Václav Brožík; los muebles se fabricaron según el proyecto de Emilián Skramlík. En diferentes partes del teatro se encuentran numerosos bustos de notables personalidades que trabajaron allí. En el lapso comprendido entre 1977 y 1983, con motivo del centenario de inauguración del Teatro Nacional, se realizó una amplia reconstrucción y modernización del edificio y se edificaron igualmente las dependencias de servicio y la Escena Nueva.

■ PÁG 94 ■

La torre de agua, edificada en 1495 junto a los Molinos de Šítek, se reconstruía varias veces después de los desastres como incendio, inundación o cañoneo. Su aspecto actual data de 1651, la cúpula en forma de cebolla se remonta al siglo XVIII. Los molinos se derribaron en 1928 y dos años después fueron sustituidos por el edificio constructivista Mánes, no. 250/II, proyectado por Otakar Novotný.

■ PÁG 94 ■

En el año 1635 el preboste del liquidado Monasterio de Ciriacos en la Ciudad Vieja, Jan Zlatoústý Trembský, hizo levantar en su viñedo de Letná una capilla circular en estilo barroco temprano y la consagró a Santa María Magdalena. En el año 1648 la capilla sirvió de refugio a los suecos en su conquista de Praga. Cuando en 1955 se iniciaron las obras de nivelación de la cabecera del Puente de Čech, la capilla fue desplazada al sitio actual. Hoy día pertenece a la Iglesia Católica Vieja.

■ PÁG 95 ■

Durante la construcción de los edificios nuevos del Teatro Nacional se fue adaptando y arreglando igualmente el jardín de las Ursulinas. Los trabajos fueron dirigidos por Pavel Kupka y Otakar Kuča.

El grupo de estatuas llamado El diálogo es obra de Stanislav Hanzík.
Las sencillas fachadas barrocas del Convento de Ursulinas, no. 139/II, constituyen una muestra del área relativamente extensa que se fundó en 1672. Las obras de construcción se realizaron en los años 1647-1678 y 1721-1722. La Iglesia de Santa Ursula fue proyectada por Marcantonio Canevale y construida en la actual avenida Národní en los años 1699-1704.

■ PÁG 95 ■

El monasterio para hombres más antiguo en los países checos fue fundado en 993 por el obispo praguense San Adalberto y el príncipe Boleslao II en Břevnov cerca de Praga. La iglesia original fue consagrada al fundador de la orden local, de San Benedicto, y simultáneamente a San Bonifacio y Alexis. Alrededor del año 1045 el príncipe Břetislao construyó allí la Iglesia de San Adalberto que fue probablemente una basílica de tres naves. De la misma se ha conservado hasta hoy sólo la cripta. En la segunda mitad del siglo XIII comenzó una reconstrucción gótica. La lápida sepulcral del beato Vintíř, eremita benedictino, data de los principios del siglo XIV. En el año 1420 el monasterio resultó quemado y destruido por los husitas y los praguenses, de lo cual no supo recobrarse mucho tiempo. Bajo el gobierno del emperador Rodolfo II se renovó en parte cambiando a la vez su consagración a Santa Margarita cuyas reliquias fueron regaladas al monasterio en 1262 por el rey húngaro Bela II. La mayoría de los edificios estaban en ruinas. Después de la batalla en la Montaña Blanca, el monasterio fue arrasado completamente por las huestes imperiales. Sólo bajo el abad Tomáš Sartorius cuando, pese al incendio que lo deterioró en 1678, lograron restaurarlo. Sin embargo, tan sólo los abades Otmar Zinke y más tarde Benno Löbl tuvieron el mayor mérito por el nuevo auge de la abadía de Břevnov, habiendo ganado para su construcción a los artistas más capaces de la época. Desde 1709 hasta 1722 trabajó allí Kryštof Dientzenhofer. Su Iglesia de Santa Margarita, con salas cuyo plano horizontal tiene forma de óvalos intersecados, figura entre las mejores construcciones del barroco checo. A partir de 1716, mientras vivía aún, ejercía el control de las obras de construcción su hijo Kilián Ignác Dientzenhofer. De escultores trabajaron con éxito Karel Josef Hiernle, Matěj Václav Jäckel, Richard Prachner, Jan Antonín Quittainer y otros artistas. Los cuadros para los altares ilusivos los hizo en los años 1716–1717 Petr Brandl. Entre 1719 y 1721 Jan Jakub Steinfels pintó la bóveda de la iglesia con frescos. La escena del Milagro del Beato Vintíř en la Sala Teresiana de la Prelatura la pintó Cosmas Damián Assam y en 1727 su hermano Egid Quirin creó para ella el marco de estuco. En otras salas del monasterio y Prelatura trabajaron, pintando techos y paredes, Josef Hager, Karel Kovář, František Lichtenreiter, Jiří Vilém Neunherz y Antonín Tuvora. Al recinto pertenecen o pertenecían las casas de labor, el jardín con el castillejo llamado Vojtěška, la glorieta Josefka, el invernadero de cítricos y el cementerio con la Capilla de San Lázaro.

■ PÁG 96 ■

En Nová obora (Coto Nuevo), fundado en 1534 por Ferdinando I en el bosque de Malejov cerca de Horní Liboc, el archiduque Ferdinando de Tirol, su hijo, mandó construir según su propio proyecto un palacete que por su forma hexagonal recibió el nombre La Estrella. Las pinturas de techo de la segunda mitad del siglo XVI y del XVII no se han conservado. En los siglos XVII y XVIII la forma del techo experimentó dos cambios. Durante la Guerra de los Treinta Años, el castillejo fue deteriorado por los suecos, en 1742 por los franceses, en 1757 por los prusianos y, por último, José II mandó acondicionarlo para almacenar allí la pólvora. En 1949 el palacete fue reconstruido por Pavel Janák. Poco después se instaló en él el Museo de Alois Jirásek y Mikoláš Aleš. En el coto cercano al palacete se ha conservado la Sala de Juegos de Balón proyectada por Bonifác Wohlmut y terminada en 1558, después de dos años de construcción.

■ PÁG 97 ■

En el interior del palacete La Estrella, las bóvedas se ven decoradas con mag-níficos estucos de artistas italianos desconocidos. Uno de ellos fue probablemente Giovanni Antonio Brocco. Se aplicaron allí modelos romanos de los siglos I y II de nuestra era, de acuerdo con la idea de captar los temas de la mitología antigua o de la historia romana. Estos asuntos resaltan la heroica abnegación, la amabilidad y generosidad. Las pinturas representan igualmente numerosas figuras semihumanas y semianimales y van complementadas con otros ornamentos. En el centro de la bóveda del espacio poligonal de la planta baja se ve una escena que representa el amor del hijo, documentado con el ejemplo de Aeneas quien lleva fuera de la Troya en llamas a su padre Anchís (en la foto).

■ PÁG 98 ■

La pendiente arbolada de Trója, la Isla Imperial (Císařský ostrov) del Vltava y la urbanización de las periferias de Dejvice vistas desde la ruina del antiguo lagar de uvas en Baba.

■ PÁG 98 ■

El cortijo primitivo, situado en los viñedos de Dejvice, se reconstruyó después de 1733 por orden de su propietario, Hans Paul Hippmann, en estilo barroco culminante. En el palacete (no. 15) con jardín en terrazas fue instalada en el año 1912 la colección privada de Josef Antonín Jíra, dando origen al Museo Arqueológico que hoy forma parte del Museo de la Capital de Praga. En los años treinta del siglo XX se demolieron las casas de labor.

■ PÁG 99 ■

La torre de agua de Letná en Bubeneč fue construida en el año 1888 en estilo neorrenacentista por la casa Hübschmann y Schlaffer según el proyecto de Jindřich Fialka.

■ PÁG 99 ■

El Palacete del Lugarteniente, no. 56, situado cerca del Coto Real en Bubeneč, fue al principio un castillejo de caza fundado por Vladislao de Jagiello en 1495. El testimonio de aquel período lo constituye sólo una plástica del león en la escalera. En el año 1578 Rodolfo II encargó una importante reconstrucción del palacete a Ulrico Aostalli quien proyectó una construcción con arcadas y una torre prismática en la esquina. La forma contemporánea del edificio se debe a la reconstrucción romántica gotizante, realizada por Jiří Fischer en los años 1805–1811. La decoración escultórica la crearon Ignác Michal Platzer y Josef Kranner, de las pinturas en las habitaciones se encargó el taller de Josef Navrátil. Un estilo parecido se deja ver también en la cercana puerta del Coto Real del año 1814.

■ PÁG 100 ■

Para la Exposición Conmemorativa Nacional de 1891, el arquitecto Heiser proyectó el Pabellón de Exposiciones cuyos detalles fueron creados por el modelador Zdeněk Emanuel Fiala según los diseños del arquitecto Hercík. La armadura de hierro fundido para la extraordinaria obra en estilo neobarroco la hicieron en las fundiciones de Komárov. De la construcción de los elementos se encargó K. Šlejf. En 1898 el pabellón que llevaba el nombre del Príncipe Vilém de Hanava, propietario de la fábrica de fundición, quedó desarmado y trasladado al parque Letenské sady, donde volvió a funcionar como restaurante tan sólo después de la reconstrucción realizada en los años 1967–1971.

■ PÁG 101 ■

Vista de las torres de la Ciudad Vieja desde Letná. En el primer plano, una barrera de edificios: la Facultad de Derecho de la Universidad Carolina, construida entre 1924 y 1927 según el proyecto elaborado por Jan Kotěra en 1914; el Instituto de Física Nuclear, construido originalmente en 1922–1923 por Jan Sakař para la Facultad de Filosofía de la misma Universidad; el Conservatorio Estatal de Música, edificado en 1902, con una cúpula de esquina, que sirvió al principio de liceo académico; y el Rudolfinum.

■ PÁG 101 ■

Los puentes del Vltava y la urbanización en la orilla de la Ciudad Vieja vistos desde Letná.

■ PÁG 102 ■

Detalle de la decoración en la escalera

de la Villa de Trója: un gigante -cariátide- cargando una plataforma encima del foso adonde fueron arrojados otros dos gigantes. En la figura se nota la firma de Georg Heermann, en la otra hay la fecha de 1685.

■ **PÁG 103** ■

La pintura de techo en la Sala Imperial de Trója la terminó Abraham Godyn en 1693. En ella representó mediante numerosas alegorías y figuras históricas el triunfo de la fe cristiana sobre el islamismo después de la victoriosa batalla de Viena en 1683. Otras escenas pintadas en las paredes guardan relación sobre todo con diferentes acontecimientos históricos de la casa de los Habsburgo siendo complementadas con una galería de personalidades más importantes.

■ **PÁG 104** ■ **105** ■

El extenso recinto del Castillo de Trója está concebido con máxima simetría y el eje principal del área está dirigido al sur, hacia la Catedral de San Vito. El castillo y las casas de labor se construyeron en una terraza adornada con vasos y dos fuentes. Delante de la terraza se extiende una explanada ornamental con una fuente reconstruida y algunas copias de las plásticas originales. Al fondo se encuentran dos invernaderos de cítricos. Al este de allí está situado un plantel trapeciforme y una estrellada red de caminos cubiertos de piedras machacadas. Por un túnel, debajo del camino original en desmonte, se entraba en la parte occidental del jardín con sala terrena. En la colina que se eleva detrás del castillo, donde cultivan aún la vid, se construyó la Capilla de Santa Clara. Además, el área de viñedos la complementaban edificios de carácter laboral: cortijo, cervecería, molino y taberna.

■ **PÁG 104** ■ **105** ■

El Castilo de Trója es un conjunto de valor extraordinario, casi intacto por las reconstrucciones posteriores. Fue construido como una villa suburbana del tipo italiano para el alto funcionario del Estado, Václav Vojtěch de Šternberk. Si bien es cierto que el edificio lo proyectó antes de 1678 Domenico Orsi, poco después de su muerte Jean Baptiste Mathey

impuso un proyecto nuevo, realizado por Silvestro Carlone. La construcción se terminó aproximadamente en 1685, la magnífica escalinata de jardín antes de 1689. Georg y Paul Heermann colocaron en ella las figuras de dioses olímpicos luchando con gigantes. Las últimas estatuas se instalaron en 1703. Hasta el año 1708 en la balaustrada exterior fueron colocados igualmente los bustos procedentes a lo mejor del taller de los Brokof. En las salas hicieron las pinturas de techo, después de 1689, Francesco Marchetti y su hijo Giovanni Francesco, sin embargo el emprendedor de la construcción encargó la decoración de la Sala Imperial a los hermanos Abraham e Isaak Godyn. Éstos terminaron las obras en 1697, después de seis años de trabajo. Por lo visto, Abraham Godyn pintó también la caballeriza extraordinariamente suntuosa en que había hogares, comederos de mármol y rejillas artísticas para heno.

■ **PÁG 106** ■

La Iglesia del Sacratísimo Corazón de Jesús en la Plaza de Jiří de Poděbrady, Vinohrady, se destaca entre las pocas construcciones sagradas del siglo XX, y no sólo en Praga. El arquitecto Josip Plečnik proyectó el espacio interior de una manera no tradicional, sin presbiterio, incluso proyectando la torre en área total del edificio. La construcción se realizó en los años 1928–1932. Las plásticas en la fachada frontal se deben a Bedřich Štefan, las del interior a Damián Pešan.

■ **PÁG 106** ■

La Iglesia de Santa Ludmila en la Plaza de la Paz, de Vinohrady, se construyó en 1888–1893 según el proyecto de Josef Mocker. Es una seudobasílica de ladrillos con una nave diagonal y una fachada de dos torres en estilo neogótico. Las obras de construcción las dirigió Antonín Turek. El relieve de Cristo y San Venceslao con Santa Ludmila en el tímpano del portal occidental lo creó Josef Václav Myslbek. En el ornato del interior participaron Ludvík Šimek, František Hergesel, František Sequens, František Ženíšek, Adolf Liebscher, Jan Kastner, etc.
En la foto, a la izquierda de la iglesia se

ve el Teatro de Vinohrady, construcción en estilo del arte nuevo proyectada por Alois Jan Čenský y realizada en los años 1904–907. Los grupos de estatuas en pilones son obras de Milan Havlíček del año 1906.

■ **PÁG 107** ■

Por encima de la urbanización del valle de Nusle se extiende el imponente coloso del Palacio de Cultura proyectado por Josef Karlík, Jaroslav Mayer, Vladimír Ustohal y Antonín Vaněk. El edificio terminado en 1981, equipado de la técnica más moderna y adornado por artistas de todos los géneros cuenta con Sala de Congresos en que se halla el órgano más grande de Praga, Sala de Conferencias, Sala de Cámara, Salón Presidencial, restoranes y muchos otros locales.
El proyectista responsable del hotel Forum fue nombrado Jaroslav Trávníček. El edificio fue entregado al servicio en el año 1988.

■ **PÁG 107** ■

El Puente de Nusle se construyó en el período 1967–1974 según el proyecto de Stanislav Hubička, Svatopluk Kober y Vojtěch Michálek. Es una línea de empalme entre la autopista que va a Brno y Bratislava y la carretera troncal Norte-Sur. A su alcance se hallan todos los tipos de transporte incluso el metro. Mirando desde Karlov vemos al fondo la línea vertical del hotel Forum, y la horizontal del Palacio de Cultura.

■ **PÁG 108** ■

La rotonda románica de San Martín en Vyšehrad es la más antigua de las que se han conservado en Praga. Fue construida bajo el gobierno de Vratislao II, en el último tercio del siglo XI. En los siglos XVII y XVIII sirvió de polvorín, en el XIX de almacén. En 1878 quedó restaurada y complementada con algunos detalles.

■ **PÁG 108** ■

Vyšehrad fue poblado ya a fines de la era paleolítica, en el cuarto milenio antes de nuestra era. Una localidad que se descubrió allí data de la primera mitad del tercer milenio. Pero fue hasta la primera mitad del siglo X, cuando llegaron a establecerse en la roca de Vyšehrad los eslavos fundando allí una población avallada que fue sede del príncipe, las primeras construcciones sagradas: una prerrománica, de consagración desconocida, y la Capilla de San Juan Evangelista, así como la casa de la moneda. Después del año 1067 el príncipe Vratislao II, quien llegó a ser rey en 1085, trasladó su sede desde el Castillo de Praga a Vyšehrad. Reedificó el centro de una manera respetable, fundó iglesias y el Capítulo de la Iglesia de San Pedro y San Pablo. Esta basílica de tres naves la renovó en 1129 el príncipe Soběslao y construyó al lado de la iglesia otras dependencias. Sus sucesores volvieron al Castillo de Praga. Otra reconstrucción importante de la Iglesia de San Pedro y San Pablo se realizó después del incendio registrado en la segunda mitad del siglo XIII y, posteriormente, en la primera mitad del siglo XIV. Carlos IV dio a Vyšehrad una nueva función: la del punto de partida durante la ceremonia de coronación. Después de rendir homenaje a la tradición premislita en Vyšehrad, el cortejo solemne se puso en marcha por Praga y después se dirigió al Castillo para celebrar allí el acto religioso. Fue la última vez cuando Vyšehrad fue renovado costosamente, cuando se fortificó de nuevo y cuando, gracias a la fundación de la Ciudad Nueva, se unió prácticamente a las ciudades praguenses. En 1420 Vyšehrad fue saqueado por los husitas praguenses y nunca más logró recuperar su posición histórica anterior. Después de la batalla en la Montaña Blanca empezó a renovarse la fortificación de Vyšehrad. Sin embargo durante la Guerra de los Treinta Años resultó destruida otra vez, lo mismo que otros edificios. En la segunda mitad del siglo XVII se transformó en una fortaleza barroca que se liquidó en 1911. La Iglesia de San Pedro y San Pablo pasó una adaptación renacentista en los años 1575-1576. La dirigieron Ulrico Aostalli y el maestro Benedicto. La adaptación barroca de la iglesia se realizó en 1711-1728, primero bajo la dirección de František Maxmilián Kaňka, sucedido después por Carlo Antonio Canevale. Los dos utilizaron, al parecer, los proyectos arreglados de Jan Blažej San-

tini. El aspecto neogótico de hoy con dos torres lo imprimió a la iglesia Josef Mocker en el lapso 1885-1887. Además de los edificios ya mencionados, el deanato, dos preposituras, las casas del canónigo y otros edificios, en Vyšehrad se halla el cementerio donde están sepultadas decenas de notables personalidades de la nación.

La Puerta de Leopoldo que data de la época anterior al año 1670 recibió el nombre del soberano Leopoldo I. Desde allí se vigilaba la entrada en la Fortaleza de Pankrác. El proyecto, elaborado en dos variantes, se debe a Carlo Lurago, la decoración escultórica es de Giovanni Battista Allia.

■ PÁG 109 ■

El Fortín de Chodov se construyó probablemente ya a fines del siglo XIII. Tiene plano circular y cuenta con una torre, puerta cochera, ala palaciega pequeña y una ancha zanja de agua. En la segunda mitad del siglo XVI se realizaron ciertas obras de adaptación, pero la reconstrucción radical del fortín semidestruido en un castillo con patio de arcadas se llevó a cabo tan sólo alrededor de 1700, cuando el Monasterio de San Nicolás en la Ciudad Vieja era propiedad de la Orden de San Benedicto. Actualmente, el edifico renovado que sirve de un centro cultural da con su forma y contenido nuevos impulsos de vida a los grises matices de la aglomeración urbana de la Ciudad del Sur.

■ PÁG 109 ■

El puerto de veleros de Podolí en el río Vltava visto desde Vyšehrad. Los edificios monumentales de la Central Municipal de Distribución del Agua y de la Distribuidora Nueva los proyectó Antonín Engel en los años 1929-1931 y 1959-1962, respectivamente.

■ PÁG 110 ■

La finca Bertramka en Smíchov, no. 169, data de las postrimerías del siglo XVII y fue reconstruida en estilo clasicista durante la segunda mitad del siglo XVIII. Se conoce sobre todo gracias a la estancia de Wolfgang Amadeo Mozart. Le invitaron el compositor y pianista František Xaver Dušek y su esposa Josefina, cantante de ópera. Fue en

1787 cuando llegó a Praga para dirigir el estreno de su ópera Don Giovanni en el Teatro de Nostitz. Mozart pasó de nuevo por Bertramka probablemente en 1791, cuando volvió a alojarse en la casa de Dušek, en relación con el estreno de su ópera escrita para la coronación del emperador Leopoldo II y titulada „La clemenza di Tito". En el interior del edificio se han conservado los techos pintados así como los dibujos en la sala terrena utilizada como sala de conciertos. Populares son, asimismo, los conciertos en la terraza. En medio del jardín está situado un busto de Mozart creado en 1876 por Tomáš Seidan. La finca está abierta al público como el museo de los esposos Dušek y de Mozart.

■ PÁG 110 ■

El monasterio cisterciense de Zbraslav fue fundado por el rey Venceslao II en 1292 al lado del castillejo de caza que mandó levantar en 1268 Premislita Otakar II. La construcción empezó en 1297 y se prolongó hasta mediados del siglo XIV. Al monasterio se le puso el nombre Aula Regia en prueba de las extraordinarias relaciones con los últimos Premislitas. Éstos incluso decidieron edificar su mausoleo en la Iglesia abadesca de la Virgen María que se destaca por su hermosísima decoración. Gracias a los abades Otto y Petr Žitavský, en la primera mitad del siglo XIV se escribió en el monasterio la famosa Crónica de Zbraslav. En 1420 el monasterio fue quemado por los husitas y después de su renovación fue devastado de nuevo durante la Guerra de los Treinta Años. Los abades Wolfgang Loechner y más tarde Tomáš Budetius se merecieron por una nueva construcción barroca de los edificios que se realizó en el lapso 1709-1739. El emperador José II liquidó el monasterio en 1785, facilitando de esta manera una utilización diferente de los espacios. Los mismos sirvieron de refinería de azúcar y fábrica química. En 1913 el recinto deteriorado lo compró Cyril Bartoň de Dobenín y en los años 1924-1925 el monasterio fue adaptado en un castillo.

El edificio del monasterio de tres alas con un patio de honor fue construido en 1709-1732 según el proyecto de Jan

Blažej Santini. A partir de 1724 prosiguió su trabajo, con algunas modificaciones, František Maxmilián Kaňka.

■ PÁG 111 ■

Cuando dejó de existir el centro de la abadía, se hizo cargo de sus funciones la Iglesia de Santiago, al principio parroquial. A ella se trasladaron incluso los despojos mortales de los Premislitas. Se reconstruyó en los años 1650-1654 en estilo de barroco temprano. Además de la copia de la Madona de Zbraslav, cuyo valiosísimo original de 1350 está expuesto en la Galería Nacional, encontramos en el interior de la iglesia cuadros de Karel Škréta, Petr Brandl y Giovanni Battista Piazzetta. Al este del presbiterio se encuentra el edificio de la antigua Prelatura, reconstruido antes de 1739 por František Maxmilián Kaňka y adornado con frescos de Václav Vavřinec Reiner y František Xaver Balko, repitiéndose los temas de la historia del monasterio. En los años 1911-1912 Dušan Jurkovič adaptó el edificio como un castillo.

■ PÁG 112 ■

En la Sala Real del monasterio de Zbraslav, Václav Vavřinec Reiner pintó en 1728 un fresco con el tema de bendición de la primera piedra de la iglesia. Igualmente las demás escenas murales tienen que ver con la historia de la fundación del monasterio por Venceslao II. Su obra maestra la hizo allí el estuquista Tommaso Soldati así como su hijo Martín. El fresco en el refectorio, una alegoría del hombre quien llegó a su boda sin vestimenta nupcial, fue creado por František Xaver Balko. Ya en 1941 el último propietario legó el edificio a la Galería Nacional y sus colecciones. Ésta instaló en el monasterio una exposición permanente de la escultura checa desde el período barroco hasta la actualidad.

OBSAH

František Maleček / Roman Maleček

PRAHA

PRAG / PRAGUE / PRAGUE / PRAGA / PRAGA

Photography: **František Maleček, Roman Maleček**
Odborný text: **PhDr. Helena Čižinská**
Překlad do němčiny: **Ema Echsnerová**
Překlad do angličtiny: **Joanne Dominová**
Překlad do francouzštiny: **Alena Kryštůfková**
Překlad do italštiny: **PhDr. Lea Šupová, Jindra Boubelíková**
Překlad do španělštiny: **Ing. Jiří Horák**
Typografie: **Miroslav Pechánek**
Celkem 156 barevných fotografií
Z fotosazby vytiskly: **Liberecké tiskárny, s.p., 460 90 Liberec**

Vydalo:

NAKLADATELSTVÍ

252 63 Roztoky u Prahy, Palachova 957

1. vydání v r. 1991

ISBN – 80-900287-0-5